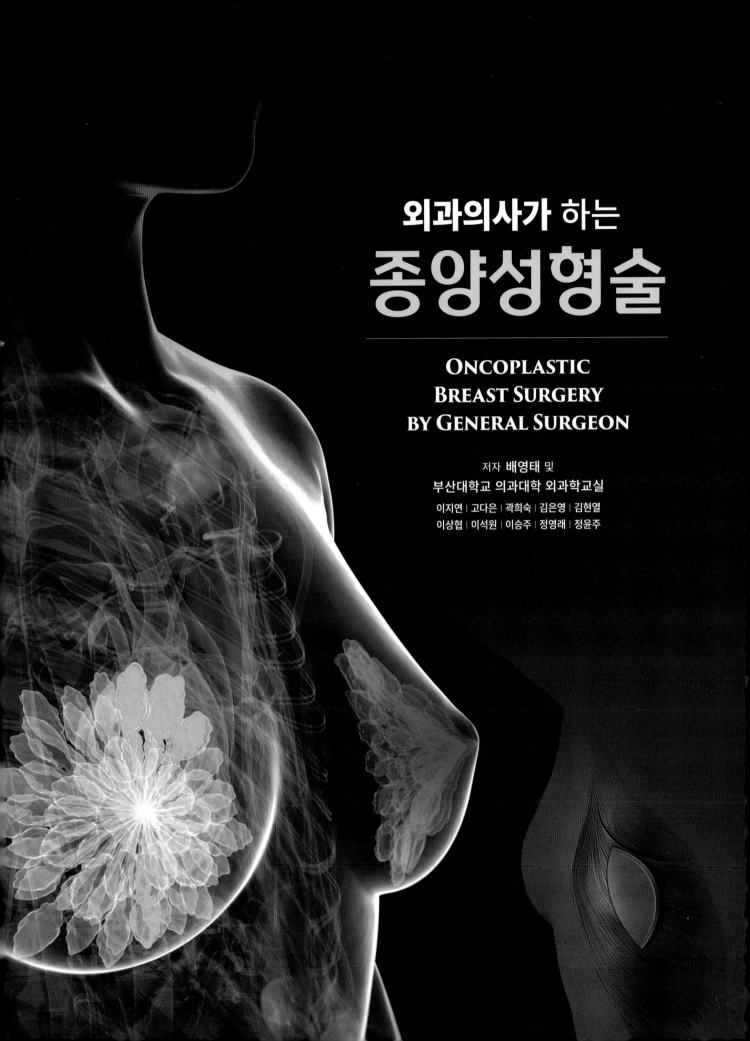

외과의사가 하는 종양성형술

ONCOPLASTIC BREAST SURGERY BY GENERAL SURGEON

저자 배영태 및
부산대학교 의과대학 외과학교실

이지연 | 고다은 | 곽희숙 | 김은영 | 김현열
이상협 | 이석원 | 이승주 | 정영래 | 정윤주

외과의사가 하는 종양성형술

첫째판 1쇄 인쇄 | 2022년 4월 27일
첫째판 1쇄 발행 | 2022년 5월 20일

지 은 이 배영태, 이지연
발 행 인 장주연
출 판 기 획 이성재
책 임 편 집 김수진
편집디자인 조원배
표지디자인 김재욱
일 러 스 트 이호현
제 작 담 당 이순호
발 행 처 군자출판사(주)
　　　　　　등록 제4-139호(1991. 6. 24)
　　　　　　본사 (10881) **파주출판단지** 경기도 파주시 회동길 338(서패동 474-1)
　　　　　　전화 (031) 943-1888　　　팩스 (031) 955-9545
　　　　　　홈페이지 | www.koonja.co.kr

ISBN 979-11-5955-894-8

정가 120,000원

외과의사가 하는
종양성형술

ONCOPLASTIC
BREAST SURGERY
BY GENERAL SURGEON

집필진

주저자

배영태　　前, 부산대학교병원 유방외과

책임부저자

이지연　　前, 부산대학교병원 유방외과, 現, 경북대학교병원 유방갑상선외과

저자

곽희숙　　前, 부산대학교병원 유방외과, 現, 부산 광안자모병원 유방외과
정윤주　　前, 부산대학교병원 유방외과, 現, 양산부산대학교병원 유방외과
김은영　　前, 부산대학교병원 유방외과, 現, 서울 김은영유외과
김현열　　前, 부산대학교병원 유방외과, 現, 양산부산대학교병원 유방외과
이상협　　前, 부산대학교병원 유방외과, 現, 부산 갑외과
이석원　　現, 부산대학교병원 유방외과
이승주　　前, 부산대학교병원 유방외과, 現, 양산부산대학교병원 유방외과
고다은　　前, 부산대학교병원 유방외과, 現, 부산 좋은강안병원
정영래　　前, 부산대학교병원 유방외과, 現, 부산 마더즈병원

발간사

최근 국제암 보고서에 따르면 한국은 북미, 서유럽과 함께 암 발생률이 높은 국가에 속한다. 특히 유방암은 여성암 중 서구에서 제일 흔한 암이며, 우리나라의 경우 2016년까지 갑상선암에 이어 2위에 머물다가 최근 1위로 발생률이 증가하고 있는 질환이다. 많은 치료방법의 발전에 힘입어 유방암 관련 사망률이 지난 20여년간 꾸준히 감소하고 있음에도 불구하고, 유방암의 발생빈도는 이를 앞질러 점점 증가하고 있다.

유방암의 외과적 치료는 지난 수십 년 동안 근치적 유방절제술에서부터 1970년대에 무렵에는 유방보존술로 변화해왔다. 최근에는 더욱 길어진 생존율 탓에 암생존자들의 삶의 질 향상에 중점을 두게 되어 이제는 단순 암절제를 넘어서 미용학적 결과를 같이 확보하는 종양성형술의 개념이 확립되었다. 특히 종양의 병기가 높고 크기가 큰 경우 종양학적 안전성의 확보를 위해서는 유선의 절제량이 많아지게 되는데, 전체 유방 용량에서 제거되는 양이 많을 수록 미용적 효과는 나빠져 유방보존술의 의미가 없게 된다. 이것을 보완하기 위하여 종양학적으로 안전한 절제연의 확보와 함께 미용적 효과를 얻기 위해 종양제거술 후 즉시 성형술을 하는 개념으로 1993년 처음 발표되고 1996년경 문헌에 소개되기 시작해왔다.

최근 여성 유방암환자들의 미용학적 관심도의 증가와 기대치 상승으로 유방암의 수술에 있어 유방보존술이 널리 시행되고 있지만, 여전히 환자가 원하거나 의사의 결정에 의해 유방절제술이 시행되고 있다. 유방종양술 수술팀이 유방외과 단독 혹은 성형외과의의 협업으로 구성된 두 팀이 수행하는 것이 최선인지에 대한 문제는 여전히 논쟁의 여지가 있고, 술자의 선호도에 따라 다를 것이다. 다만, 유방보존술 후 암경계부위에 종양이 남아있게 되면 국소재발율을 높일 수 있어 추가적인 절제술이 필요할 수 있는데, 이 때 종양성형술 수술팀이 단일팀이라면 절제량을 정확히 예상할 수 있어 수술계획이 보다 쉽게 수립되며 환자와의 관계도 돈독할 가능성이 높아 수술 후 합병증이 생기더라도 해결이 보다 쉬울 수 있다.

이 책은 많은 수의 일러스트가 포함되어 있으며 각 장에는 즉각적으로 이용가능한 종양성형술의 기술이 설명되어 있다. 초보자도 쉽게 따라할 수 있도록 구성하였으며, 근접조직 재구성법(adjacent tissue rearrangement), 유방의 축소성형술, 임플란트 성형술 및 다양한 유형의 피판술 등을 기술하고 있다. 이 책은 유방의 종양성형술의 중요성을 믿고, 환자의 미용학적 만족도 향상을 위해 최선을 다하는 유방외과 의사들을 위해 작성되었다. 이 책을 통해 더 높은 수준의 기술에 대한 이해를 바탕으로 보다 쉽게, 많은 유방외과들이 종양성형술을 수행할 수 있기를 바란다.

이 책의 머릿말을 쓰게 되어 영광으로 생각하며, 나의 제자들과 이 책을 같이 저술하게 되어 무엇보다 기쁘다. 수술의 기술에 대해서는 유방외과의로서 누구보다 열심히 고민하고 발전시켜 왔지만, 돌이켜보면 현재 경북대에 재직중인 이지연교수가 부산대 전임의 시절에 독일의 Werner Audretsch교수에게 대한민국의, 부산대병원의 종양성형술 수준을 검증받고 직접 노하우를 전수받아 논문을 쓰기 시작한 것이 부산대 종양성형술의 초석이 되었다 하여도 과언이 아니다. 이 책을 출간할 수 있게 많은 노력을 기울여주신 이지연교수께 아낌없이 감사드리며, 그동안 나를 믿고 따라 주었던 제자들과 공저로 이 책을 출간하게 되어 한없이 행복하다. 한창 일선에서 환우들에게 사랑과 최고의 의술을 베풀고 있는 제자들에게 다시 한번 깊은 감사를 드리며 앞으로 항상 좋은 일만 있기를 간절히 기도드린다. 그리고 마지막으로 이 책을 출판해 주신 군자출판사 장주연 대표님과 이성재 과장님, 김수진 편집자님, 이호현 과장님의 노고에 감사드린다.

2022년 4월

전, 부산대학교 의과대학 외과학교실 교수 **배 영 태**

축사

배영태 교수님의 업적을 정리한 『외과의사가 하는 종양성형술』이라는 책의 발간을 즈음하여 축사를 제의받았습니다. 배영태 교수님은 제가 전공의 때부터 존경하는 교수님인지라 축사 부탁받은 것 자체가 개인적으로 엄청난 영광이었지만, 한편으로는 제가 그럴만한 자격이 있나 싶어 조심스럽기도 합니다.

제가 교수님을 처음 뵈었을 때가 1991년 가을이었습니다. 공중보건의 때를 완전히 벗지도 못한 비군보(소위 non-Kim) 인턴이 의학과 학생 시절부터 하고 싶었던 외과 전공의를 지원할 무렵이었습니다. 당시 외과 교수님 중 한 분이셨던 배영태 교수님 연구실에도 인사를 갔었는데, 그때가 처음이었습니다.

"자네가 외과 해보고 싶다고? 그래, 열심히 해봐라."

그게 다였습니다. 인턴 주제에 감히 교수님 방에 갔으니 긴장도 되고 무섭기도 하여 너무나 간단한 격려와 짧은 만남이 감사할 따름이었습니다. 하지만 그 짧은 격려가 제자를 믿고 기회를 주는 교수님의 무한한 사랑이라는 것은 좀 더 시간이 흐른 뒤에 알았습니다.

그리고 30년이 흘렀습니다.

돌이켜보면 배영태 교수님은 외과 의사로서 외과학의 발전을 선도하시는 분이셨습니다.

교수님은 해부학 그림책(ATLAS)에서만 볼 수 있을 줄 알았던 수술 장면을 실제 위암 수술 시야에서 보여주셨습니다. 당시는 임파선 절제에 대한 개념도 완전하지 않던 시절인데, 원조라 할 수 있는 일본 외과 선생님들을 능가하는 수술을 보여주시면서 전공의 교육은 물론 암 수술의 발전도 선도하셨습니다. 이 암 수술의 선도는 유방암 분야로 이어졌고 『외과의사가 하는 종양성형술』로 완성되고 있습니다.

저 자신이 외과 의사로 한평생 살다 보니 주위에 유방암 환자분들을 많이 보게 됩니다. 그러면서 유방암 진료 분야는 외과의 다른 분야와는 또 다른 특수성이 있음을 알게 되었습니다. 생존이라는 측면에서 유방암을 유방에서 제거하는 것은 아주 중요합니다. 그런데 여기까지가 끝이 아니라는 특수성이 있습니다. 여성에게 유방이라는 장기의 가치는 삶의 질 유지라는 측면에서 아주 크기 때문에 유방 재건도 유방암 제거만큼이나 중요하다는 사실입니다.

다른 진료 분야도 그러하지만, 특히 외과는 주치의의 의지와 노력에 환자의 삶이 직접적으로 좌우되므로 외과 의사는 환자에 대한 무한책임을 가지고 진료에 임합니다. 그래서 유방암을 진료하는 외과 의사는 단지 유방암의 제거뿐 아니라 유방 재건 역시 아주 중요하게 여기고 생존은 물론 여성으로서 삶의 질 유지까지 책임져야 합니다. 이 책임을 위해 필요한 것이 종양성형술입니다. 재건을 염두에 두고 절제를 계획하고 절제를 염두에 두고 재건을 계획해야 최고의 결과를 담보할 수 있기에 절제와 재건 그 힘든 두 과정을 몸소 실행하는 것입니다.

그래서 종양성형술은 단지 유방암을 치료하는 수술 방법 중 하나 정도가 아니라 유방암 환자에 대한 사랑과 책임을 실천하는 의식입니다. 그 시작을 교수님께서 선도하셨습니다.

'눈길을 처음 갈 때는 뒤따를 사람들을 위해 어지럽게 가지 마라.'는 말이 있습니다. 배영태 교수님이 처음 가신 길은 무척 힘들고 고독해 보였지만 어지럽지는 않았습니다. 그래서 이 책의 발간에 기꺼이 동참한 후배 외과 의사들도 잘 따라갈 수 있었다고 생각합니다.

잘 인도해 주셔서 감사합니다. 그리고 발간에 동참한 후배님들에게도 감사의 마음을 전합니다.

교수님께서 항상 건강하시고 행복하시길 기원하면서 축사를 마칠까 합니다.

감사합니다.

2022년 4월
전, 부산대학교 의과대학 외과학교실 주임교수 **김 해 영**

목차

SECTION 1

종양성형술의 기본

Chapter 1   외과의사가 하는 종양성형술 · 3

Chapter 2   종양성형술을 위한 유방 해부학의 이해 · 7

1. 유방의 발생 ·· 7

2. 유방의 해부학 구조 ·· 8

Chapter 3   종양성형술을 위한 유방보존술 및 유방전절제술 · 17

1. 유방절제술 및 종양성형술의 분류 ··· 17

2. 종양성형술을 위한 유방절제술 ·· 18

3. 종양성형술을 계획할 때 주의할 점 ·· 27

Chapter 4   종양성형술을 위한 환자의 선별 및 수술방법의 선택 · 29

1. 종양성형술을 위한 환자의 선별 ··· 29

2. 종양성형술의 선택 ··· 31

SECTION 2

**유방보존술 후
종양성형술**

Chapter 1   국소피판술 · 37

1. 유선피판술 또는 유선 재형성술 ··· 38

2. 도넛형 유방고정술 또는 원형절제술 ··· 39

3. 배트윙 수술법 ··· 41

4. 테니스 라켓 술식 ··· 43

5. 평행사변형 유방고정술 ··· 44

6. 유방절제술 후 결손부위를 채우는 흡수성 물질의 적용 ·················· 46

Chapter 2　흉복벽 피판술 · 49

1, 피판술의 종류 ·· 49

2, 흉복벽 피판술의 혈류공급 ·· 50

3, 수술방법 ·· 52

Chapter 3　회전피판술 · 55

1, 일반적인 회전피판술 ··· 56

2, 변형 회전피판술 ·· 60

Chapter 4　광배근 피판술 · 75

1, 광배근 피판술의 장단점 ·· 76

2, 해부학 ··· 77

3, 적응증 ··· 79

4, 금기증 ··· 80

5, 수술 전 피판 디자인 ·· 80

6, 수술방법 ··· 81

7, 지연 재건술 ··· 92

8, 수술 후 합병증 ·· 92

9, 수술 후 관리 ·· 93

Chapter 5　유방축소술 · 101

1, 해부학 ·· 101

2, 수술 전 평가 및 계획 ·· 103

3, 수술방법의 선택 ·· 103

4, 수술과정 ··· 106

SECTION 3

유방전절제술 후 종양성형술

Chapter 1　횡복직근 피판술 · 113

1, 횡복직근 피판의 장단점 ·· 114

2, 해부학 ··· 114

3, 적응증 ··· 117

4, 금기증 ·· 118

5, 수술 전 피판 디자인 ······································· 119

6, 수술방법 ·· 119

7, 이중유경 복직근 피판을 이용한 양측 유방재건 ·········· 129

8, 수술 후 합병증 ··· 129

9, 수술 후 관리 ·· 130

Chapter 2 흉복부 피판술 · 137

1, 적응증 ·· 138

2, 수술방법 ·· 139

3, 합병증 ·· 142

Chapter 3 보형물을 이용한 즉각 유방재건술 · 145

1, 보형물의 종류 ·· 145

2, 보형물의 모양 ·· 147

3, 수술방법 ·· 150

4, 수술증례 ·· 154

5, 합병증 ·· 154

SECTION 4

**종양성형술을 위한
소소한 팁**

Chapter 1 견이의 처리 · 159

1, 견이의 종류 ·· 159

Chapter 2 절개선 맞추기 · 165

1, 스테이플러 가봉합을 이용한 유방모양 잡기 ··············· 165

2, 가로금을 이용한 피부의 봉합 ····························· 168

Chapter 3 종양성형술을 위한 도구의 활용 · 171

1, 피하박리술 ··· 171

2, 피부의 절제 ·· 173

3, 팽창액의 주입 ·· 174

Chapter 4   피부이식 · 177
1, 수술과정 ·· 177
2, 증례 ·· 181

Chapter 5   양쪽 유방 균형 맞추기 · 183
1, 유방의 부피 ·· 183
2, 유방하수 정도 ·· 186
3, 수술 전 디자인 ··· 187
4, 수술 및 치료 후 유방의 변화 예측 ··· 188

Chapter 6   유두-유륜 복합체의 재건술 · 193
1, 유두재건술 ·· 194
2, 반대편 유두이식술 ··· 198
3, 유륜재건술 ·· 199
4, 수술증례 ·· 200

Chapter 7   종양성형술에서의 봉합사 선택 · 205

Index · 209

1

SECTION

종양성형술의 기본

Chapter 1   외과의사가 하는 종양성형술
Chapter 2   종양성형술을 위한 유방 해부학의 이해
Chapter 3   종양성형술을 위한 유방보존술 및 유방전절제술
Chapter 4   종양성형술을 위한 환자의 선별 및 수술방법의 선택

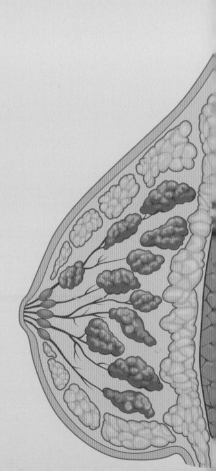

CHAPTER

1

외과의사가 하는 종양성형술

유방암(breast cancer)의 수술적 치료는 유방암이라는 질환에 대해서 정확히 알고, 치료방법을 잘 이해하고 있는 외과의사라면 누구나 시행할 수 있다. 종양의 크기가 작은 경우는 유방보존술이 가능할 것이고, 종양의 크기가 큰 경우는 유방전절제술이 필요할 것이다. 그러나, 유방암의 크기나 위치에 따라 유방보존술만으로는 부족하여 미용적인 결과가 좋지 않은 경우도 있고, 낮은 병기의 유방암을 가진 젊은 여성에게 유방재건술 없는 유방전절제술을 일괄 적용하기는 어렵다(그림 1-1).

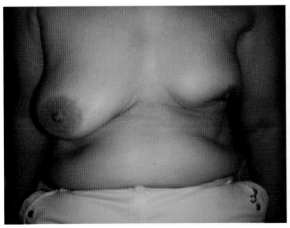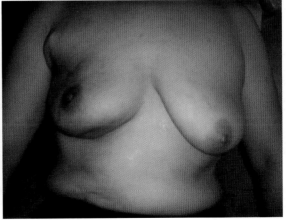

● 그림 1-1. 유방보존술 후 발생한 좋지 않은 미용학적 결과. 유방 하방의 결손부위가 확연히 드러남(좌), 양쪽 유방의 균형이 맞지 않음(우).

저자들은 반드시 복잡하고 어려운 수술방법을 시행할 줄 아는 외과의사만이 유방 종양성형의라 생각하지 않는다. 유방암의 예후를 향상시키기 위하여 충분한 절제량을 확보하면서 수술 후 유방의 미용적 결과를 향상시키기 위한 노력을 기울이는 유방외과의라면 "유방 종양성형의(oncoplastic breast surgeon)"라고 부를 수 있을 것이다. 하지만, 종양학적 안정성 및 미용학적 향상이 동시에 만족되지 않는다면 결코 종양성형술(oncoplastic surgery)을 시행했다고 할 수 없을 것이다.

"종양성형술(oncoplastic breast surgery)"이라는 단어는 독일의 Werner Audretsch 교수가 1993년 Mexico에서 개최된 Annual Symposium on Breast Surgery and Body Contouring에서 처음 사용한 것으로 알려져 있다. 당시 그의 발표에는 모든 유방암 수술에 있어 유방의 모양(breast shape)과 미용학적 결과(aesthetic outcome)를 더 좋게 만들 수 있는 방법을 찾기 위한 모든 그의 팀원들의 노력이 고스란히 담겨 있었다고 한다. 이후 국내, 아시아 전역 및 유럽, 미국 등지에서 수많은 새로운 종양성형술들이 개발되고 보고되어 왔으며, 이러한 전 세계적인 지식과 경험의 공유는 지금의 유방의 종양성형술이라는 표준화된 수술 컨셉을 확립했다.

유방암에 있어 종양성형술의 개념은 유방암 수술 후 미용학적 결과를 개선시킬 수 있는 모든 술식을 포함한다. 유방재건술식이 추가될 수도 있고, 수술 후 반흔을 최소화하거나 보이지 않게 하기 위하여 로봇이나 내시경을 이용한 수술방법을 선택할 수도 있다. 또한 이러한 종양성형술은 유방외과의가 유방절제술 및 유방재건술을 동시에 시행할 수도 있고, 유방외과의와 성형외과의가 함께 수술을 진행할 수도 있다. 각각의 방법은 어느 하나가 우월하다고 말할 수 없으며, 제각기 다른 장단점을 가진다.

유방외과의가 혼자서 유방을 절제하고 유방재건을 시행하기 위해서는 종양성형술에 대한 적절한 트레이닝이 반드시 이루어져야 하는데, 유방암이라는 질환에 대한 이해가 바탕이 되어야 할 뿐만 아니라 여러 술자들의 수술방법을 간접적으로 익히고 발전시켜 나가야 한다. 또한 발생할 수 있는 합병증에 대해서 여러 문헌과 책을 읽고 공부하여 간접적으로 경험함으로써 각각의 합병증에 적절히 대처하는 방법들을 숙지하여야 하고, 본인 수술에 있어 발생할 수 있는 합병증을 최소화하고 이를 개선해 나갈 수 있어야 한다. 적절한 훈련과 지속적인 발전이 없이는 결코 종양성형의라는 자부심을 가질 수 없다. 충분히 트레이닝을 받은 유방외과의가 종양성형술을 동시에 시행하는 경우, 유방외과의는 절제할 유방의 부피를 잘 예측할 수 있기 때문에 구득해야 하는 피판술의 종류, 부피, 형태, 크기 등을 보다 정확하게 파악할 수 있는 장점이 있다. 이러한 과정은 수술시간을 확연히 줄일 수 있게 한다. 또한, 수술 중 절제연이 양성으로 나와 추가적으로 절제를 해야 하거나 수술 중 발생하는 일련의 예측하지 못하는 일들에 대해서 스스로 즉각적인 판단을 할 수 있어서 수술시간의 지연을 방지할 수 있다. 무엇보다 유방외과의는 환자의 유방암을 치료하는 의사이기 때문에 환자의 향후 치료까지 고려하여 수술방법을 세울 수 있으며, 수술 후 경험하게 될 환자의 삶의 질을 향상시키는 방법을 누구보다 잘 알고 있을 것이다. 그러나, 유방외과의가 항상 모든 유방절제 및 유방재건을 시행하게 되면 그에 따르는 시간의 투자, 과도한 업무 스트레스 등의 부담감 역시 높아진다.

유방외과의와 성형외과의가 협진 수술을 통하여 유방절제와 유방재건을 각각 담당하는 경우는 또 다른 장점을 가진다. 우선 성형외과의는 인체의 미용적 결과를 뛰어나게 만들기 위한 트레이닝을 중점적으로 받은 전문의들로서 세세한 반흔의 치유과정, 반흔의 최소화 등에 대한 이해가 뛰어나다. 수술 후 반흔의 치유과정에 있어 추가적인 레이저 시술이나 그 외 약제들을 적용함으로써 수술로 모든 과정이 끝나는 것이 아니라 보다 향상된 미용학적 결과를 환자에게 제공할 수 있는 장점이 있다. 그러나, 환자는 단순히 미용성형을 받으려는 환자가 아닌 유방암 환자이기 때문에 성형외과의 역시 질환에 대한 이해가 명확해야 하고, 모든 수술적 방법과 시술을 적용함에 있어 유방외과의와의 상의가 필요하다. 예를 들어 환자가 유방절제술 후에도 방사선 치료가 필요하다면 수술계획을 세움에 있어 보형물보다는 자가조직을 선택해야 하는 것처럼 유방암 치료가 어떤 것이 계획되어 있는지에 대해서 유방외과의와 반드시상의를 통하여 수술적 계획을 세워야 한다. 유방외과의와 성형외과의가 지속적인 상의를 통하여 협진 수술을 받게될 모든 환자에 대해서 꼼꼼하게 수술계획을 세우지 않는다면, 두 전문의가 가지는 어떠한 장점도 환자에게 제공하지 못할 것이다. 따라서 병원 내 성형외과의와의 긴밀한 협조가 가능하지 않은 상태라면, 유방외과의가 혼자서 유방절제와 유방재건을 모두 시행하는 것이 유방암 환자에게는 더 적절한 선택이 될 수 있을 것이다.

종양성형의의 요건

1. 유방암의 병태생리 및 치료에 대해서 명확한 기준을 가지고 있어야 한다.
2. 유방암의 재발이나 전이의 최소화를 위하여 유방의 음성절제연(negative margin)을 반드시 확보하는 유방수술을 시행하여야 한다.
3. 유방암의 위치나 크기에 따라서 적절한 종양성형술을 선택할 수 있어야 한다.
4. 성형외과의와의 협진 수술을 시행하는 경우 반드시 모든 환자의 상태에 대해서 논의하고 적절한 수술계획을 수립하여야 한다.
5. 수술 중 발생할 수 있는 다양한 변수들에 대하여 대처할 수 있도록 하나의 수술방법이 아닌 추가적인 대안을 충분히 수립한 후 수술에 임해야 한다.
6. 무엇보다 환자의 의견을 존중하고 환자가 궁극적으로 바라는 점이 무엇인지 잘 파악해야 한다.
7. 종양외과의와 종양성형의의 역할을 동시에 잘 충족할 수 있어야 한다.
8. 종양성형술은 적절한 트레이닝을 거쳐서 충분한 경험을 쌓은 후 환자에게 적용해야 한다.

✎ 참고 문헌

1. Barnea Y, et al. Oncoplastic Surgery. In Kimberg VS, et al. Oncoplastic Breast Surgery Techniques for the General Surgeon. USA: Springer; 2020. p125-47.
2. Blankensteijn LL, et al. The Influence of Surgical Specialty on Oncoplastic Breast Reconstruction. Plast Reconstr Surg Glob Open. 2019;7:e2248.
3. Challoner T, et al. Oncoplastic techniques: Attitudes and changing practice amongst breast and plastic surgeons in Great Brit\-ain. Breast 2017;34:58-64.
4. Hamdi M. Oncoplastic and reconstructive surgery of the breast. Breast 2013;22:S100-5.
5. Kaufman CS. Increasing Role of Oncoplastic Surgery for Breast Cancer Curr Oncol Rep. 2019;21:111.
6. Kollias J, et al. Clinical impact of oncoplastic surgery in a specialist breast practice. ANZ J Surg 2008;78:269-72.
7. Losken A, et al. Current Opinion on the Oncoplastic Approach in the USA. Breast J 2016;22:437-41.
8. Maxwell J, et al. Current Practices and Barriers to the Integration of Oncoplastic Breast Surgery: A Canadian Perspective. Ann Surg Oncol 2016;23:3259-65.
9. Peiris L, et al. HYPERLINK "https://pubmed.ncbi.nlm.nih.gov/30246974/" Oncoplastic and reconstructive breast surgery in Canada: breaking new ground in general surgical training. Can J Surg 2018;61:294-9.
10. Romics L, et al. Oncoplastic approach in breast cancer surgery--a new challenge for the future breast surgeon? Magy Seb 2008;61:5-11.

CHAPTER

2

종양성형술을 위한 유방 해부학의 이해

유방절제 후 유방재건을 위한 종양성형술을 시행하기 위해서는 종양의 절제술부터 이를 염두에 둔 술식으로 시행되어야 한다. 그기 위해서는 유방의 해부학적 구조를 잘 이해하고, 수술 후 합병증을 최소화하기 위하여 유방이나 피부의 혈류를 보존할 수 있는 방법을 선택하여야 할 것이다.

1. 유방의 발생

유방은 배아기 8-10주에 흉부의 피부 상피에서 분화하는데, 배아기 6주 때부터 액와에서 사타구니까지 뻗는 유선(milk ridge)이 이미 식별된다. 유방은 처음에는 4번째 늑간 위치에 생겨서 앞쪽 바깥쪽으로 발달하게 된다. 유방 조직은 유방 실질(parenchyma), 결합 조직, 지방 조직, 혈관, 신경 조직으로 구성되어 있다. 유방 실질은 흉벽 앞에 위치하며 쇄골하부위(infraclavicular area)부터 유방하주름(inframammary fold)까지 흉벽(chest wall) 앞면 전체적으로 위치하며, 정중선으로는 흉골(sternum)까지, 외측으로는 광배근(latissimus dorsi muscle)의 경계면까지 이른다. 액와부(axillary area) 쪽으로는 유방의 꼬리 형태로 유방과 액와부가 연결되는데, 여기에 발생하는 유방암은 놓치는 경우가 비교적 흔하므로 반드시 검사에 포함되어야 한다. 유두(nipple)의 위치는 유방의 중간에서 2/3 아래쪽에 주로 위치하는데, 유방하수(breast ptosis)의 정도에 따라 유두 위치가 달라진다.

7

2. 유방의 해부학 구조

유방은 표재근막(superficial fascia)으로 감싸여 있는데, 유방의 후면에는 심근막(deep fascia)이 대흉근(pectoralis major muscle)을 덮고 있다. 유방을 감싸는 표재근막의 심층부(deep layer)와 대흉근을 덮은 심근막 사이에는 후유선 공간(retromammary space)이 있는데, 이 공간은 유방재건술을 시행할 때 다양한 접근 루트로 이용되며 미용적 목적의 유방보형물을 삽입하는 공간이기도 하다. 거의 혈류가 없어 손으로 박리하여도 쉽게 분리되며, 천공지 혈관(perforator vessels)은 대부분 매우 약하므로 잠시의 압박으로도 쉽게 지혈이 가능하다.

유방 실질 사이사이에는 유방을 지지하는 쿠퍼씨인대(cooper's ligament)가 전 유선에 걸쳐 존재하는데, 유방암이 이를 침범하면 보조개(dimpling) 형태의 피부패임현상이 발생한다. 쿠퍼씨인대는 유선실질보다는 조금 더 단단한 결합조직이기 때문에 가위나 전기소작기(electrocautery)를 이용하여야만 절제가 가능하다.

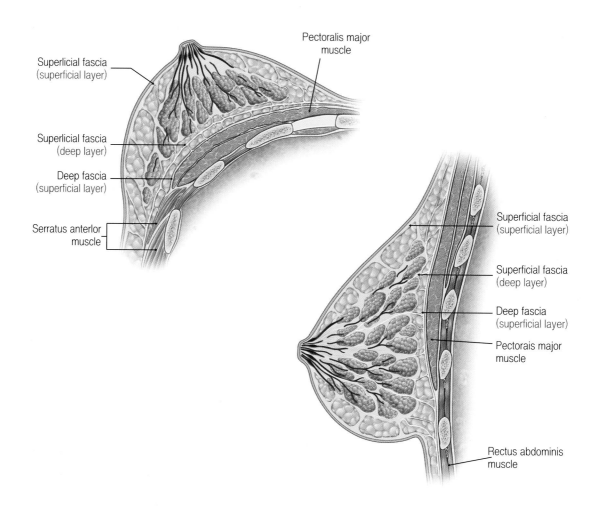

Superlicial fascia (superficial layer)

Superlicial fascia (deep layer)

Deep fascia (superficial layer)

Serratus anterlor muscle

Pectoralis major muscle

Superficial fascia (superficial layer)

Superficial fascia (deep layer)

Deep fascia (superficial layer)

Pectorais major muscle

Rectus abdominis muscle

● 그림 2-1. **유방의 근육 및 근막 구조도**

1) 피부

피부의 탄력도(elasticity)와 두께는 종양성형술 후 유방의 모양을 잡는 데 있어 중요한 인자이다. 특히, 피부 상태는 인종, 나이, 폐경 여부, 체중 변화, 방사선 치료 과거력 등에 따라서도 많은 차이가 나는데, 아시아 여성은 대체적으로 피부의 탄력도가 유럽이나 미국 여성에 비하여 높은 편이다. 비교적 많은 여성이 치밀유방(dense breast)이나 우수한 피부탄력을 가지기 때문에 아시아 여성은 유방하수가 덜한 편인데, 이러한 유방은 모양을 재건하는 데 조금 더 수월하다. 나이가 들어 피부 탄력이 감소하였거나 피부가 얇으면 시간이 흐름에 따라 유방하수가 심해지는데, 종양성형술은 이러한 피부의 상태를 고려하여 술식을 결정하여야 한다.

유방 진피층(dermal layer)의 두께는 유방의 부위에 따라서도 달라지는데, 유두-유륜 복합체(nipple-areolar complex) 주변의 중심부 유방은 특히 진피층이 얇게 분포되어 있어 유선 절제시 피판이 너무 얇아지지 않도록 조심해야 한다. 이 부위의 피부는 유두-유륜 복합체로의 혈류를 일부 담당하기 때문에 피판이 너무 얇으면 피부 괴사뿐 아니라 유두-유륜 복합체의 괴사로 이어지기도 한다. 따라서 이러한 합병증을 막기 위해서는 유두-유륜 복합체의 주된 혈류 방향을 피하여 절개선 위치를 정하고 적당한 피판 두께로 디자인하는 것이 중요하다.

피부탄력의 정도는 대개 노화와 체질량지수(body mass index, BMI)가 연관이 있는데, 체질량지수가 높을수록 피부탄력도 역시 높은 경우가 많다. 연령에 따라서는 젊을수록 피부탄력도가 매우 높으며, 나이가 들면서 점차 탄력이 감소한다. 피부탄력이 높은 유방은 대칭성이나 모양을 재형성하는 것이 비교적 쉽지만, 피부탄력이 낮은 경우, 유선과 피부가 독립적으로 움직이기 때문에 유방모양을 우선적으로 잡고 남는 피부조직을 절제해야 하는 경우가 많다.

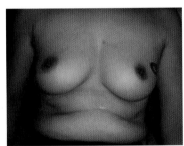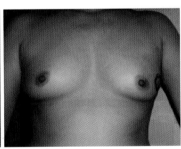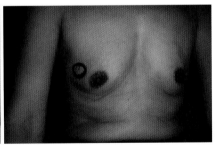

● 그림 2-2. **피부탄력도의 비교.** 피부탄력의 정도는 대개 노화와 연관이 있는데, 젊을수록 피부탄력도가 매우 높으며, 나이가 들면서 점차 탄력이 떨어지다가 노인이 되면 피부탄력은 매우 낮아진다(좌측에서 우측방향으로 갈수록 피부탄력정도가 낮은 유방임). 피부탄력정도가 낮을수록 종양성형술은 조금씩 어려워진다.

2) 유방 주변 근육

유방 주변의 근육은 후방으로는 대흉근(pectoralis major muscle)과 소흉근(pectoralis minor muscle)이 위치하고, 외측으로는 광배근(latissimus dorsi muscle), 외하방으로는 전방거근(serratus anterior muscle), 하방으로는 횡복직근(transversus rectus abdominis muscle)이 위치한다.

표 2-1. 유방주변 근육

근육	기시부	종지부	기능	신경	혈관
대흉근 (pectoralis major muscle)	흉골외측 전반의 절반, 쇄골의 내측 전반, 제2-6 늑연골, 외복사근과 복직근 건막 상부	상완골(humerus) 의 대결절(greater tubercle)부 중 결절간흠(intertubercular groove)의 외측 가장자리와 삼각근건 (deltoid tendon)	상박의 내전, 굴곡, 내측회전	내측 흉근 신경 (medial pectoral nerve), 외측 흉근 신경(lateral pectoral nerve)	전내측과 전외측 늑간 관통 분지들
소흉근 (pectoralis minor muscle)	제2-5 늑연골	견갑골의 오훼돌기 (coracoid process)	견갑골의 전하방 회전, 호흡 중 흡입 도움.	C7,8 내측 흉근 신경(medial pectoral nerve)	흉견봉동맥의 흉근 분지(thoraco-acromial artery의 pectoral branch)
광배근 (latissimus dorsi muscle)	하부 6개의 흉추와 요추전체의 극돌기, 요추근막을 통하여 천추, 장골능	상완골 결절구간의 내측연	내회전(internal rotation), 내전 (adduction), 신전 (extension), 견갑골 내림(scapular depression), 호흡(respiration), 몸통회전	흉배신경(thoraco-dorsal nerve), C6-8	견갑하동맥의 흉배측 가지(thoracodorsal branch of the sub-scapular artery)
전방거근(ser-ratus anterior muscle)	제1-8 늑골과 늑간부	견갑골	견갑골을 전방으로 당기며 굴곡, 외전, 60-180도 회전운동, 상박을 펴고 미는 운동, 호흡시 흡입 운동	장흉신경(long thoracic nerve)	
외복사근(external oblique muscle)	제 8늑골의 외면, 건거근과 광배근의 아래에서 근막 밀착	장골융기 외면, 서혜인대, 백선	복부 내 장기 받쳐주고 척추 굴곡 시킴. 흉곽 압박하여 호흡시 호기를 도움.	하부 6개의 늑간 신경(intercostal nerve)	늑간동맥(intercostal artery)
횡복직근 (transversus rectus abdominis muscle)	치골능(pubic crest)	제5-7 늑연골	척추 굴곡, 복압 증가로 호기를 도움.	늑간신경	상&하부 복벽 동맥 (superior & inferior epigastric arteries)

3) 혈관 분포

(1) 유방 조직의 혈관 분포

유방의 거의 60%(주로 내측과 중심부)는 내유동맥의 전분지(internal mammary artery의 anterior perforating branch)가 분포한다. 그리고 거의 30%의 유방(주로 상외측)은 외흉동맥(lateral thoracic artery)이 분포한다. 이외 부분은 흉견봉동맥의 흉부분지(thoracoacromial artery의 pectoral branch), 3, 4, 5번째 늑간 동맥의 외측 분지, 견갑하동맥 및 흉배동맥이 분포한다.

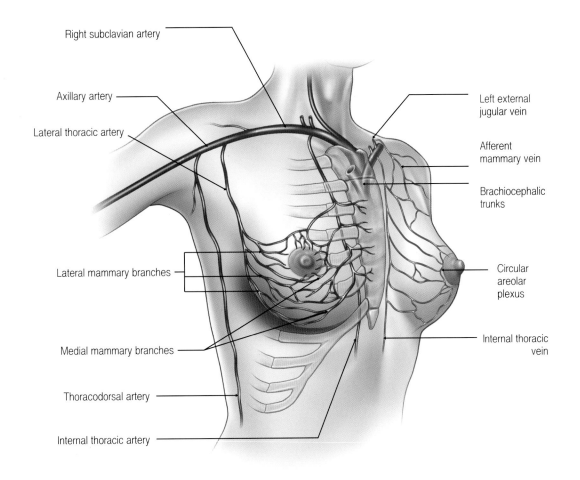

그림 2-3. **유방의 혈류 분포**

(2) 유두의 혈관 분포

유두는 내흉동맥(internal thoracic artery), 전늑간동맥(anterior intercostal artery), 외측흉동맥(lateral thoracic artery) 등으로부터 주로 혈류를 받는다. 유두-유륜 복합체는 내흉동맥(internal thoracic artery)의 상위 네 개의 관통 가지들 중 하나 이상의 관통 가지로부터 혈류를 받는 것으로 알려져 있다. 그러나, van Deventer PV는 2004년 27명의 여성의 카데바를 연구한 결과 개인별로 혈관분포가 달랐고, 한 개인에서조차도 양측 혈관분포가 달라 유두의 혈관 분포를 예측하기는 불가능하다고 보고하였다. 주된 혈류는 45.7%에서 내흉동맥의 세 번째, 25%에서 두 번째 관통지로부터 받는다. 유두의 하부는 전늑간동맥(anterior intercostal artery)으로부터 혈류를 받는데 41%에서는 전늑간동맥의 분포가 없었다.

최근에는 인도사이아닌 그린(indocyanine green, ICG)과 같은 형광발현 물질을 혈관이나 피하에 주사하여 근적외선 카메라(near-infrared camera)를 이용하여 형광발현 정도를 분석하여 유두-유륜 복합체 주변의 혈관분포와 혈류 정도를 알아내는 방법들이 보고되고 있다. 혈관분포를 파악하여 종양성형술을 시행한다면 수술 후 유두 또는 유두-유륜 복합체의 허혈(ischemia)이나 괴사(necrosis)를 막을 수 있을 것이다.

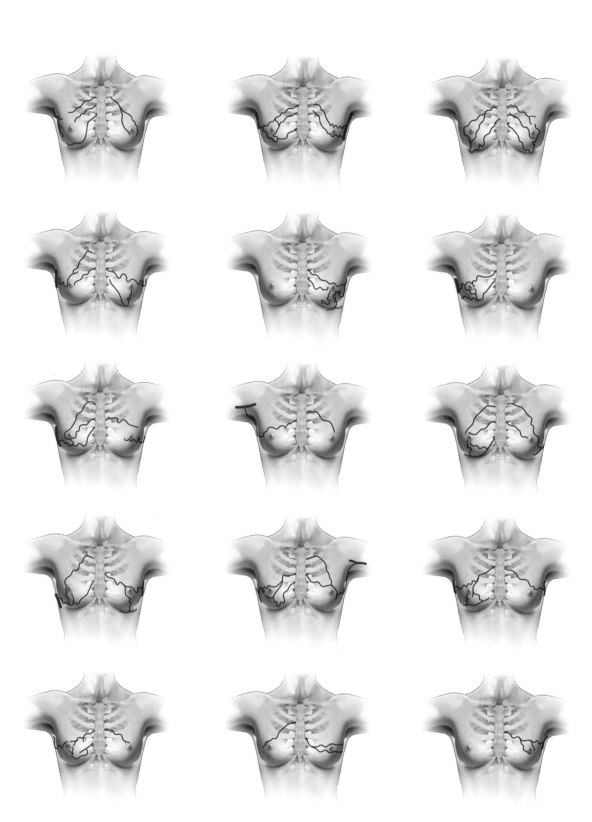

● 그림 2-4. 다양한 유두-유륜 복합체의 혈류분포 양상그림

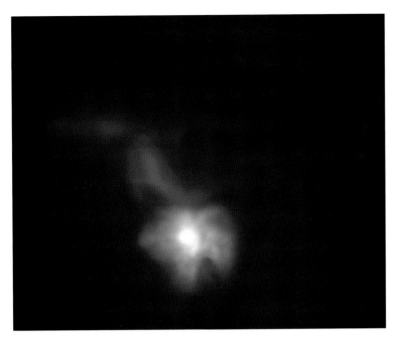

● 그림 2-5. **인도사이아닌그린(ICG)를 이용한 근적외선 카메라 사진.** 형광발현을 통하여 유두-유륜 복합체 주변의 혈류분포 및 혈류상태를 관찰할 수 있다.

4) 신경분포

유방은 운동신경은 없으며 감각신경(sensory nerve)과 교감신경(sympathetic nerve)이 주로 분포하는데, 신경분포가 풍부하여 서로 영역이 겹친다. 경부신경총(cervical plexus)의 제3, 4분지로부터 나오는 쇄골상신경(supraclavicular nerve)이 유방의 상부 감각을 담당하기 때문에 상경부신경총(upper cervical plexus)를 차단하면 유방의 상부는 마취가 된다. 유방의 내측과 하부는 제2-6늑간신경의 전방피부 신경분지들(anterior cutaneous divisions)이 내흉동맥(internal thoracic artery)의 관통지(perforators)들과 흉벽에서 올라와 감각신경을 담당한다.

유두의 감각신경은 제4늑간신경의 전외측 및 전내측 분지가 주로 담당하고 제3-5늑간신경이 유두-유륜 복합체의 신경을 담당한다. 제3, 5, 6늑간신경의 분지들은 유방 내외측과 유륜부에 분포한다.

늑간상완신경(intercostobrachial nerve)은 액와부를 지나 상완의 내측 부분을 담당한다. 액와부림프절 절제술 시 가로지르는 늑간상완신경을 쉽게 찾을 수 있는데, 수술 시 잘 보존하면 감각이상이 발생하지 않는다. 수술 후 환자의 팔 안쪽이 다른 사람의 피부인 것처럼 느껴진다고 하거나 감각의 둔화를 호소하는 경우는 수술시 늑간상완신경이 손상되었을 가능성이 높다.

늑간신경의 전분지(anterior branch of intercostal nerves)는 흉골의 외측면에서 각각 나와 유방의 내측 부분에 분포하며, 내측 유방 신경(medial mammary nerves)이라 한다. 서로 신경분포 부위가 겹치므로 유방수술 시에도 대개 유두-유륜 복합체의 신경이 잘 보존되는 경우가 많다.

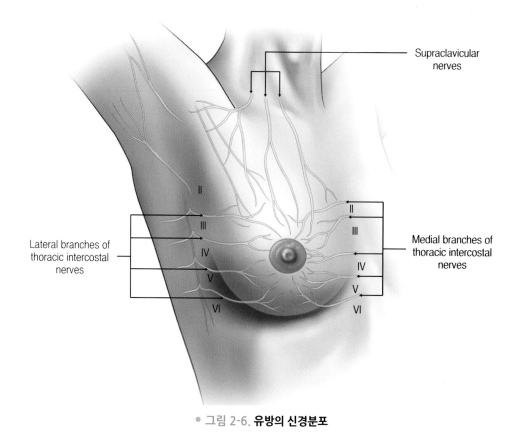

Supraclavicular
nerves

Lateral branches of
thoracic intercostal
nerves

Medial branches of
thoracic intercostal
nerves

● 그림 2-6. **유방의 신경분포**

5) 림프관 분포

　유방의 림프액은 액와부림프절(axillary lymph nodes)과 내유림프절(internal mammary nodes)로 흘러가는데, 대부분이 액와부림프절로 간다. 따라서 유방암이 발생하는 경우는 암세포의 전이가 액와부림프절로 가장 먼저 진행된다. 유방암에서 액와부림프절 전이를 확인하기 위해서는 액와부림프절 절제술(axillary lymph nodes dissection)에 앞서 감시림프절 생검술(sentinel lymph nodes biopsy)를 시행하는데, 감시림프절에 전이가 없는 경우는 액와부 림프절 전이가 없는 것으로 판단한다. 만약 감시림프절에서 전이가 확인되면 그 정도에 따라 액와부림프절 절제술을 시행하거나 방사선 치료를 추가할 수 있다. 액와부림프절 절제술을 시행하는 경우는 림프액이 순환하지 못하고 저류되어 림프부종(lymphedema)이 쉽게 발생할 수 있다.

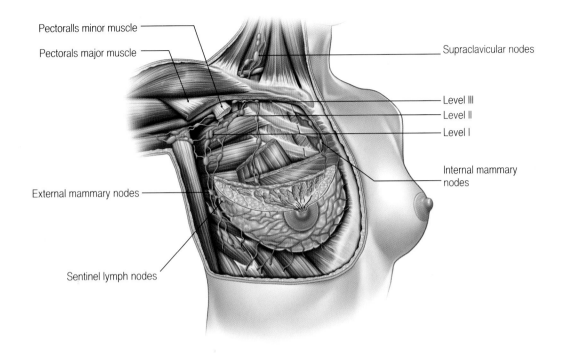

Pectoralls minor muscle
Pectorals major muscle
Supraclavicular nodes
Level III
Level II
Level I
Internal mammary nodes
External mammary nodes
Sentinel lymph nodes

• 그림 2-7. **유방의 림프관 분포**

✎ 참고 문헌

1. Deventer PV. The blood supply to the nipple-areola complex of the human mammary gland. Aesthetic Plast Surg 2004;28:393-8.

2. Kelemen O, et al. The blood supporting of nipple-areolar (NAC) complex performing for mammaplasties. Acta Chir Hung 1997;36(1-4):164-5.

3. Kim DH, et al. Efficacy of Pectoral Nerve Block Type II for Breast-Conserving Surgery and Sentinel Lymph Node Biopsy: A Prospective Randomized Controlled Study. Pain Res Manag 2018;2018:4315931.

4. Losken A. Applied Anatomy and Breast Aesthetics: Definition and Assessment. In Losken A, ed. Partial breast reconstruction. Techniques in Oncoplastoc surgery. 2nd edition. USA, Thieme Publisher; 2017. p96-129.

CHAPTER

3

종양성형술을 위한 유방보존술 및 유방전절제술

1. 유방절제술 및 종양성형술의 분류

유방보존술(breast conserving surgery)은 유방의 부분절제술을 의미하며, 종양을 중심으로 정상조직의 일부를 안전절제연으로 포함하여 절제하는 수술방법이다. 절제범위에 따라서 종양성형술 레벨 I, II로 나눌 수 있는데, 결손부위의 범위에 따라 결손부위를 채우기 위한 성형술식이 선택된다고 볼 수 있다. 또한 종양의 위치에 따라 다른 수술적 방법이 필요할 수 있다.

반면 유방전절제술(mastectomy)은 유방 전체를 절제하는 것을 의미하는데, 수술 방법에 따라서 1) 유방 피부의 대부분을 포함하여 유선 조직을 절제하고 흉벽을 덮을 정도의 피부만 남기는 단순 유방절제술(simple mastectomy), 2) 유두-유륜 복합체를 포함하여 유방의 피부를 전부 남기고 유선만 절제한 후 다른 조직이나 보형물로 대체하는 유두 보존 유방절제술(nipple sparing mastectomy), 3) 유두-유륜 복합체는 절제하고 나머지 유방의 피부는 남기는 피부 보존 유방절제술(skin sparing mastectomy)로 나눌 수 있다.

표 3-1. 종양성형술을 위한 유방절제술의 분류

1. 유방보존술 Level I 부분절제술(level I partial mastectomy): 유방 전체부피의 15-20% 이하를 절제 Level II 부분절제술(level II partial mastectomy): 유방 전체부피의 20% 이상을 절제 2. 유방전절제술 단순 유방절제술(simple mastectomy) 유두보존 유방절제술(nipple sparing mastectomy) 피부보존 유방절제술(skin sparing mastectomy)

유방보존술 또는 전절제술 후 유방을 재건하는 수술을 시행하는 경우 일반적으로 유방재건술(breast reconstruction)이라는 단어로 정의할 수 있다. 그러나, 종양의 안전절제연을 충분히 확보함으로써 종양학적 안전성을 극대화하는 동시에 뛰어난 미용적 결과를 보존하기 위한 수술적 개념은 "종양성형술(oncoplastic breast surgery)"이라는 단어를 선택할 수 있을 것이다. 간단히 정리해 보자면, 유방암을 절제하는 유방외과의의 관점에서는 종양성형술이지만, 유선이 절제된 결손부위를 보완하는 성형수술을 시행하는 성형외과의 입장에서는 유방재건술일 수 있는 것이다.

많은 유방외과의, 성형외과의들이 수많은 수술방법을 개발하고 발전시키고 보고해 왔지만, 모든 종양성형술은 각 환자의 유방 크기, 처진 정도, 피부 늘어나는 정도, 결손의 크기, 결손의 위치 등에 따라서 결과가 다를 수 있고 발생 가능한 합병증도 다르다. 따라서 수술 전 환자와의 충분한 상의와 성형외과의와의 협진 등을 통하여 예상되는 결과나 합병증 등에 대해서 충분히 상의한 후 수술방법을 결정해야 한다.

표 3-2. 유방 종양성형술의 분류

1. 유방보존술 후 종양성형술
유선 재형성술(glandular reshaping)
쌈지 봉합법(purse string suture technique)
평행사변형 유방고정술(parallelogram mastopexy)
국소피판술(local flap)
지방근막 피판술(adipofascial flap)
원형절제술(round block technique)
테니스 라켓 술식(tennis racket technique)
회전피판술(rotation flap)
외측 흉배근 피판술(lateral thoracodorsal flap, LTD flap)
흉복벽 피판술(thoracoepigastric flap, TE flap)
늑간동맥 천공지 피판술(intercostal artery perforator flap, ICAP flap)
유방축소술(reduction mammoplasty)
2. 유방전절제술 후 종양성형술
보형물 삽입술(implant insertion)
광배근 피판술(latissimus dorsi myocutaneous flap, LD flap)
횡복직근 피판술(transversus rectus abdominis myocutaneous flap, TRAM flap)
심부 하복벽천공지 피판술(deep inferior epigastric artery perforator flap, DIEP flap)

2. 종양성형술을 위한 유방절제술

종양성형술은 기본적으로 종양학적으로 안전성이 확보된 수술방법이어야 하므로 유방암의 발생 특성을 고려하여 피부에서부터 대흉근까지 수직으로 전체 유선을 일정하게 절제하는 것이 중요하다. 종양이 절제면에 가까운 경우라면 수술 중 동결절편검사를 통해 검체 또는 남은 유선의 경계면(surgical margin)에 암의 잔존 여부를 확인해야 한다. 피부에 가까이 존재하는 경우라면 처음부터 피부절제를 계획하여 종양학적 안전성을 확보하여야 하고, 대흉근의 침범이 있다면 가급적 대흉근을 같이 절제하여 후방쪽으로도 최대한 음성절제연을 확보하는 것이 국소재발을 낮출 수 있는 방법일 것이다.

이러한 유방절제술은 수술 전 환자 또는 협진의와의 논의를 통하여 계획을 세우고, 계획된 범위를 벗어나지 않도록 최대한 노력하여 절제하여야 한다.

1) 종양성형술을 위한 유방보존술

종양성형술을 위한 유방보존술은 유방암의 완전한 제거를 통하여 모든 부위의 음성절제연을 확보하는 것이 가장 중요하지만, 보다 나은 미용학적 결과를 위하여 계획된 범위만큼만 절제하는 것도 중요하다.

유방의 절제범위가 크지 않다면 유선을 그냥 봉합할 수 있지만, 일차봉합술(primary closure)만으로 결손부위가 충분히 메워지지 않는다면 피하분리술(skin undermining technique)을 통하여 유선조직과 피부피판을 분리하여 가동성을 확보한 후 각 층을 봉합할 수 있다. 전체 유방부피의 20% 이상을 절제하는 레벨 II 부분절제술(level II partial mastectomy) 경우 일차봉합술만으로는 유방의 모양을 보존하기 어려워 추가적인 성형술식이 요구된다. 그러나, 유방부피의 15-20% 이하를 절제하는 레벨 I 부분절제술(level I partial mastectomy)이라 하더라도 유방의 중심부나 하부에 위치하는 경우라면 남는 유선조직이 많지 않기 때문에 추가적인 성형술식이 필요할 수 있다.

① 자세에 따른 위치확인(positioning)

유방암의 위치는 자세에 따라 달라질 수 있는데, 특히 유방의 크기가 크거나 많이 처진 경우 위치의 변화가 더 많다. 따라서 종양성형술을 결정하거나 시행하기 전에 반드시 누운 자세와 앉은 자세에서 유방암의 위치를 각각 확인하고, 가급적이면 유방하주름(inframammary fold)을 미리 그려두는 것이 좋다. 미리 여러 자세에서 위치를 확인해두면 누운 자세에서 환자가 수술을 받게 되더라도 수술 후의 유방의 형태를 예측해 볼 수 있기 때문이다.

종양의 크기가 작은 경우는 초음파 유도하 위치결정술(ultrasound-guided needle localization)을 이용하여 위치를 확인할 수 있는데, 가급적 절개선의 위치와 많이 떨어지지 않은 부위에서 바늘이 피부를 관통하면 수술 과정에서 보다 쉽게 바늘을 확인할 수 있다. 영상의학과 전문의가 시행한다면 수술 전에 미리 부탁하여 가급적 종양 위치와 가까운 부분의 피부를 통해 바늘을 꽂도록 요청한다.

② 위치표시 및 절개선 결정(marking and incision)

수술 전 유방초음파로 반드시 유방암의 위치를 확인하고 피부에 수술용 펜(marking pen)이나 잔틴 바이올렛 용액(gentian violet)을 이용하여 표시해둔다. 초음파를 보는 환자의 자세와 수술장에서 준비하는 환자의 자세가 다르다면, 미리 수술장에서 준비될 환자의 자세를 취하여 위치를 표시하는 것이 낫다.

유방의 결손부위와 피부가 동일하게 절제되면 봉합이 훨씬 쉽기 때문에 가급적이면 종양 바로 위의 피부에 타원형 절개선(elliptical incision)을 만든다. 유두-유륜 복합체가 가까운 위치인 경우에는 유륜주위 절개선(periareolar incision)을 이용하고, 수술 시야가 좁다면 박쥐 날개 모양으로 양쪽 절개선을 연장하여 배트윙 수술법(batwing technique)을 시행할 수 있다.

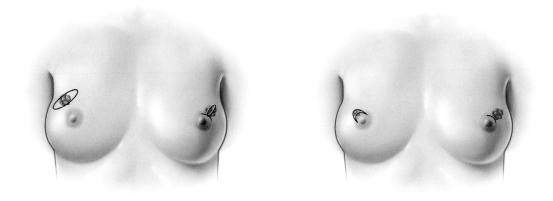

• 그림 3-1. **기본적인 타원형 절개선과 유륜을 이용한 다양한 절개선**

종양의 크기가 다소 크면서 유방하수의 정도가 중등도 이상인 경우는 유방암의 절제 후 유두-유륜 복합체가 아래쪽으로 많이 처질 수 있어 처음부터 원형절제술(round block technique)을 계획하는 것이 좋다. 유륜 전체를 이용하기 때문에 수술 시야가 넓을 뿐 아니라 표피박리술(de-epithelialization)를 통하여 유두-유륜 복합체를 원하는 위치로 쉽게 옮길 수 있어 미용학적 결과를 향상시킬 수 있으며, 이 수술법은 유방하수의 정도가 심한 경우 더욱 유용하다.

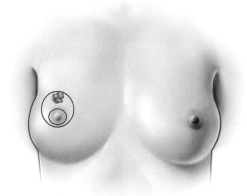

• 그림 3-2. **원형절제술(round block technique).** 유방암의 절제 후 유륜 주변의 표피박리술(de-epithelialization)를 통하여 반대편 유두-유륜 복합체와의 대칭을 쉽게 맞출 수 있다.

③ **피하분리술**(skin undermining)

유선은 일차봉합으로 충분하지만 피부의 가동성이 떨어지는 경우는 그대로 봉합해버리면 피부의 보조개(dim-pling) 현상이 발생할 수 있다. 따라서 피부와 유선 사이의 표재근막(superficial fascia)을 분리하여 피부의 가동범위를 확대시킬 수 있는데, 이 때 가급적 전기소작기보다는 수술용 가위를 사용하는 것이 피부의 열손상(burn injury)을 최소화할 수 있다.

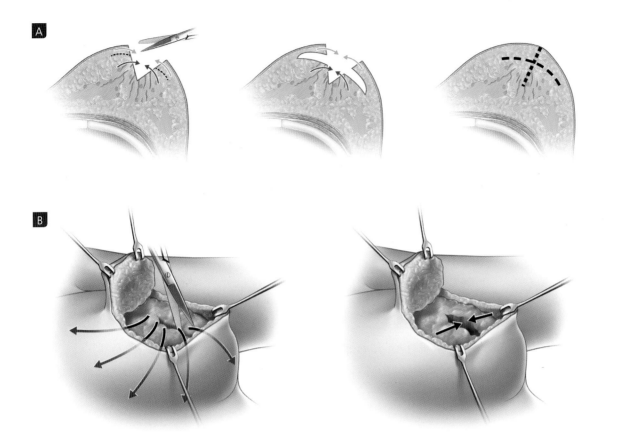

● 그림 3-3. **피하분리술(skin undermining)의 과정. (A)** 피하분리술 원리의 모식도. 피부와 유선을 분리시켜 피부의 가동범위를 넓혀준다. **(B)** 한쪽 방향이 아닌 여러 방향으로도 피하분리술을 시행할 수 있으며, 보다 향상된 미용학적 결과를 얻을 수 있다.

④ 유방암의 절제

종양의 위치를 손으로 만지거나 위치결정술(localization)을 시행하였다면 바늘의 방향을 확인하여 가급적 종양이 절제된 조직의 가운데 위치할 수 있도록 해야 한다. 모든 면에 정상조직이 적어도 5 mm 이상 확보되어야 충분한 안전절제연이라고 판단할 수 있는데, 이는 종양이 일정한 원형을 가지지 않기 때문에 어떠한 면에서도 암세포가 발견되지 않게 위한 최소한의 절제범위라고 할 수 있다. 최근에는 병리학적 관점에서 잉크가 칠해진 면에 암세포가 없다면 음성절제연으로 보기도 한다.

악성종양은 특성상 좌우보다는 상하로 침윤하는 특징을 가지기 때문에 표재부에서 심재부로 일정한 원통형의 형태로 절제되는 것이 가장 이상적이다. 가능하다면 피부를 같이 절제하거나 대흉근의 근막을 눈으로 확인하면서 절제하는 것이 종양학적 안전성을 확보하는 최선의 방법이지만, 유방의 크기가 너무 큰 경우라면 표재부나 심재부의 경계연을 수술 중 동결질편검사를 통하여 확인하는 것도 하나의 대안이 될 수 있다.

⑤ 수술 중 동결절편검사(intraoperative frozen section)

국내에서 종양성형술이 발전할 수 있었던 것은 병리학자들의 도움 덕분에 수술 중 동결절편생검술을 보다 쉽게 적용할 수 있었기 때문이다. 병변 부위를 절제한 후 남은 유선 조직의 위쪽(superior), 아래쪽(inferior), 안쪽(medial.), 바깥쪽(lateral)의 절제면의 조직을 약 1 mm 정도의 두께로 가위나 수술용 칼(blade)로 잘라내고, 위치를 표시하여 병리과로 보낸다. 술자에 따라 확보된 유방 검체에서 동결절편 조직을 채취하는 경우도 있다. 이 때 조직을 전기소작기의 소작모드(coagulation mode)로 절제하면 경계면의 세포가 타버리기 때문에 암세포의 확인이 어려울 수 있어 가급적이면 가위나 전기소작기의 절제모드(cut mode)을 이용하여 구득하는 것이 좋다.

유두의 침범을 확인하기 위하여 유두조직의 동결절편 생검술을 시행하는 경우는 혈류의 흐름을 차단할 수 있어 보다 조심스럽게 적은 양의 조직을 확보하며, 반드시 수술용 가위나 칼을 이용하는 것이 좋다. 조직절제 후 출혈이 있더라도 압박으로 지혈이 가능하며, 전기소작기의 사용은 최소화하여야 유두괴사를 예방할 수 있다.

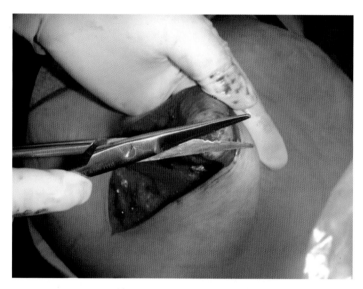

● 그림 3-4. **유두의 동결절편 생검조직 확보방법.** 유두를 밖에서 검지로 눌러 뒤집어(eversion) 유두 심부의 유관 조직을 절제해 낸다. 이 때 가급적 수술용 가위나 칼을 이용하되 피판을 많이 당기지 않도록 조심해야 유두나 피판의 괴사를 예방할 수 있다.

⑥ 종양 해당 위치에 수술용 클립 고정(surgical clipping)

유방의 부분절제술 후 종양이 있었던 위치에 해당하는 대흉근에 수술용 클립으로 위치를 표시해 두는 것은 수술 후 방사선치료(radiotherapy)에 있어 범위를 결정하는 데 도움을 줄 수 있고, 수술 후 추적관찰에도 용이하다. 이 때 수술클립은 종양의 크기가 아닌 절제연을 포함한 범위로 표시하는 것이 좋으며, 술자에 따라서 상, 하, 좌, 우 각 4방향 혹은 종양이 있던 위치의 바닥까지 포함해 다섯 군데에 1-2개의 클립을 고정하는데 가급적 위치 변동이 발생하지 않도록 유선보다는 대흉근에 직접 남기는 것이 좋다.

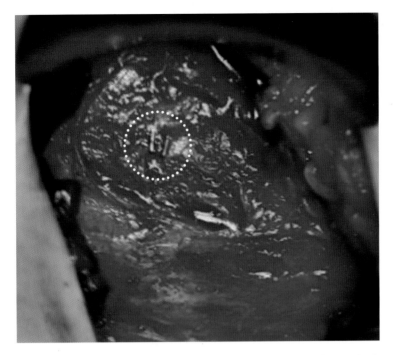

● 그림 3-5. **유방의 부분절제술 후 클립고정술.** 움직이지 않는 대흉근에 상, 하, 좌, 우 4방향에 각각 1-2개의 수술용 클립을 고정하는 것이 일반적이며, 종양의 크기가 아닌 안전절제연의 범위를 포함하여 위치를 표시하는 것이 좋다.

⑦ **수술 중 검체촬영술**(specimen mammography)

유방암 내부에 미세석회화가 동반되어 있거나 선행항암화학요법(neoadjuvant chemotherapy) 후 유방암의 크기가 감소한 경우 항암 시행 전 삽입하였던 클립을 중심으로 잘 절제되었는지 위치나 절제면의 정도를 확인하기 위하여 시행해 볼 수 있다. 또한 수술 전 위치결정술을 위하여 삽입하였던 바늘이 전체적으로 잘 제거되었는지 확인하는 데도 도움을 줄 수 있다. 최근에는 환자용 유방촬영기계가 아닌 검체용 x-선 촬영기가 국내에 도입되어 이를 수술실에 배치하는 경우 보다 빠른 시간 내에 검체를 정확하게 확인할 수 있게 되었다.

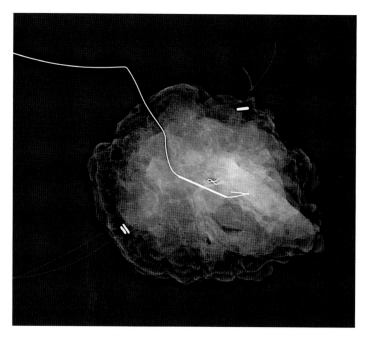

● 그림 3-6. **유방보존술 후 검체촬영술(specimen mammography) 사진.** 선행항암화학요법 전에 삽입하였던 클립을 중심으로 비교적 원형으로 유선이 잘 절제되었으며, 수술 직전 위치확인을 위하여 삽입하였던 후크바늘(H-wire)도 안전하게 제거되었음을 알 수 있다. 검체의 suture tie 위치에 clip도 같은 수만큼 표시해 두면 병리 및 영상에서 위치 파악이 보다 용이하다. 본 검체는 위쪽(superior margin)에 1개, 가쪽(lateral margin)에 2개의 클립을 표시하였다.

2) 종양성형술을 위한 유방전절제술

종양의 크기나 위치, 종양의 병기에 따라 대부분 유방외과의가 유방보존술 또는 유방전절제술을 선택할 수 있지만, 환자의 유방보존 여부나 전절제술 또는 재건수술 방법에 대한 의견을 우선적으로 고려하여 수술 전 환자와의 협의를 통하여 최종 술식을 결정을 하여야 한다. 또한, 유방보존술을 결정하고 수술에 들어갔더라도 수술 중 동결절편 생검술 결과상 경계부에 암세포의 잔존이 여러 차례 확인되는 경우 유방전절제술로 전환될 수도 있으므로 이에 대해서도 수술 전에 미리 환자에게 고지해 둘 필요가 있다.

일반적인 종양성형술을 시행하기 위한 유방전절제술의 종류로는 유두보존 유방전절제술(nipple sparing mastectomy)과 피부보존 유방전절제술(skin sparing mastectomy)이 있다. 이 두 가지 유방전절제술 방법은 비록 유방을 전체 절제하지만, 유선을 대신한 다른 조직이 대체될 뿐 실제 유방의 모양은 보존될 수 있어 수술 후 환자가 가지는 만족도는 상당히 높다.

피부보존 유방전절제술은 전체 유선조직과 유두-유륜 복합체를 제거하고 유방 피부의 대부분과 원래의 유방하주름을 보존한다. 이러한 경우 즉각 유방재건술(immediate breast reconstruction)이 보다 쉽게 이루어질 수 있지만, 종양의 병기가 높아 방사선치료(radiotherapy)가 필요한 경우에는 조직확장기(tissue expander)를 넣고 방사선치료를 종결한 후 지연 유방재건술을 시행하기도 한다. 유두보존 유방전절제술은 이와 유사하지만, 유두까지 보존된 상태로 바로 보형물이나 자가 조직을 이용하여 즉시 유방재건술을 시행하거나 치료 종결 후 지연 유방재건술을 시행할 수 있다.

종양학적으로는 유두보존 또는 피부보존 유방전절제술이 국소재발이나 생존율에 있어 단순 유방전절제술과 통계학적 차이가 없는 것으로 보고되고 있지만, 반드시 술자가 전체 유선을 정확하게 절제한다는 가정하에 나온 통계라는 점을 반드시 기억해야 한다. 즉, 술자가 유선의 일부를 남긴다면 종양학적으로 안전할 수 없다는 뜻이다. 또한 피부 피판의 두께도 환자의 질병상태에 따라 달리 적용되어야 하는데, BRCA 유전자 돌연변이(gene mutation)로 인하여 예방적 유방절제술을 받거나 양성질환에 의한 유방절제술을 받는 경우와는 달리 유방암 환자에서는 피판을 얇게 남겨 종양학적 안전성을 확보하여야 한다.

① 위치표시 및 절개선 결정(marking and incision)

유선의 전체를 절제하기 때문에 유방암의 위치를 유방보존술에서만큼 정확하게 파악할 필요는 없다. 그러나, 유방암이 발생한 위치의 피판은 조금 더 얇게 구득하거나 해당 위치의 피부를 절제할 가능성이 있으므로 반드시 위치를 확인하고 수술에 임하여야 한다. 또한 전체 유선이 절제되는 경우 유방하주름의 경계가 모호해지면서 유방재건이 어려울 수 있어 미리 유방하주름을 따라 그림을 그려두거나 스테이플을 고정해 두면 보다 쉽게 종양성형술을 마무리할 수 있다.

절개선은 술자에 따라서 다양하게 이용되지만, 주로 피부주름을 따르는 방사형 절개선(radial incision)을 많이 이용한다. 최근 유방암에서도 로봇수술(robot surgery)이나 내시경수술(endoscopic surgery)이 발전함에 따라 잘 보이지 않는 위치에 절개선을 디자인하기 위하여 유방하주름이나 중간 액와선을 이용하기도 한다. 그러나, 유방하수가 심한 경우에는 유방하주름 절개선을 이용하면 유두괴사가 높은 빈도에서 발생하는 것으로 보고되고 있다.

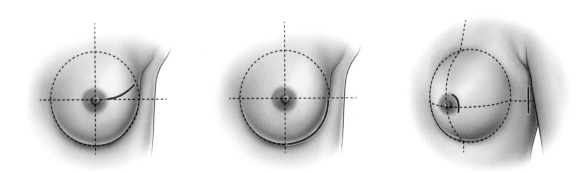

● 그림 3-7. **다양한 유두보존 유방전절제술의 절개선.** 술자의 선호도에 따라 대부분 결정되지만, 가급적 잘 보이지 않는 위치에 디자인을 하면 미용학적 결과를 개선할 수 있다.

② 피부피판의 박리(skin flap dissection)

유방전절제술에서 피부피판의 두께는 유방암의 국소재발에 영향을 줄 수 있어 종양학적 안전성 확보에 매우 중요한 인자 중 하나이다. BRCA 유전자 돌연변이로 예방적 유방절제술을 받거나 양성질환으로 유방절제술을 받는 경우라면 피부아래 지방을 충분히 남겨 미용학적 결과를 개선할 수 있지만, 유방암의 경우 유선조직이 남는 것은 불완전한 유방전절제술을 의미하므로 유방 아래 지방조직도 가급적 많이 남기지 않는 것이 좋다. 그러나, 이렇게 얇은 피부피판은 피부 괴사를 일으킬 가능성을 높이기 때문에 피판을 확보할 때 피판의 모세혈관을 살리고 열손상을 최소화하기 위해 전기소작기보다는 수술가위를 이용하는 것이 좋다.

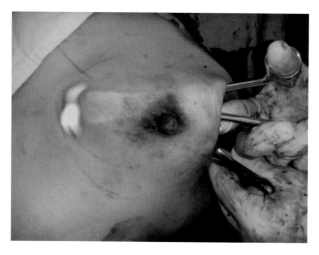

● 그림 3-8. **피부피판의 박리방법.** 피부피판의 박리는 열손상을 막기 위해 표재근막(superficial fascia)을 따라 전기소작기보다는 가급적 수술용 가위를 이용하여 시행하는 것이 좋다. 빛을 비추어보면 피판의 두께를 가늠할 수 있으며, 피판 박리 전에 팽창액(tumescent solution)을 이용하면 절제도 쉽고 출혈도 최소화할 수 있다.

또한 피부 아래 출혈이나 혈종의 발생은 혈류의 흐름을 막을 뿐 아니라 재건된 유방의 형태를 변형시킬 수 있어 출혈을 최소화하는 것이 중요한데, 이 때 표재근막 부위에 팽창액(tumescent solution)을 주입하면 피판의 분리가 용이해지는 동시에 출혈도 최소화할 수 있고 수술 후 환자의 피부 통증도 줄일 수 있어 효과적이다. 주로 팽창액은 칵테일 요법(cocktail method)으로 리도카인(lidocaine)과 에피네프린(epinephrine)을 생리식염수(normal saline)나 하트만 용액(hartmann's solution)에 섞어서 만들며, 경우에 따라 통증을 더 완화시키기 위하여 추가적인 진통제나 탄산수소 나트륨(sodium bicarbonate, NaHCO3)을 추가하기도 한다(표 3-1). 그러나, 너무 많은 양의 팽창액을 투여하면 피부와 유선을 통하여 각 약물이 흡수되면서 전신적인 부작용이 발생할 수 있으므로 가급적 칵테일요법으로 섞은 용액의 전체 투여량은 300-400 mL를 넘지 않도록 한다. 특히 에피네프린의 과도한 흡수는 혈관수축을 야기하여 피부나 피판의 괴사를 발생시킬 수 있어 적정량의 투여가 무엇보다 중요하다.

표 3-1. 팽창용액의 칵테일 요법

Klein's solution	Hunstadt's solution
1000 mL normal saline	1000 mL Hartmann's solution or normal saline
50 mL, 1% lidocaine	50 mL, 1% lidocaine
1 mL, 1:1000 epinephrine	1 mL, 1:1000 epinephrine
12.5 mL, 8.4% sodium bicarbonate	

3) 종양성형술을 위한 액와부 림프절수술

유방암의 감시림프절 생검술(sentinel lymph nodes biopsy)이나 액와부림프절 절제술(axillary lymph nodes dissection)은 일반적인 유방암 수술에서나 종양성형술식에서나 특별히 다른 점은 없다. 다만, 종양성형술이 계획되어 있다면 평소에 디자인하던 액와부 절개선 대신에 종양성형술에서 디자인된 절개선을 활용하면 절개선을 최소화할 수 있고, 수술 후 환자의 통증도 줄일 수 있을 것이다. 그러나, 액와부로의 접근이 원활하지 않다면 과감하게 액와부에 추가적인 절개선을 넣어야 하며, 종양성형술을 시행함에 있어 어떠한 경우라도 종양학적 안전성이 우선되어야 함을 기억해야 한다.

3. 종양성형술을 계획할 때 주의할 점

1) 환자의 상태

유방암 환자에게서 종양학적 안전성을 확보하는 종양성형술은 미용적 만족도도 높기 때문에 암생존자들에게 보다 높은 삶의 질을 제공할 수 있는 장점이 있다. 그러나, 환자가 너무 고령이거나 수술 전 선행항암화학요법(neoadjuvant chemotherapy) 등으로 인하여 체력적으로 많이 저하되어 있는 상태라면 수술시간이 너무 길어지거나 수술 후 통증이 많이 발생할 수술방법은 가급적 피하는 것이 좋다.

종양성형술의 결정은 환자의 의견이 무엇보다 중요하기는 하지만, 종양성형의로서 우선적으로 환자의 상태와 수술 후 회복 정도를 가늠하여 결정하는 것이 필요하다.

2) 수술 후 합병증

유방절제술 후 발생하는 주된 합병증인 피부나 유두의 괴사를 예방하기 위해서는 혈류의 흐름을 이해하고 보존할 수 있어야 하며, 피부 생존도(skin viability)를 파악하는 것이 무엇보다 중요하다. 허혈과 관련된 인자들은 이전의 방사선 조사력, 이전의 수술력, 현재 흡연력, 비만, 당뇨, 혈관성 질환, 만성 스테로이드 사용, 얇은 피부 피판, 혈관 수축제(예: 에피네프린)의 투여 등이 있으며, 피부의 허혈이 의심될 때는 보형물을 넣는 수술을 연기하고 조직확장기(tissue expander)를 흉근 아래에 넣어 점차적으로 확장시키는 것이 좋다.

합병증이 발생하게 되면 수술 후 진행되어야 할 추가적인 치료들이 모두 지연될 수 있으므로 가급적 합병증이 발생하지 않도록 최선을 다해야 한다.

(1) 초기 합병증: 창상열기(wound dehiscence), 비대칭, 혈종(hematoma), 장액종(seroma), 출혈(bleeding), 감염(infection), 피부괴사(skin necrosis)나 유두괴사(nipple necrosis), 상처치유 지연

(2) 후기 합병증: 지방괴사(fat necrosis), 유두의 감각 손상

✎ 참고 문헌

1. Ali AN, et al. The impact of re-excision and residual disease on local recurrence after breast conservation treatment for patients with early stage breast cancer. Clin Breast Cancer 2011;11:400-5.

2. Arriagada R, et al. Late local recurrences in a randomised trial comparing conservative treatment with total mastectomy in early breast cancer patients. Ann Oncol 2003;14:1617-22.

3. Carlson GW, et al. Skin-sparing mastectomy. Oncologic and reconstructive considerations. Ann Surg 1997;225:570-5; discus\-sion 575-8.

4. Chung AP et al. Nipple-sparing mastectomy: where are we now? Surg Oncol 2008;17:261-6.

5. Deventer PV, et al. The safety of pedicles in breast reduction and mastopexy procedures. Aesthetic Plast Surg 2008;32:307-12.

6. Harris JR, et al, Disease of the Breast. Philadelpia: Lippincott William and Wilkins; 2004.

7. Jatol I, et al. Surgery for Breast Carcinoma. In Atlas of breast surgery. Berlin: Springer; 2006. p61-84.

8. Lee JS, et al. The impact of local and regional recurrence on distant metastasis and survival in patients treated with breast conser\-vation therapy. J Breast Cancer 2011;14:191-7.

9. Meretoja TJ, et al Late results of skin-sparing mastectomy followed by immediate breast reconstruction. Br J Surg 2007;94:1220-5.

10. N. Bertozzi, et al. Oncoplastic breast surgery: comprehensive review. Eur Rev Med Pharmacol Sci 2017;21:2572-85.

11. Pilewskie M, et al. Margins in Breast Cancer: How Much Is Enough? Cancer 2018;124:1335-41.

12. Rossi C, et al. Nipple areola complex sparing mastectomy. Gland Surg 2015;4:528-40.

13. Schwartz GF, et al. Proceedings of the consensus conference on the role of sentinel lymph node biopsy in carcinoma of the breast, April 19-22, 2001, Philadelphia, Pennsylvania. Cancer 2002;94:2542-51.

14. Shen J, et al. Effective local control and long-term survival in patients with T4 locally advanced breast cancer treated with breast conservation therapy. Ann Surg Oncol 2004;11:854-60.

15. Slavin SA, et al. Reconstruction of the irradiated partial mastectomy defect with autogenous tissues. Plast Reconstr Surg 1992;90:854-65.

16. Slavin SA, et al. Skin-sparing mastectomy and immediate reconstruction: oncologic risks and aesthetic results in patients with early-stage breast cancer. Plast Reconstr Surg 1998;102:49-62.

17. Veronesi U, et al. Twenty-year follow-up of a randomized study comparing breast-conserving surgery with radical mastectomy for early breast cancer. N Engl Med 2002;347:1227-32.

18. Wagner JL, et AL. Prospective evaluation of the nipple-areola complex sparing mastectomy for risk reduction and for early-stage breast cancer. Ann Surg Oncol 2012;19:1137-44.

19. Zenn MR. Evaluation of skin viability in nipple sparing mastectomy (NSM). Gland Surg 2018;7:301-7.

CHAPTER

4

종양성형술을 위한 환자의 선별 및 수술방법의 선택

유방의 종양성형술은 종양절제술 및 유방재건술이 병합되는 방법이다. 유방암 절제 후 유방모양의 변형이 예상되는 경우 우선적으로 유륜-유두 복합체를 포함한 피부, 피하지방, 유선조직 등 남은 유방조직을 재정렬해 보지만, 필요한 경우는 성형술식을 이용하여 유방재건술을 시행하기도 한다. 유방의 자연스럽고 대칭적인 형태를 되찾기 위해 유방 결손부위를 자가조직(autologous flap)이나 유방보형물(breast implant)을 이용하여 채우는 것이 대부분이지만, 경우에 따라서는 유방의 대칭성을 위해 반대편 유방을 수술하기도 한다.

1. 종양성형술을 위한 환자의 선별

종양성형술은 유방암의 절제 후 결손부위를 유방 실질의 위치를 이동하여 결손부위를 채우는 부피이동술(volume displacement technique)과 유방조직이 아닌 주변 조직이나 원격장기를 이용하는 부피치환술(volume replacement technique)로 크게 나뉜다. 부피이동술은 유방암의 위치에 따라 술식이 달라지지만, 유방내 조직을 이용하므로 수술시간이 오래 걸리지 않고 수술 후 반흔도 비교적 크지 않아 수술 후 만족도가 높다. 부피이동술은 유선 실질의 위치를 변화시켜 결손 부위를 채우는 유선이동술과 유방의 크기를 축소시켜 유방의 형태를 잡는 유방축소술(reduction mammoplasty)로 나눌 수 있다. 부피치환술은 주로 유방 주변부 피부와 근육피판을 이용하는데, 결손 부위의 위치나 크기에 따라 다양한 술식이 적용 가능하다. 유방 주변조직을 이용하는 외측 흉배근 피판술(lateral thoracodorsal flap, LTD flap), 흉복벽 피판술(thoraco-epigastric flap, TE flap) 등이 대표적인 근위부 피판술이며, 원위부 피판술로는

29

주로 광배근 피판술(latissimus dorsi flap, LD flap)과 횡복직근 피부피판술(transverse rectus abdominis myocutaneous flap, TRAM flap)이 대표적이다.

각 환자에게 종양성형술의 적용이 가능한지, 여러 종양성형술 중에서 어떤 방법이 가장 적합할지는 여러 인자들을 고려하여 결정되어야 하지만, 수술 전 환자와의 소통을 통하여 환자가 원하는 목표가 무엇인지 명확히 파악하는 것이 무엇보다 중요하다. 유방암의 크기 및 위치, 유방의 크기와 하수정도(그림 4-1), 유방암 절제 범위, 유방암 수술 이외의 치료 여부, 유방재건에 사용될 수 있는 여분의 유방조직의 부피, 그리고 흡연, 과체중, 당뇨 등 상처치유에 영향을 미칠 수 있는 인자의 존재 여부 등 객관적인 인자들과 환자가 한쪽 혹은 양쪽 유방 수술을 원하는지, 수술 후 양쪽 유방의 대칭성에 관한 환자의 요구도, 수술 후 얼마나 빨리 일상으로의 회복을 원하는지, 한가지 이상의 수술을 받는 것에 대한 이해도, 수술 후 반흔에 대한 이해도 등 역시 고려하여 결정되어야 한다.

유방절제와 동시에 종양성형술을 시행하는 즉각 유방재건술(immediate breast reconstruction)은 다음과 같은 이점을 가진다. 음성절제연(negative surgical margin)의 확보를 통한 국소재발의 예방 및 생존율의 향상을 기대할 수 있는 동시에 유방의 대칭성을 확보하여 미용적 만족도를 높일 수 있다. 수술 직후 환자가 유방의 형태를 온전히 가지고 있음을 확인하는 순간 정신적 건강에 긍정적인 영향을 미칠 수 있지만, 유방의 형태를 보존하지 못하는 경우는 수술 직후 환자가 큰 충격을 받지 않고 잘 적응할 수 있도록 미리 설명하고 받아들일 수 있도록 도움을 주어야 한다.

종양성형술은 미용학적 만족도가 높아 환자의 정신적 회복에 도움을 줄 수 있지만, 유방암의 수술에 있어 가장 큰 목표는 종양의 완전한 절제임을 반드시 기억해야 한다. 물론 국소재발을 예방하기 위해서 음성절제연을 확보해야 하지만, 필요 이상의 과도한 절제는 종양학적 안전성을 더 높이지는 못하면서 미용적으로 좋지 않은 결과를 야기한다. 따라서 수술전 유방촬영술(mammography), 초음파(ultrasound), 자기공명영상(magnetic resonance imaging, MRI) 등의 영상자료를 종합하여 종양의 형태와 크기를 정확하게 파악한 후 수술 계획을 세우고 수술에 임하므로써 최소한의 절제량으로 최대한의 종양학적 안전성과 미용적 만족도를 확보할 수 있을 것이다.

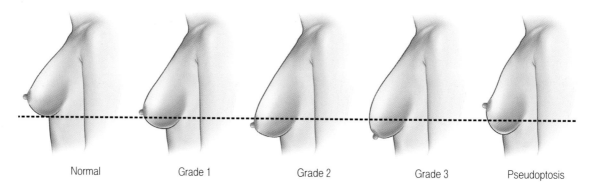

Normal	Grade 1	Grade 2	Grade 3	Pseudoptosis

● 그림 4-1. **유방하수(breast ptosis)의 정도 평가.** 유방하주름을 기준으로 정상부터 1-3단계의 하수, 위하수(pseudoptosis)로 판단할 수 있다.

2. 종양성형술의 선택

　　종양성형술은 수많은 유방외과의와 성형외과의에 의하여 새로운 기술들이 발전하고 보고되고 있지만, 특정 술식을 선택함에 앞서 유방의 부분 또는 전체를 재건할 것인지, 자가조직을 이용할 것인지 보형물을 이용할 것인지 등을 우선적으로 결정하여야 한다.

　　유방전절제술은 병기가 높거나 유방의 크기에 비해 상대적으로 종양의 크기가 큰 경우, 다발성 종양인 경우, 광범위 미세석회화가 동반된 경우, 부분절제술을 3번 이상 시행했음에도 불구하고 절제연 양성인 경우에 시행되어야 하며, 방사선치료(radiotherapy)를 받을 수 없는 임산부, 교원혈관질환을 진단받았거나 흉부에 방사선치료를 시행받은 경험이 있는 경우에도 전절제술을 시행하여야 한다. 종양이 유두를 침범하지 않은 경우라면 유두보존 유방전절제술을 시행할 수 있지만, 유두와 비교적 가까워 침범의 가능성이 있는 경우라면 유두 또는 유두-유륜 복합체를 절제하고 나머지 피부를 보존하는 피부보존 유방전절제술을 시행할 수 있다. 이 이외의 경우에는 유방보존술을 고려해 볼 수 있을 것이다.

　　유방전절제술을 계획했음에도 불구하고 수술 후 방사선치료가 계획되어 있는 경우에는 가급적 보형물보다는 자가조직을 이용한 종양성형술을 선택하여야 한다. 보형물을 이용한 유방재건술은 적절한 공여부가 없을 경우, 공여부에 흉터가 생기는 것을 원하지 않는 경우, 장시간 수술을 견디기 힘들거나 원하지 않는 경우 선택하는 것이 적합하다. 만약 보형물을 이용한 유방재건술을 선택하였지만 추가적인 방사선치료가 필요한 경우라면 보형물을 대흉근 위에 삽입하는 대흉근보존 보형물삽입술(prepectoral implant insertion)을 적용하는 것이 좋다. 그러나, 보존된 피부의 혈액순환이 원활하지 않거나 수술 후 방사선요법이 필요한 경우, 환자가 유방 보형물을 원하지 않는 경우 또는 환자가 흡연자인 경우에는 유방보형물을 이용한 종양성형술을 피하는 것이 좋다.

　　대강의 수술형식이 결정되면 실제 유방암의 위치나 크기, 유방하수의 정도, 환자의 요구도 등을 고려하여 특정 술식을 계획할 수 있다. 그러나, 수술 전에 하나의 술식만 계획하기 보다는 예상하지 못하는 상황에 대비하여 2-3개 정도의 수술방법을 계획하고 수술에 임하면 비교적 쉽게 수술을 종결할 수 있다.

　　환자가 유방재건술을 원하더라도 지연 유방재건술이 권유되는 경우도 있다. 염증성 유방암이 진단되었거나 당뇨, 흡연, 과체중, 심각한 동반질환이 있는 경우에는 즉시 유방재건술을 시행하였을 때 합병증이 발생할 가능성이 높고, 이러한 합병증은 추가적인 치료의 지연을 야기할 수 있다. 따라서 이러한 경우는 지연 유방재건술이 적합하다.

표 4-1. 유방보존술과 유방전절제술의 적응증과 금기

1. 유방보존술	
적응증	T1-3 유방암(액와부림프절 전이와 관계없이)
절대적 금기	① 피부침윤 또는 흉벽의 침윤이 확인되는 높은 병기의 유방암 ② 유방의 절반 이상을 침범하는 다중심성(munticentricity) 유방암 ③ 임신 (수술 후 출산 등으로 인하여 방사선 치료가 가능한 경우 제외) ④ 교원혈관성 질환(collagen vascular disease)이나 다른 결체조직질환(connective tissue disease)가 있는 경우 ⑤ 흉부에 방사선치료를 받은 적이 있는 경우
상대적 금기	① BRCA 유전자 돌연변이 등으로 인하여 예방적 수술을 시행하는 경우 ② 종양 대 유방 부피의 비율이 커서 미용적으로 좋지 않은 결과가 예상되는 경우
선행항암화학요법(neoadjuvant chemotherapy) 이후 유방보존술이 가능한 경우	① 피부부종(skin edema)이나, 피부침범(skin involvement)의 증거가 없는 경우 ② 남은 단발성 종양의 크기가 5 cm 미만인 경우 ③ 피부나 흉벽으로의 고정이 없는 경우 ④ 교원혈관성 질환이나 다른 방사선 치료의 절대 금기 사항이 없는 경우 ⑤ 악성이 의심되는 미세석회화가 넓게 분포하지 않는 경우 ⑥ 다중심성이 아닌 경우 ⑦ 높은 병기의 림프절 전이가 의심되지 않는 경우 ⑧ 환자가 유방 보존을 원하는 경우
2. 유방전절제술	
적응증	유방보존술이 불가능한 모든 경우가 해당됨.

　　최근 유방암의 진단기술의 발달로 조기유방암이 증가하였고, 진행성 유방암에 있어서도 선행항암화학요법의 반응도가 좋아 종양성형술이 가능한 증례가 늘어나고 있다. 하지만 수술 후의 유방 형태나 대칭성, 수술 반흔 등에 있어서 환자와의 의견이 다를 수 있으므로 환자와 상의 후 결정하는 것이 무엇보다 중요할 것이다.

✎ 참고 문헌

1. 한국유방암학회. 유방학. 제4판. 대한민국, 바이오메디북; 2017. p523-9.
2. 한국유방암학회. 제8차 한국유방암 진료권고안. 한국유방암학회; 2019. p65-9.
3. Agrawal A. Oncoplastic breast surgery and radiotherapy-adverse aesthetic outcomes, proposed classification of aesthetic com\-ponents, and causality attribution. Breast J 2019;25:207-18.
4. Bertozzi N, et al. Oncoplastic surgery: comprehensive review. Eur Rev Med Pharmacol Sci 2017;21:2572-85.
5. Carlson GW. Oncologic considerations for breast reconstruction. In Kuerer HM. Kuerer's Breast Surgical Oncology USA: Mc\-graw-Hill; 2010. p771-834.
6. Edmiston K. Indications and patient selection for oncoplastic breast surgery. In Nahabedian MY. Oncoplastic surgery of the Breast. 2nd edition. USA, Elsevier; 2019. p14-22.
7. Habibi M, et al. Oncoplastic Breast Reconstruction: Should All Patients be Considered? Surg Oncol Clin N Am 2018;27:167-80.
8. Kaufman CS. Increasing role of oncoplastic surgery for breast cancer. Curr Oncol Rep. 2019;21:111.
9. Macmillan RD, et al. Oncoplastic breast surgery: What, When and for Whom? Curr Breast Cancer Rep 2016;8:112-17.
10. Mansfield L, et al. Oncoplastic breast conserving surgery. Gland Surg. 2013;2:158-62.
11. Nahabedian MY. Indications and Benefits of oncoplastic breast surgery. In Losken A, ed. Partial breast reconstruction. Tech\-niques in Oncoplastoc surgery. 2nd edition. USA, Thieme Publisher; 2017. p191-232.

12. Nakada H, et al. Fat necrosis after breast-conserving oncoplastic surgery. Breast Cancer 2019;26:125-30.

13. NCCN Guidelines Version 3. 2021 NCCN.org. 49-56.

14. Noguchi M, et al. Oncoplastic breast conserving surgery: volume replacement vs. volume dsplacement. Eur J Surg Oncol 2016;42:926-34.

15. Savalia NB, et al. Oncoplastic breast reconstruction: paient selection and surgicdal techniques. J Surg Oncol 2016;113:875-82.

16. Shen J, et al. Effective local control and long-term survival in patients with T4 locally advanced breast cancer treated with breast conservation therapy. Ann Surg Oncol 2004;11:854-60.

17. Silverstein MJ, et al. Oncoplastic breast conservation surgery: the new paradigm. J Surg Oncol 2014;110:82-9.

18. Vidya R, et al. Prepectoral implant-based breast reconstruction: a joint consensus guide from UK, European and USA breast and plastic reconstructive surgeons. Ecancermedicalscience 2019 May 7;13:927.

19. Weber WP, et al. Standardization of oncoplastic breast conserving surgery. Eur J Surg Oncol 2017;43:1236-43.

2
SECTION

유방보존술 후 종양성형술

Chapter 1   국소피판술
Chapter 2   흉복벽 피판술
Chapter 3   회전피판술
Chapter 4   광배근 피판술
Chapter 5   유방축소술

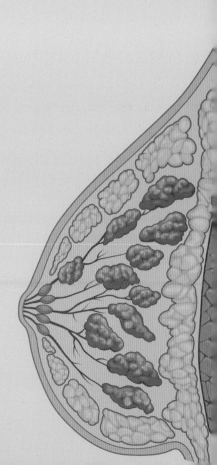

CHAPTER

1

국소피판술

유방 근치적절제술(radical mastectomy)은 1894년 Halsted가 보고한 이후 거의 100년 가까이 유방암 수술의 기본 술식으로 시행되어져 왔다. 이후 1980년대말 Veronesi 등에 의하여 유방보존술을 의미하는 사분절제술(quadrantectomy)이 보고되었으며, 이러한 유방암의 수술적 개념은 1993년 독일의 Audretsch 교수에 의해 종양성형술(oncoplastic breast surgery)이라는 새로운 개념으로 점차 발전해왔다. 단순히 유방암의 완전한 절제에 중점을 두었던 기존의 수술방법들과 달리 종양성형술은 유방암을 종양학적으로 안전하게 절제함과 동시에 유방의 모양과 대칭성도 확보함으로써 좋은 미용학적 결과를 추가적으로 확보하기 위한 수술적 개념이다. 이것은 유방절제술 하나의 술식만으로 완성될 수도 있고, 유선의 일차봉합술만으로는 완전히 채워지지 않는 결손부위를 추가적인 술식을 시행함으로써 완성시킬 수도 있다. 이 때 종양성형술의 관점에서 어떤 방법을 선택할지 결정을 하는 데 있어 중요한 것은 단순히 제거되는 유선의 부피라기보다는 종양의 위치와 더불어 전체 유방 부피에 비하여 제거되는 부피의 비율이다.

침윤성 유방암의 경우 단일결절을 형성하기도 하지만, 유선의 암세포 발생속도가 제각각 달라 결절 주변으로 상피내암(carinoma in situ)나 비정형 관상피증식증(atypical ductal hyperplasia)가 동반되어 있는 경우도 흔하다. 결절을 형성하지 않으면 유방촬영술이나 초음파에서 확인이 어렵기 때문에 수술 중 동결절편검사(intraoperative frozen section)나 최종 병리조직검사 결과에서 유방암 세포가 경계부에 맞닿은 결과로 나타나기도 한다. 만약 유방 MR과 같이 민감도가 높은 영상검사를 통하여 수술 진 조영증깅현상을 미리 확인하고 충분한 절제량을 계획하여 유방재건술을 시행하였다면, 2차적인 수술을 방지할 수 있을 뿐 아니라 미용학적으로도 좋은 결과를 얻을 수 있을 것이다. 따라서 유방의 MR 검사는 필수적인 검사는 아니지만, 종양성형술을 계획하는 데 많은 정보를 얻을 수 있는 검사이다.

유방의 부분절제술(partial mastectomy) 후 유방재건에 적용할 수 있는 종양성형술은 크게 부피이동술(volume

37

displacement technique) 과 부피치환술(volume replacement technique)로 나뉘어지며, 피판의 공여부 위치에 따라 개별적인 수술명이 명명되어 있다. 일차봉합술만으로 좋은 미용학적 결과를 기대하기 어려운 경우 가장 기본적으로 이용될 수 있는 수술방법은 국소피판술(local flap)이다. 쉽게 말해서 결손부 주변의 피판을 이동시켜 유방재건을 시행하는 방법이라고 생각하면 된다. 따라서 국소피판술은 피판이동술의 하나이며, 비교적 짧은 시간 내 피판을 구득하고 추가적인 공여부 수술이 없기 때문에 반흔이 크지 않으며 반대측의 수술 없이 유방의 부피나 모양의 유지가 가능하다. 또한 자가조직을 이용한 술식이므로 수술 후 이물감이 없으며, 촉진시에도 정상 유방의 촉진과 차이가 없고 향후 재발을 감시하는 것도 용이하다.

이 장에서는 다양하게 시행되는 국소피판술과 몇 가지 새로운 국소피판술의 방법들에 대하여 소개하도록 하겠다. 피판이동술 중에서 회전피판술(rotation flap)과 유방축소술(reduction mammoplasty) 방법은 다른 장에서 추가적으로 다뤄질 것이다.

1. 유선피판술 또는 유선 재형성술(glandular flap, glandular reshaping)

유선피판술은 다른 부위에서 피판을 구득하는 것이 아니라 주변부 유선을 피판으로 이용하여 결손부위를 채워주는 수술방법이다. 국소피판술의 가장 기본적인 술식이며, 추가적인 절개선이 거의 남지 않아 환자들의 만족도가 높다.

기본적인 수술원리는 유선분리술(glandular undermining technique)인데, 유선의 중간을 횡으로 분리시켜 결손부위의 심부와 표재부를 각각 봉합하는 방법이다. 분리를 하는 방법은 주로 전기소작기(electrocautery)를 이용하면 되는데, 이 때 유선의 중간이 분리되지 않고 지방과 유선의 사이가 분리되는 경우에는 결손부위는 충분히 채우지 못하면서 지방으로 올라가는 혈류량만 적어질 수 있기 때문에 지방괴사와 같은 합병증이 발생할 수 있다 (그림 1-1). 물론 지방괴사는 시간이 지나면 거의 사라지는 것으로 보고되고 있지만, 그 시기동안 환자는 딱딱함과 통증을 느끼는 불편함을 감수해야 하기 때문에 가급적 유선의 중간부위를 횡으로 분리시켜주는 것이 좋다.

● 그림 1-1. **유선피판술(glandular flap)의 수술모식도.** 결손부위를 채워줄 만큼의 유선을 가늠하여 유선의 중앙을 횡으로 분리시켜 각각의 층을 봉합해주면 된다.

2. 도넛형 유방고정술(donut mastopexy) 또는 원형절제술(round block technique)

1) 개요

유륜은 색소침착이 있어 유륜의 주변으로 절개를 시행하면 수술 후 반흔이 잘 보이지 않는 장점이 있다. 1980년 Gruber 등이 도넛형 유방고정술(donut mastopexy)이라는 용어를 처음 사용한 이래 1990년 Benelli 등은 유방암의 절제뿐 아니라 유방의 과증식, 여성형 유방(gynecomastia)의 교정에도 적용가능한 원형절제술(round block technique)을 보고하였다. 이 방법은 유방하주름(inframammary fold)에 가깝거나 유방처짐(ptosis)이 심한 유방의 가쪽(periphery)에 발생한 암을 제외한 거의 모든 위치의 유방암을 절제할 수 있는 방법이다. 유선이 받는 중력의 방향을 고려할 때 유방의 상측이나 상외측에 발생한 유방암의 수술에 가장 적합하며, 유두-유륜 복합체(nipple-areolar complex)의 침범이 없는 중앙부 유방암의 절제에도 유용하게 적용해 볼 수 있다.

2) 수술방법(그림 1-2)

(1) 유륜과 1 cm 정도의 간격을 가지는 평행한 원을 그리고, 2개의 평행한 원을 각각 원형절개한다.

(2) 절개된 큰 원과 유륜의 사이 피부는 표피박리술(de-epidermization)를 시행한다. 이 때 진피층까지 박리되지 않도록 조심스럽게 표피만 벗겨내는 것이 중요하다.

(3) 표피가 탈락된 부위에 진피층을 통과하는 절개선을 넣게 되는데, 가급적 바깥쪽 원에 가깝게 절개를 하되 유륜으로의 혈류흐름을 방해하지 않기 위하여 절개선이 전체 원의 30-50%를 넘지 않도록 한다.

(4) 종양으로부터 충분한 안전절제연을 확보할 수 있도록 종양을 손으로 만져가면서 주변부를 수직으로 박리한다. 이 때 수직으로 박리하지 않으면, 안전절제연이 일부 가깝게 절제되거나 원뿔(cone)형으로 절제되면서 심부층의 유선이 과도하게 절제되거나 덜 절제될 수 있다. 따라서 수술보조자가 과도하게 견인(traction)하지 않도록 술자가 지속적인 유선의 절제범위를 확인하여야 한디.

(5) 기구를 잡는 반대편 손의 엄지와 검지 사이에 종양을 두고 경계를 확인하면서 비교적 일정한 원통형절제가 이루어질 수 있도록 한다(그림 1-6).

(6) 절제 후 결손부위는 일차성 봉합을 시도해보면 되는데, 이 때 피부보조개(skin dimpling)이 발생하면 피하분리술(skin undermining)을 이용하여 유선과 피부를 분리시켜준다. 분리된 유선은 레벨을 맞춰서 각층봉합(layer-by-layer suture)을 한다.

(7) 절제 후 조직은 병리과와 약속된 방향을 표시한 후 병리검사실로 보낸다. 주로 상부(superior)에 짧은(short) 실을, 가쪽(lateral)에 긴(long) 실을 표시하는 경우가 많다(SS-LL method). 이후 필요한 위치의 조직을 구득하여 경계면에 대한 검사를 동결절편검사(frozen method)로 확인할 수 있다.

(8) 절제부위 유선 경계면은 흡수사를 사용하여 봉합을 하면 되는데, 조직의 가동범위를 확인하여 필요하다면 흉벽-유선 분리 또는 피부-유선 분리를 더 시행하여 조직의 재배치를 도와준다.

(9) 바깥쪽 원에 쌈지봉합술(purse-string suture)을 시행하여 유두와 유륜의 위치를 확인하고, 양쪽 실을 잡아당겨 쌈지(purse-string) 형태로 쪼여지게 한 후 매듭(tie)을 형성한다. 매듭은 염증반응의 일차적 원인이 될 수 있으므로

가급적 피하를 향하도록 안으로 넣어준다.

(10) 만약 피부가 두꺼워서 봉합사가 잘 당겨지지 않거나 바깥쪽 원형의 크기가 유륜에 비하여 2배 이상 큰 경우에
는 2대1 쌈지봉합술(two-by-one purse-string suture)를 시행할 수 있다. 이 때 유륜주변에는 주름이 형성되기 때문
에 보다 자연스러운 유륜의 경계면을 형성하게 된다(그림 1-3).

(11) 상처봉합은 3-0 또는 4-0 흡수사를 사용하여 불연속봉합(interrupted suture)을 할 수도 있지만, 경계면에 주름이
형성되지 않으면 인위적인 유륜의 형태로 남을 수 있다(그림 1-4).

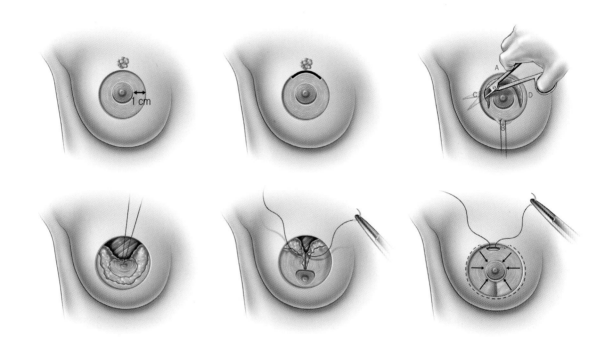

● 그림 1-2. **원형절제술(round-block technique).** 유방암의 위치에 따라 자유롭게 적용가능하며, 절개선이 유륜에 남기 때
문에 수술 후 반흔이 크지 않은 장점이 있다.

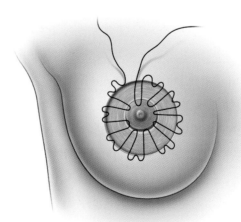

● 그림 1-3. **2대1 쌈지봉합술(two-by-one purse-string suture).** 바깥쪽
원의 크기가 유륜에 비하여 2배 이상 넓은 경우 적용할 수 있으며, 자연스러
운 주름이 형성되기 때문에 유륜의 형태가 한결 자연스럽게 남는다.

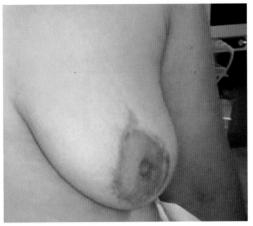

• 그림 1-4. 유륜 주변의 주름이 자연스럽게 형성되지 않아 절개선이 비교적 인위적으로 남았으며, 눈에 잘 띄는 단점이 있다.

3. 배트윙 수술법(batwing technique)

1) 개요

유두-유륜 복합체(nipple-areolar complex)의 침윤을 보이지 않으면서 유륜에서 멀지 않은 위치에 유방암이 발생한 경우 적용가능한 종양성형술이다. 주로 유륜 주변에 발생한 유방암을 제거하는 데 적합하며, 원형절제술과 달리 양쪽으로 절개선이 연장되므로 비교적 먼 부위까지도 접근이 용이하며 많은 유선량을 절제하기에도 어렵지 않다. 또한 이 방법은 유방부피의 감소와 유방하수의 교정에도 도움을 주며, 술식이 비교적 간단하여 종양성형술의 경험이 많지 않은 외과의사들도 쉽게 시행할 수 있는 방법이다.

2) 수술방법(그림 1-5)

(1) 유륜의 반원과 평행한 반원절개선을 각각 디자인하는데, 이 때 두 원은 평행하게 그려져야 한다. 유륜의 양쪽 옆으로 박쥐 날개모양의 삼각형을 그려 절개선을 연장할 수 있도록 한다.
(2) 반원절개선과 양쪽 삼각형 내부의 표피를 박리하고, 진피층 절개를 넣어 대흉근까지 수직으로 절제한다. 이 때 수직을 이루지 못하고 유두쪽으로 유선이 절제되면 유두로 가는 혈류의 흐름이 떨어져 유두허혈 또는 괴사가 발생할 수 있으며, 유선쪽으로 비스듬히 절제되면 종양의 안전절제연을 확보하기 어렵다(그림 1-6).
(3) 다른 부분 절제술 방법과 마찬가지로 대흉근 층에서 유선 조직을 들어올려 암을 두 손가락으로 만져서 확인하고, 유선 조직을 절개하여 부분 절제술을 시행한다(그림 1-7).
(4) 남아 있는 유선소식을 선진(advancement)시켜 남은 유신과 봉합을 시행힌다.

41

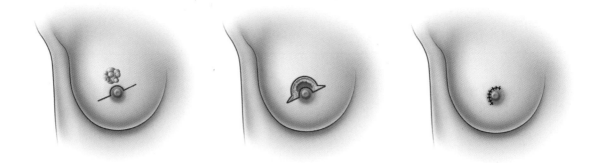

● 그림 1-5. **배트윙 유방고정술.** 유륜과 평행한 반원을 그리고, 박쥐날개모양의 양쪽 삼각형을 추가하여 절개선을 연장한다. 수술 후에는 오메가(Ω) 형태의 반흔이 남으므로 오메가형태 유방절제술(omega-shape lumpectomy)라고 부르기도 한다.

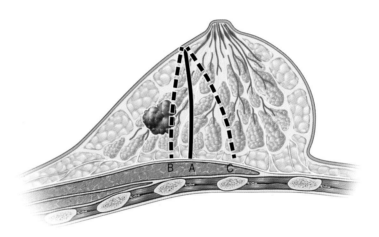

● 그림 1-6. **유선의 수직절제법.** 절개선에서부터 대흉근까지 이르는 적절한 절제방향은 **A**이며, 유선을 향하여 비스듬히 절제 (**B**)되면 종양의 안전절제연을 확보하지 못하는 경우가 발생하며 유두를 향하여 비스듬히 절제(**C**)되면 유두의 허혈이나 괴사가 발생할 수 있다.

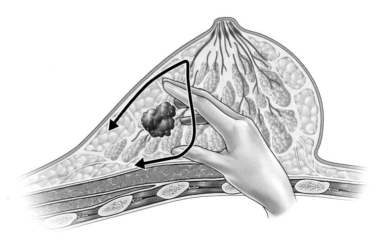

● 그림 1-7. **종양의 수지고정법(finger holding method).** 두 손가락으로 종양의 위치를 느껴가면서 절제하면 보다 일정한 안전절제연을 확보할 수 있다.

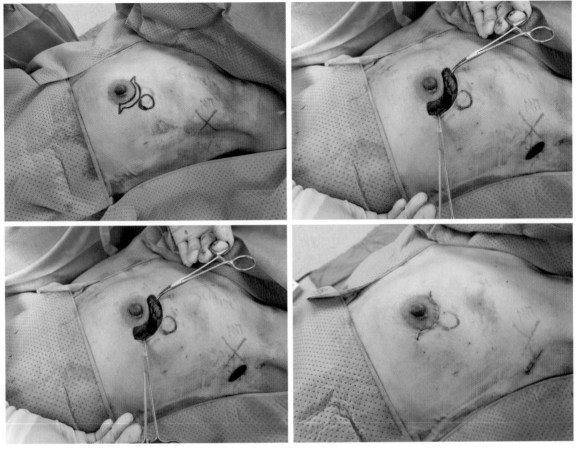

● 그림 1-8. **배트윙 유방고정술의 과정.** 유선은 피하박리술(skin undermining) 및 대흉근-유선사이 박리술을 이용하여 가동성을 확보하여 봉합한다.

4. 테니스 라켓 술식(tennis racket technique)

1) 개요

이 방법은 주로 바깥쪽 구역에 위치한 암을 절제하는 데 유용한 방법이다. 특히 종양이 유관을 따라 길게 발생하였거나 중등도 이상의 유방하수를 가진 환자에게 적합한 방법이다. 유륜이 테니스 라켓의 헤드에 해당하며, 길게 남는 절개선은 테니스 라켓의 손잡이(grip)에 해당하는 형태를 띠기 때문에 테니스 라켓형 술식이라 부른다. 피부는 같이 절제할 수도 있고, 유선만 절제할 수도 있다.

2) 수술방법(그림 1-9)

(1) 유륜을 중심원으로 하여 방사형(radial)으로 추가절개선을 그리고, 타원형(elliptical)으로 피부를 같이 절제하는 형태의 디자인을 구성한다.

(2) 절개선을 따라 유선조직의 전 층을 수직절제하여 안전절제연을 확보한다.

(3) 피부가 절제된 부위는 유선과 피부를 봉합하여 하나의 봉합선으로 남기고, 유륜 역시 원형절제술과 동일한 형태로 봉합을 한다. 피부나 유선이 과도하게 당겨지는 경우 유방의 형태가 오히려 미용학적 결과가 좋지 않을 수 있어 경우에 따라 유선분리술(glandular undermining) 또는 피하분리술(skin undermining)을 적용하여 적절하게 조절한다.

(4) 유루 아래의 조직이 과도하게 절제되어 유두-유륜 복합체의 괴사가 오지 않도록 주의한다.

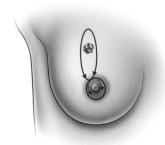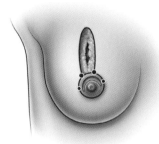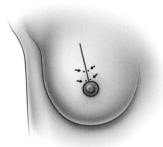

● 그림 1-9. **테니스 라켓 종양성형술.** 유륜의 원형이 테니스 라켓의 헤드에 해당하고, 일차로 봉합되는 선이 테니스 라켓의 손잡이 형태를 띤다하여 붙여진 명칭이다. 기본적인 유선절제술과 원형절제술이 병합된 술식이라고 이해하면 된다.

5. 평행사변형 유방고정술(parallelogram mastopexy)

1) 개요

이 방법은 피부절제를 평행사변형꼴로 디자인하여 마지막에 봉합한 후에는 하나의 절개선으로 남게되는 술식으로 유방의 사분면 어디에나 적용 가능한 방법이다. 유방암의 상방피부(overlying skin)를 같이 절제함으로써 수술시 넓은 시야확보가 가장 큰 장점이며, 유선과 피부가 동일하게 절제되기 때문에 추가적인 피부절제가 거의 필요 없는 것이 장점이다.

2) 수술방법

(1) 유방암의 바로 위쪽 피부에 평행사변형꼴로 절개선을 디자인한다. 이 때 절제될 피부의 면적이 너무 넓으면 유두의 위치변동(dislocation)이 발생할 수 있기 때문에 유두의 이동이 발생하지 않는 범위 내에서 디자인하는 것이 중요히다.

(2) 절개선의 사방으로 적절한 피하박리를 하고, 어느 한 부분에서 대흉근 방향으로 수직절제를 시행한다.

(3) 종양의 수지절제법을 이용하여 종양이 중심부에 위치할 수 있도록 사방의 안전절제연을 확보하여 원형으로 절제

한다.

(4) 남은 유선끼리 봉합해주고, 피부봉합을 시행한다. 유선의 전진피판(advancement flap)이 일부 필요할 수 있지만, 유두의 위치가 이동되지 않게 조심하여야 한다.

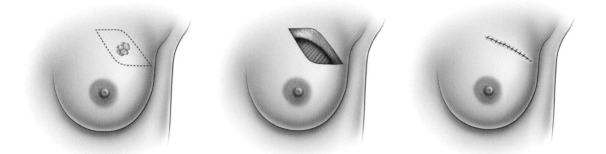

● 그림 1-10. **평행사변형 유방고정술.** 평행사변형꼴로 유선과 피부가 같이 절제되는 것이 특징이며, 마지막에는 하나의 봉합선만 남게 된다. 종양 바로 위의 피부가 같이 절제됨으로써 종양학적 안전성을 보다 높일 수 있는 장점이 있다.

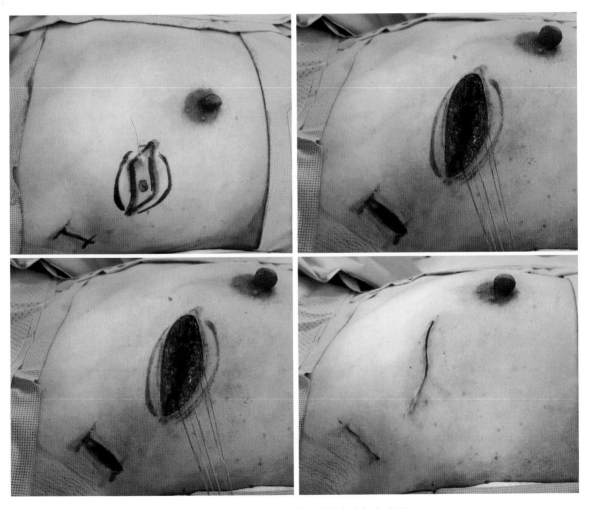

● 그림 1-11. 평행사변형꼴 유방고정술의 과정.

6. 유방절제술 후 결손부위를 채우는 흡수성 물질의 적용

1) 개요

유방이 크고 하수가 중등도 이상인 경우에는 조직의 가동성(mobility)이 좋아서 자가 조직만으로도 충분히 결손부위를 채울 수 있고 대칭성을 유지하기가 쉽다. 그러나 유선이 치밀하거나 유방의 크기가 작은 경우는 결손부위가 크지 않음에도 불구하고 유선만으로 일차봉합을 하기 어려운 경우가 많다. 특히 추가적인 수술이나 반대편 유방에 대한 수술에 대하여 환자에게 미리 설명이 되어있지 않은 경우라면 결손부위를 충전(filling)할 수 있는 다른 방법을 찾아야 한다.

많은 유방 종양성형의들이 다양한 물질을 결손부위의 충전을 위하여 적용해 왔는데, 그물망 형태의 매쉬(mech)는 수술 후 또는 방사선 후 비교적 높은 감염율과 조직의 단단함을 야기하는 것으로 보고되고 있어 최근에는 잘 이용되지 않는다. 이후 인체에 비교적 합병증을 덜 일으키며 조직의 육아종성(granulation) 변화를 자극하여 결손부위를 채우는 흡수성 유착방지제(adhesion barrier)들이 비교적 좋은 결과를 보고하고 있으며, 최근에는 부피감이 있는 흡수성 지혈제(absorbable hemostat)나 산화재생 셀룰로오즈(oxidized regenerated cellulose, ORC), 또는 무세포 진피조직(acellular dermal matrix, ADM)을 이용하기도 한다. 이 때 충전물질은 피부 바로 아래에 놓고 피부를 봉합하게 되면 쉽게 결손부위가 가라앉을(collapse) 수 있다. 따라서 피하지방층 아래에 넣어 위를 도톰하게 지방조직이 커버해주면 피부가 가라앉는 것을 방지할 수 있다.

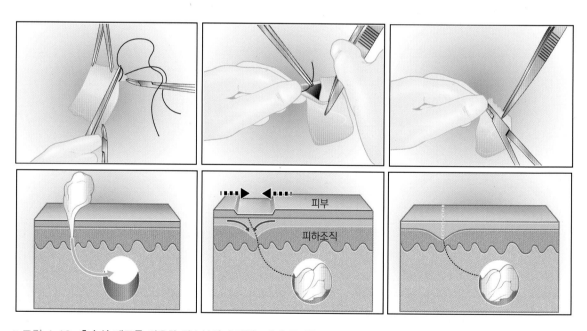

● 그림 1-12. **흡수성 재료를 이용한 결손부위 충전법.** 대개 종이(sheet) 형태보다는 부피가 있는 원형이나 면섬유(cotton) 형태의 흡수성 재료를 이용하면 좋다. 충전물질은 피부 바로 아래보다는 피하지방층이 도톰하게 위를 커버해주어야 결손부위가 가라앉는(collapse) 것을 방지할 수 있다.

✎ 참고 문헌

1. 배영태. 유방암의 종양성형술. J Korean Med Assoc 2009;52:981-95.

2. Alipour S. A local randon glandular flap for oncoplastic breast conserving surgery. International Journal of Surgery Open 2021;32:100345.

3. Almasad JK, et al. Breast Reconstruction by Local flaps after Conserving Surgery for Breast Cancer: An Added Asset to Onco\-plastic Techniques. Breast J 2008;14:340-4.

4. Anderson BO, et al. Oncoplastic approaches to partial mastectomy: an overview of volume-displacement techniques. Lancet Oncol 2005;6:145-57.

5. Benelli L. A new periareolar mammaplasty: the "round block" technique. Aesthetic Plast Surg 1990;14:93–100.

6. Berry MG, et al. Oncoplastic breast surgery: a review and systematic approach. J Plast Reconstr Aesthet Surg 2010;63:1233-43.

7. Clough KB, et al. An approach to the repair of partial mastectomy defects. Plastic and reconstructive surgery 1999;104:409-20.

8. Iwuchukwu OC, et al. The role of oncoplastic therapeutic mammoplasty in breast cancer surgery-A review. Surgical oncology 2012;21:133-41.

9. Lee J, et al. The Use of Absorbable Interceed® Pouch with Double-Layer Skin Closure for Partial Defect of Breast. Breast J Jul-Aug 2014;20:414-9.

10. Lee J, et al. Use of an absorbable adhesion barrier for reconstruction of partial mastectomy defects in the upper quadrant of large ptotic breasts. Surgical oncology 2015;24:123-7.

CHAPTER

2

흉복벽 피판술

종양의 크기에 따라서 절제되어야 할 부피가 달라지고 위치에 따라서 재건술식이 결정되기 때문에 종양의 크기와 위치는 종양성형술에 있어 가장 중요한 요소들이다. 환자의 유방크기나 하수의 정도에 따라서도 각각 다른 피판술을 적용해야 하는데, 대부분의 경우 유방의 상외측이 재건술을 시행하기 가장 쉬운 것으로 보고되고 있다. 상대적으로 유방의 내측이나 중심부, 하부 등은 유선조직의 여유가 많지 않아 유방모양의 변형이 쉬운 위치이지만, 유방의 주변조직을 이용하여 적절한 피판술을 적용하면 어렵지 않게 유방의 재건이 가능하다.

1. 피판술의 종류

흉복벽 피판술(thoraco-epigastric, TE flap)은 흉복벽 혈관분지를 이용하여 피판을 구득하는 방법으로 무경피판(자유피판, free flap)의 형태로 구득이 되면 유방이 아닌 허벅지, 팔꿈치 등에도 이식이 가능하지만, 유경피판(pedicle flap)의 형태로 구득을 하는 경우에는 주로 부피치환술(volume replacement technique)의 일종으로 유방의 하부에 발생한 결손부위를 재건하는 데 유용하다. 경우에 따라서는 염증성 유방암처럼 전체 피부를 포함하여 유방을 절제하여 흉벽을 덮을 피부가 없어 흉벽을 재건해야 하는 경우에도 유용하게 이용될 수 있다. 그러나 흉벽재건을 위해서는 더 넓은 피판이 필요하기 때문에 흉복벽 피판술의 거울형 피판(mirror flap)으로 피판을 반대방향으로 디자인하는 흉복부 피판술(thoraco-abdominal flap, TAF)를 적용하는 것이 더 유리하다. 동일한 원리를 이용하지만 상복벽혈관(epigastric vessel)만을 이용하지 않고 훨씬 넓은 범위의 많은 혈관을 이용하기 때문에 더 넓은 범위의 피판의 구득이 가

49

능하다. 이것은 외복사근을 함께 구득하면 피판이 더욱 튼튼하고 표면적이 넓어질 수 있어 외복사근 피판술(external oblique myocutaneous flap, EOMCF)라는 이름으로 불리기도 하는데, 이는 뒤에서 자세히 설명하겠다. 결론적으로 흉복벽 또는 흉복부 피판술은 구득하는 피판의 부피에 따라서 흉벽전체를 재건할 수도 있고, 유방의 일부 결손부위만 채울 수 있는 매우 유동적인 수술방법인 것이다.

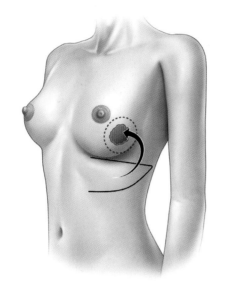 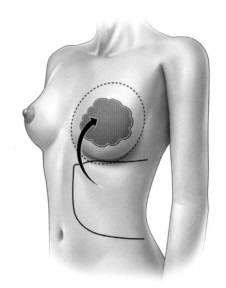

● 그림 2-1. **흉복벽 피판술(thoraco-epigastric flap, 좌)와 흉복부 피판술(thoracoabdominal flap, 우)의 모식도.** 이 두 피판술은 비슷한 원리를 가지지만, 거울형 피판(mirror flap)으로 각기 다른 재건의 목적을 가진다.

2. 흉복벽 피판술의 혈류공급

흉복벽 피판의 혈류는 쇄골하동맥(subclavian artery)과 외장골동맥(external iliac artery)를 연결하는 흉복벽 혈관 아케이드(arcade)로부터 기원한 상복부동맥(epigastric artery)과 표재성 복벽정맥(superficial epigastric vein)과 외흉부 정맥(lateral thoracic vein)의 혈관 아케이드로부터 기원하는 흉복벽정맥(thoraco-epigastric vein)이 가장 주된 혈류공급원이다. 동맥공급은 중심부에 기원하므로 유경면의 길이는 적어도 7-8 cm 정도가 되어야 하며, 정맥공급은 흉벽의 가측의 심부에서부터 표재면으로 관통하여 올라오기 때문에 전방거근(serratus anterior muscle)의 일부를 포함하여 피판을 구득하여야 한다.

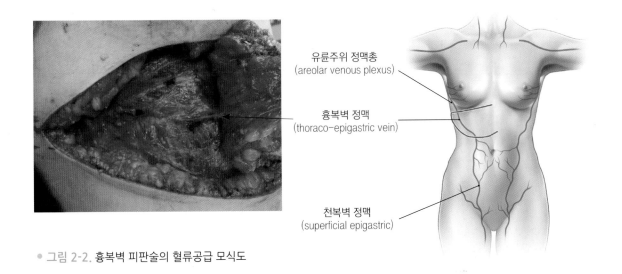

유륜주위 정맥총
(areolar venous plexus)

흉복벽 정맥
(thoraco-epigastric vein)

천복벽 정맥
(superficial epigastric)

● 그림 2-2. 흉복벽 피판술의 혈류공급 모식도

피판의 길이가 길어지는 경우에는 공급되는 혈액이 피판의 말단부까지 원활히 공급되기 어려울 수 있기 때문에 결손부위가 어느정도 채워졌다면, 피판의 말단 1-2 cm 정도는 잘라내는 것이 좋다. 또한, 대부분의 혈류가 근육과 피하지방에서 공급되기 때문에 유경면(pedicle)을 너무 짧게 잡거나 너무 많이 박리하면 혈류의 흐름이 떨어져 피판의 괴사가 오기 쉽다.

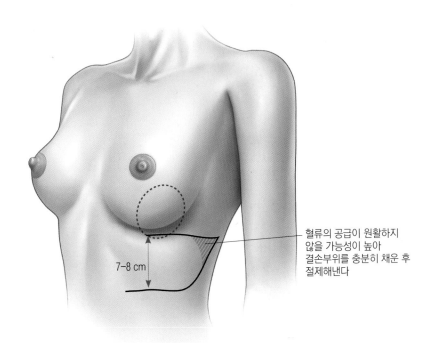

7-8 cm

혈류의 공급이 원활하지 않을 가능성이 높아 결손부위를 충분히 채운 후 절제해낸다

● 그림 2-3. **흉복벽 피판술의 모식도.** 피판의 넓이는 적어도 7-8cm정도 되어야 충분히 상복벽동맥 (superior epigasgtic argery)로부터 혈류공급을 받을 수 있고, 정맥은 가측 표재부에 흉벽으로부터 올라오기 때문에 전방거근(serratus anterior muscle)을 포함하여 피판을 구득하여야 혈류가 풍부해진다.

3. 수술방법

① 유방하주름(inframammary fold)을 흉복벽 피판의 위쪽 경계면으로 삼아 절개선을 넣고 흉벽까지 수직절개를 한다.

② 피부에서부터 종양까지의 거리가 충분하다면 피부를 남기고, 피부와 종양 사이의 거리가 가깝다면 피부를 포함하여 유선을 절제한다.

③ 유방하주름 절개선을 유선의 아래쪽 경계로 삼고 종양의 수지고정법을 이용하여 일정한 간격의 안전절제연을 확보하여 종양을 절제한다.

④ 절제된 유선량과 결손부위의 부피를 가늠하여 흉복벽 피판을 디자인한다. 유경면의 길이는 적어도 7-8 cm이 되어야 하지만, 너무 과도하게 넓게 디자인하면 복벽의 봉합이 어려울 수 있고 수술 후 비대칭이 발생할 수 있어 이를 넘지는 않도록 한다.

⑤ 계획된 절개선을 따라 피판을 구득하는데, 앞서 기술한대로 전방거근의 일부를 포함하여 피판을 구득하면 피판의 부피도 조금 더 커지면서 표재 관통지(superficial perforators)들의 손상을 방지할 수 있다.

⑥ 피판을 결손부위에 넣고 유방하주름과 복부의 절개선을 스테이플러로 가봉합하면, 유방의 전반적인 모양이 구성된다. 외부로 보여지는 피부를 남기고, 나머지 표피를 박리하면 유방 내부로 들어갈 피판이 준비가 된다. 그러나, 이 때 피부의 표피를 처음부터 전부 절제해버리면 최종적으로 피부가 부족한 경우가 발생하기 때문에 피부의 2-3 cm 정도를 남겨두고 조금씩 박리해 나간다.

⑦ 피판의 표피박리가 80% 정도 이루어졌으면, 표피박리가 이루어진 흉복벽 피판을 결손부위에 넣고 유방의 높이(projection)에 따라 필요한 정도의 두께를 가늠한다. 피판의 일부를 접어서 두껍게 만든 후 유방내 결손부위를 채워주면 되는데, 피판을 유선에 고정하지 않으면 중력에 의하여 아래로 처지거나 부피를 형성하지 못하고 편평해지면서 재건한 부위가 납작해질 수 있다. 따라서 유방하주름을 봉합하여 자연스럽게 유방의 모양을 만든 후 결손부위에 피판을 넣고 남은 유선과 피판을 2-3 포인트 정도 남은 유선에 고정한다.

⑧ 흉복벽 피판의 아래쪽 경계면으로부터 절단된 복부면과 유방하주름을 봉합하면 복부가 전진되면서 새로운 유방하주름을 형성하게 된다.

⑨ 피판이 충분히 결손부위를 채운 후 남는 피부는 견이(dog ear)의 형태로 남게되는데, 이 부위도 역시 스테이플러로 필요한 피부만 남기고 절제하도록 디자인하면 된다. 만약 유방 결손부위의 피부와 피판의 피부가 겹쳐진다면 혈류가 풍성한 피판의 피부를 보존하고 결손부의의 피부는 절제하는 것이 낫다.

⑩ 피판의 피부를 절제할 때에는 피부의 전층(full thickness)을 절제하지 말고 표피만 박리하여(de-epithelialization) 최대한의 피부장력을 유지시켜주는 것이 좋다. 결과적으로 볼 때 흉복벽 피판술은 회전피판술(rotation flap)과 전진피판술(advancement flap)이 동시에 이루어지는 수술방법이라 볼 수 있다.

⑪ 수술 후 정면에서 바라보면 절개선이 유방하주름을 형성하기 때문에 잘 관찰되지 않으며, 약간의 복벽 비대칭만 주름으로 식별이 가능하다.

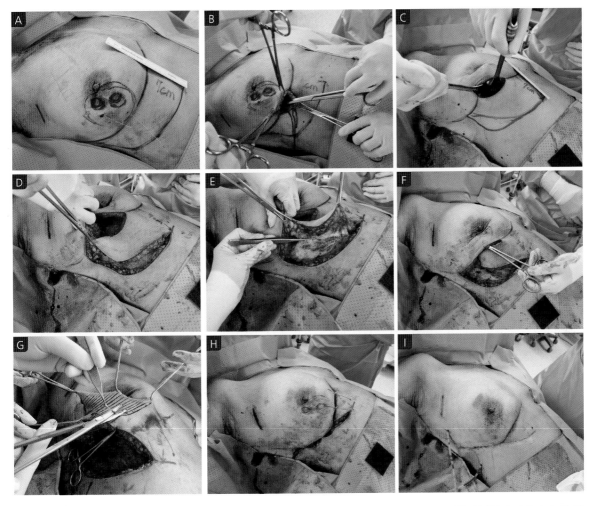

● 그림 2-4. **흉복벽 피판술의 과정.** **(A)** 수술 전 디자인. **(B)** 유방하주름을 절개선으로 하여 유선을 절제한다. **(C)** 수술 후 결손부위의 모습. **(D)** 결손부위를 가늠하여 피판을 구득한다. **(E)** 흉벽의 전방거근(포셉으로 잡고 있는 부위)을 포함하여 구득하여야 천공지를 같이 구득할 수 있다. **(F)** 구득된 피판의 회전반경을 확인하면서 결손부위를 충분히 채울수 있는 반경까지 피판을 구득한다. **(G)** 결손부위로 들어가게될 피부는 표피박리술을 시행한다. **(H)** 스테이플러를 이용하여 가봉합한 모습. **(I)** 수술직후 사진.

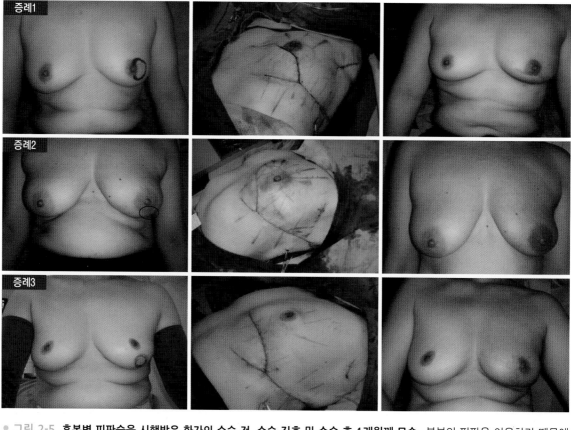

● 그림 2-5. **흉복벽 피판술을 시행받은 환자의 수술 전, 수술 직후 및 수술 후 1개월째 모습.** 복부의 피판을 이용하기 때문에 양쪽 복부주름이 다소 비대칭인 것을 확인할 수 있지만, 대부분의 반흔이 유방하주름에 가려지기 때문에 미용학적으로 좋은 결과를 보인다. 유방의 아래쪽에 봉합된 절개선은 새로운 유방하주름을 형성한다.

✎ 참고 문헌

1. Balakrishnan C, et al. Thoracoepigastric flap for the closure of an elbow defect in an intravenous drug abuser: A case report and review of literature. Can J Plast Surg 2003;11(2):83-4.

2. Burattini ACB, et al. Safety and viability of a new format of thoracoepigastric flap for reconstruction of the chest wall in locally advanced breast cancer: a cross-sectional study. Revista Brasileira de Cirurgia Plástica (RBCP) – Brazilian Journal of Plastic sugery 2016;31:2-11.

3. Kim G-H, et al. Oncoplastic Breast Surgery after Partial Mastectomy Using Thoracoepigastric Fasciocutaneous Flap. Korean Journal of Clinical Oncology 2012;8:37-43.

4. Rodríguez-Vegas JM. Thoracoepigastric flap in donor-site closure of the pectoralis major musculocutaneous transfer: Axial or random pattern? Plastic and Reconstructive Surgery 2005;116:1810-1.

5. Romics L, et al. Thoraco-Epigastric Pedicled Flap for Partial Breast Reconstruction. In Kimberg VS, et al. In Kimberg VS, et al. Oncoplastic Breast Surgery Techniques for the General Surgeon. USA: Springer; 2020. P261-79.

6. Yang JD, et al. Usefulness of oncoplastic volume replacement techniques after breast conserving surgery in small to moderate-sized breasts. Arch Plast Surg 2012;39:489–96.

CHAPTER

3

회전피판술

유방의 부분절제술(partial mastectomy) 후 유방의 형태를 복원하기 위한 종양성형술에 있어 종양의 위치, 크기 및 종양 대 유방 부피의 비율(tumor-to-breast volume ratio)은 적합한 수술 방법을 선택함에 있어 중요한 요소들이다. 특히, 전체 유방부피 대 절제된 조직부피의 비율은 유방의 부분절제술 후 미용적인 결과에 가장 큰 영향을 미친다. 전체 유방 부피의 10-12%를 절제하는 것만으로도 변형이 발생하여 미용적으로 좋지 못한 결과를 초래할 수도 있기 때문이다.

유방의 결손부의 위치도 매우 중요한데, 내측사분면(inner quadrant)은 비교적 작은 결손이라 하더라도 여유분의 조직량이 적어 모양의 재건이 쉽지 않고, 절개선도 쉽게 눈에 띄는 단점이 있다. Cochrane RA 등은 내측 종양의 경우 절제된 유방조직이 전체 유방의 5%만 초과하여도 미용적인 결과와 환자 만족도가 저하된다고 보고한 바 있다.

종양성형의는 수술 중 예기치 못한 상황에 종종 직면하는데, 이 때 여러가지 방법을 다양하게 익히고 있으면 즉각적인 활용이 가능하다. 예를 들어 수술 중 검체촬영술(specimen mammography) 또는 수술 중 동결절편검사(intra-operative frozen section)에서 음성절제연(negative surgical margin)의 확보가 어려운 경우 종양학적 안전성을 위해 추가적인 유방 절제가 불가피하게 되는데, 결손부가 예상보다 커지는 경우가 발생하면 수술 전 세워놓은 계획은 더 이상 실행이 불가능하다. 추후 2차 수술을 통해 미용학적 결과를 개선할 수는 있지만, 2차 수술은 환자의 경제적, 심리적 부담을 높이고 유방암의 수술 후 보조 요법을 지연시키는 결과를 초래하기 때문에 가능하다면 한 번의 수술로 미무리할 수 있어야 한다.

부피치환술은 유방절제 후 결손 부위에 자가 조직을 채워 넣어 유방의 형태를 복원하는 방법으로 자연스러운 유방의 모양과 촉감 및 시간 경과에 따른 안정된 형태를 유지하여 유방재건의 이상적인 방법이긴 하나, 상대적으로 수술방법이 복잡하고 시간이 많이 걸리며 피판 공여부(donor site)의 반흔 및 합병증 발생의 위험이 있다. 수술 전 유방의 크기가 크고 부분절제술 후 충분한 피부와 유선조직이 남아있다면, 양측 유방축소술이 이상적인 방법이다. 하지만 수술 난이도가 높고, 건강한 반대측 유방의 수술이 필요하며 수술 후 양측 유방에 큰 절개선이 남는다는 단점을 감수해야 한다. 반면, 비교적 절제 범위가 작고 결손부 주위 건강한 유방조직이 충분히 남아있는 경우 부피이동술을 적용할 수 있다. 이는 다른 두 방법에 비해 비교적 수술 방법이 간단하며, 유방 이외 다른 부위의 흉터나 합병증의 위험이 없다.

1. 일반적인 회전피판술(conventional rotation flap)

1) 수술방법

1) 유방암을 중심으로 안전절제연을 확보하여 유방의 부분절제술을 시행한다.
2) 이후 유방하주름을 따라 절개선을 넣고, 회전될 피판을 대흉근(pectoralis major muscle)으로부터 박리한다(그림 3-1A).
3) 유선을 회전시켜 결손부위가 충분히 채워지는지는 범위까지 피판을 대흉근으로부터 박리하고, 스테이플러를 이용한 가봉합을 시행한다(그림 3-1B).
4) 마킹펜을 이용하여 피판이 봉합될 위치를 표시하고, 견이(dog ear)가 발생한 부위를 표시한다.
5) 스테이플러를 풀어 견이발생 부위를 표피박리(de-epithelialization)하고, 마킹펜으로 표시된 부위를 따라서 봉합해나간다(그림 3-1C).
6) 추가적으로 발생하는 피부의 견이 역시 같은 방법으로 처리한다(그림 3-1D).

● 그림 3-1. **(증례1) 좌측 유방 부분절제술 및 회전피판술(rotation flap)을 이용한 유방재건술. (A)** 좌측 유방암을 안전절제연을 확보하여 절제한다. 불빛이 비춰지는 부위는 유선이 없는 결손부위이다. 유방하주름을 따라 액와부까지 연결하여 절개선을 넣어 피판의 범위를 정하고, 피판을 대흉근으로부터 박리하여 가동성을 확보한다. **(B)** 피판을 회전시켜 유방의 모양을 잡고, 스테이플러를 이용하여 가봉합을 한다. 유방이나 액와부에 발생하는 견이(노란 원)는 추후 처리한다. **(C)** 스테이플침을 제거하고, 견이는 표피박리술(de-epithelialization)을 통해 처리한다. 마킹펜으로 표시된 선을 따라서 봉합을 진행한다. 이 때 유방의 내부에서부터 봉합을 시작하면, 액와부에 견이를 처리할 수 있어 유방에는 절개선이 추가로 남지 않는다. **(D)** 봉합이 완료된 모습.

2) 수술 증례

종례2 51세 여자. 우측 유방암(상피내암)이 하외측 4 cm 정도의 크기로 진단됨. 유방의 부분절제술 및 회전피판술을 시행한 모습.

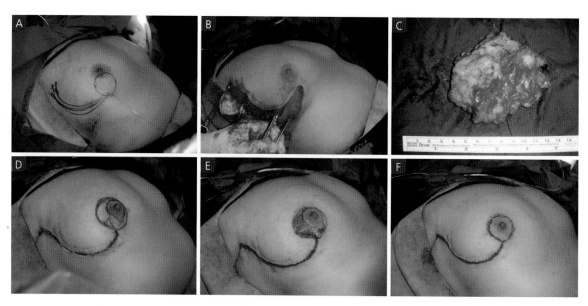

● 그림 3-2. **우측 유방의 부분절제술 및 회전피판술을 이용한 유방재건술.** **(A)** 유방암이 원으로 표시되어 있다. **(B)** 액와부에서부터 결손부위에 이르는 절개선을 넣고, 피판을 대흉근으로부터 분리시켜 가동성을 확보한 모습. **(C)** 종양을 포함하여 절제된 유선조직. **(D)** 피판을 회전시켜 스테이플러로 가봉합한 모습. 상대적으로 유선이 회전하면서 유두-유륜 복합체가 안쪽으로 쏠림 현상이 발생하였다. **(E)** 유두-유륜 복합체를 정위치로 옮기기 위한 표피박리술이 시행된 모습. **(F)** 봉합이 완료된 모습.

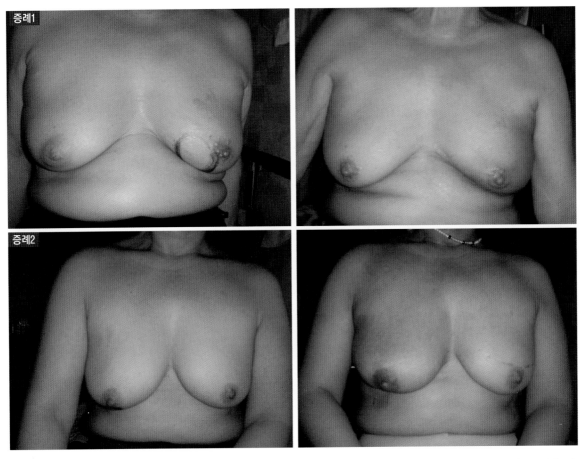

● 그림 3-3. **일반적인 회전피판술을 시행받은 환자의 수술 전, 후 사진** (상) 증례1의 수술 전, 후 사진. (하) 증례2의 수술 전, 후 사진

3) 합병증

기존의 회전피판술(rotation flap)은 유방의 외측에 발생한 결손부위를 채우는 데는 용이하지만, 유방 내측의 결손을 채우기 위해서는 조직 회전의 범위와 피판의 이동이 훨씬 커야 하기 때문에 합병증이 발생하거나 미용학적 만족도가 떨어지는 경우가 있다. 과도하게 유선을 회전시키게되면 혈액 공급의 장애가 발생하여 지방괴사의 위험이 있으며, 유방하주름(inframammary fold)의 상향변위(upward displacement) 및 유두-유륜 복합체(nipple-areolar complex)의 위치이상(malposition) 등으로 인한 유방의 변형과 양측 유방의 비대칭(asymmetry)이 자주 발생한다. 또한, 수술 후 긴 반흔이 눈에 띄는 위치에 남는다는 단점이 있다(그림 3-4).

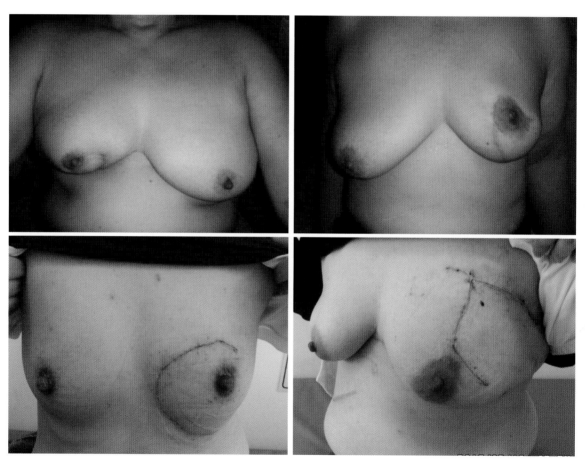

• 그림 3-4. 회전피판술 후 양쪽 유방 비대칭이 발생하였거나 눈에 띄는 반흔이 남은 경우.

2. 변형 회전피판술(modifed rotation flap)

기존의 회전피판술의 단점을 극복하기 위해 저자들이 고안한 새로운 회전피판술인 낚시바늘형 회전피판술(fish-hook incision rotation flap), 피부유선 회전피판술 및 액와부 전진피판술(dermoglandular rotation flap with subaxillary advancement flap)에 대해 소개하고자 한다. 이 수술법은 원거리 조직피판, 보형물 또는 반대측 유방 수술이 필요하지 않으며, 부분 유방 절제술 후 예기치 않게 큰 결함이 발생하는 상황에서 특히 유용하여 양측 유방의 대칭성을 유지하고 미용적인 결과를 향상시킨다. 또한 추가적인 고난도의 성형술기 없이도 유방외과의가 쉽게 배우고 적용할 수 있다는 장점을 가지고 있다. 이 수술법은 비교적 긴 피부절개선을 남기는 단점이 있지만, 반흔의 대부분은 액와부 아래, 흉벽의 측면 및 유방하주름 부위에 주로 위치하게 되어, 팔을 내린 자세에서는 가려져 잘 보이지 않는다. 또한 수술 후 방사선치료를 받고 시간이 지남에 따라 흉터는 옅어지는 경우가 흔하다.

1) 적응증

종양 위치 측면에서의 특별한 제한은 없다. 종양 크기 측면에서, 부분 유방절제술 후 상대적으로 작은 결손이지만 수술 후 유방형태의 변형이 예상되는 경우로, 일반적으로 전체 유방의 20% 이하의 조직을 절제 시 회전피판술의 적용이 가능하다.

2) 금기증

일반적으로 전체 유방의 20% 이상을 절제하는 경우에는 부피이동술(volume displacement technique)을 적용하기 어려우며 자가조직 또는 보형물을 이용하는 부피치환술(volume replacement technique)이 필요하다. 또한, 원래 유방의 크기가 작거나 유방하수가 없어 결손부를 채우기 위한 주위 유방조직이 충분하지 않거나, 조직의 가동성이 떨어져 조직 회전이 어려운 경우에는 적용이 어렵다. 임신 초기, 과거 흉부 방사선조사의 과거력 등으로 유방보존술(breast conserving surgery)의 금기 사항에 해당되는 경우에도 적용할 수 없다.

3) 수술 전 피판의 디자인

환자가 앉거나 서있는 자세로 종양의 위치, 유방의 형태 및 유방하주름을 확인한 후 종양 및 절제범위를 피부에 표시한다.

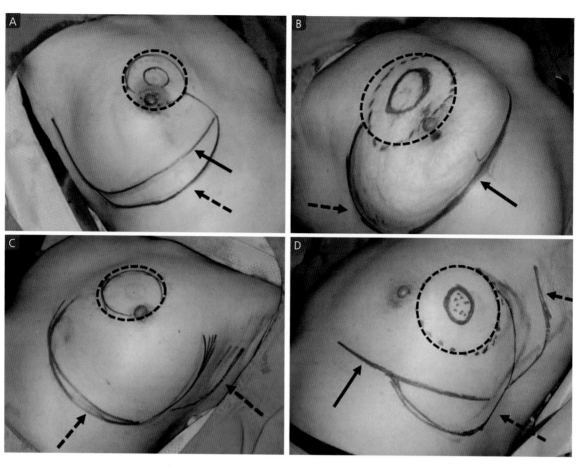

● 그림 3-5. **변형 회전피판술의 디자인(fish-hook/reverse fish-hook incision rotation flap, dermoglandular rotation flap with subaxillary advancement flap) (A)** 낚시바늘형 회전피판술(fish-hook incision rotation flap) 적용을 위한 디자인. 종양의 위치와 절제 범위, 유방하주름(실선 화살표)과 피부절개선(점선 화살표)이 표시되어 있다. **(B)** 반전 낚시바늘형 회전피판술(reverse fish-hook incision rotation flap) 적용을 위한 피판 디자인. 종양의 위치와 절제 범위, 유방하주름(실선 화살표)과 피부절개선(점선 화살표)이 표시되어 있다. **(C)** 피부유선 회전피판술 및 액와부 전진피판술(dermoglandular rotation flap with subaxillary advancement flap) 적용을 위한 피판 디자인. 종양의 절제 범위, 피부절개선(점선 화살표)이 표시되어 있다. **(D)** 반전 피부유선 회전피판술 및 액와부 전진피판술 및 액와부 전진피판술(reverse dermoglandular rotation flap with subaxillary advancement flap) 적용을 위한 피판 디자인. 종양의 위치와 절제 범위, 유방하주름(실선 화살표) 과 피부절개선(점선 화살표)이 표시되어 있다.

유방하주름을 표시하고 낚시바늘 또는 반전된 낚시바늘 모양의 피부 절개선(skin incision line)을 겨드랑이 부위에서 종양을 포함한 절제범위까지 디자인한다(그림 3-5A, B). 피판의 회전을 크게 할 필요가 있는 경우에는 액와부 전진피판(subaxillary advancement flap)을 만들기 위해 액와부 하방에 추가의 피부절개선을 디자인한다(그림 3-5C, D).

4) 수술 방법

전신마취 하에 환자는 앙와위 자세(supine position)로 양팔을 90°각도로 외전(abduction)한 상태로 수술이 진행된다.

(1) 낚시바늘형 회전피판술(fish-hook incision rotation flap technique)

수술 전 디자인대로 피부를 절개하고, 감시림프절 생검술 또는 액와부림프절 절제술 및 유방 부분절제술을 시행한다.

상부 내측 사분면 또는 하부 사분면의 종양의 경우 수술 전 표시한 낚시바늘(fish-hook) 형태로 피부 절개를 하는데, 이는 상부기반 피부조직 회전피판(superior-based dermoglandular rotation flap)의 원리를 이용하는 것이다.

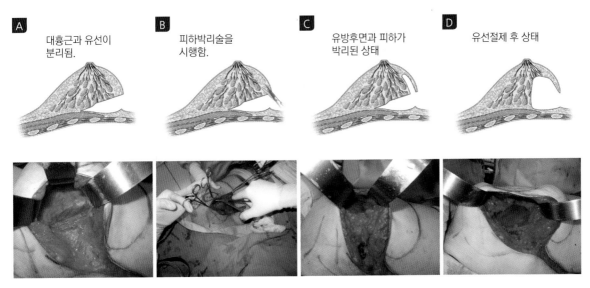

● 그림 3-6. **회전피판술을 위한 유방의 부분절제술 과정. (A)** 절개선을 통해 전기소작기를 이용하여 유선을 대흉근으로부터 박리한다. **(B)** 절제될 만큼의 유선을 피부로부터 가위를 이용하여 박리한다. **(C)** 유선의 전방과 하방이 모두 분리되면, 가쪽을 원형으로 절제한다. **(D)** 유선이 절제된 모습.

유선은 음성절제연(negative surgical margin)을 확보하기 위하여 종양에서 최소 1-2 cm의 여유를 두고 피하의 표재부 근막(superficial fascia)과 대흉근(pectoralis major muscle)과 유선 사이의 심부 근막(deep fascia)을 박리한다(그림 3-6A,B). 피판의 회전을 용이하게 하고 더 나은 유방 모양을 얻기 위해 절제될 부위보다 더 넓게 근막을 박리하면 원하는대로 유선을 이동시킬 수 있지만, 혈액 공급에 장애가 생겨 피판 괴사가 발생할 수 있으므로 주의해야 한다.

유방의 회전피판술을 시행하면 유방하주름이 상향변위(upward displacement)되는 경향이 발생하므로 이상적인 방법은 새로운 유방하주름(neo-inframammary fold, neo-IMF)를 만들어주는 것이다. 기존 유방하주름의 약 2-3 cm 아래에 새로운 유방하주름을 디자인하고 표피박리술(de-epithelialization)을 시행한다(그림 3-7B). 새로 형성되는 유방하주름은 약간 낮게 디자인되어야 유두의 상향변이를 예방할 수 있다. 표피가 박리된 상복부 피판은 상방으로 전진시켜 원래의 유방하주름 위치에서 분리된 복부 피판과 흉벽 사이에 3-4 개의 봉합을 하면 되는데, 이 과정을 통하여 새로운 유방하주름(neo-IMF)이 형성된다(그림 3-7C, F). 이후 유방의 피판을 회전시켜 절제 후 결손 부위를 채워 모양을 잡고 피부 스테이플러로 가봉합하고 범위를 표시한다. 스테이플침을 제거한 후 여분의 피부를 표피박리하여 유방 피부 아래로 접어 넣는다.

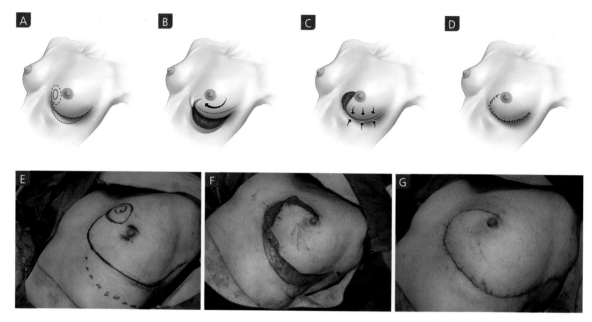

● 그림 3-7. **낚시바늘형 회전피판술(fish-hook incision rotation flap)의 수술 과정.** **(A, E)** 액와부에서 유방의 결손부위까지 이어지는 낚시바늘 모양의 피부 절개를 넣고, 피판을 대흉근으로부터 분리하여 피판의 가동성을 확보한다. 새로운 유방하주름 (neo-IMF)을 기존의 유방하주름으로부터 2~3 cm 아래에 디자인한다. **(B)** 피판을 회전시켜 결손부위을 채우고, 상복부는 표피박리술을 시행하여 전진피판을 준비한다. **(C, F)** 표피박리된 상복부 피판을 상방으로 전진시켜 기존의 유방하주름과 봉합해 주고, 유방 내부에 견이(dog ear)가 발생하는 부위도 처리한다. **(D, G)** 새로운 유방하주름이 만들어 지고 유방의 형태가 완성된다.

회전피판술을 가봉합하고 남는 유방의 견이발생 부위는 기본적인 견이처리 방법을 적용하면 되지만, 유두-유륜 복합체의 변위(dislocation)가 발생하는 경우는 처리 방법이 조금 더 복잡하다. 유두-유륜 복합체를 마치 없는 듯이 피하로 밀어넣고 가봉합을 시행한 후 유두-유륜 복합체가 와야하는 위치에 원형 그림을 그려준다. 하부 피판을 완전히 고정한 후 마지막으로 유방의 중심부를 처리하는 것이 안정적인데, 표피박리술을 통해서 위치를 재조정할 수 있다 (그림 3-8).

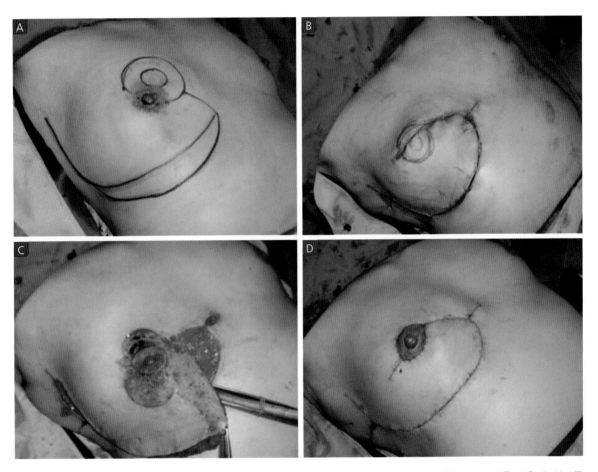

● 그림 3-8. **유두-유륜 복합체의 위치를 재조정하는 방법.** **(A)** 회전피판술이 디자인된 모습. **(B)** 결손부위를 채울 수 있도록 피판을 회전시키고 유두-유륜 복합체를 내부로 넣어버리고 스테이플러로 가봉합한 모습. 수술용 마킹펜으로 유두-유륜 복합체가 와야할 부위에 원형으로 그림을 그려준다. **(C)** 가봉합을 풀고, 표피박리술을 통하여 정리한다. **(D)** 완성된 모습.

상부 외측 또는 상부 중앙의 종양의 경우, 반전 낚시바늘형 회전피판술(reverse fish-hook) 형태로 피부 절개를 한다. 이는 하부기반 피부유선 회전피판(inferior-based dermoglandular rotation flap)의 원리를 이용하는 것인데, 수술 과정은 낚시바늘형 회전피판술(fish-hook incision rotation flap)과 동일하다.

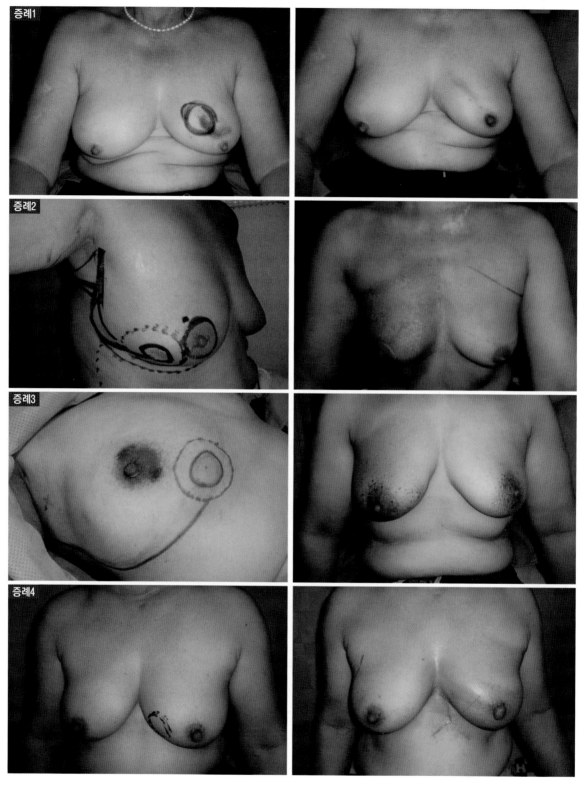

● 그림 3-9. 낚시바늘형 회전피판술(fish-hook incision rotation flap)의 수술 전, 후 사진 (좌) 수술 전 사진. 종양의 위치와 피부절개선이 보인다. (우) 수술 후 항암 및 방사선치료 완료 시점의 사진. 양측 유방과 유두-유륜 복합체의 대칭성이 비교적 잘 유지되고 있으며, 대부분의 수술 흉터는 유방하주름과 액와부, 팔에 의해 가려진다.

(2) 피부유선 회전피판술 및 액와부 전진피판술(dermoglandular rotation flap with subaxillary advancement flap technique)

이 수술법은 상기의 수술법으로 볼륨이 부족하거나 과도한 피판의 회전으로 유방 형태의 변형이 교정되지 않는 경우에 액와부 전진피판술을 추가로 적용하는 방법이다. 즉, 유방의 부분절제술 후 결손부가 예상보다 크고, 피판의 회전이 불충분하여 결손부의 충전이 제대로 되지 않는 경우에는 무리한 피판의 회전으로 인해 피판의 측면에 심한 장력이 걸리게 된다. 이는 결과적으로 유방형태의 변형을 초래하고, 양측 유방의 비대칭을 심화시킨다. 이러한 문제를 수술 중 즉각적으로 교정하기 위해 동측 액와부의 피부피판을 이용할 수 있다.

유방의 부분절제술 및 피판의 형성과 회전은 앞서 기술한 낚시바늘형 또는 반전 낚시바늘형 회전피판술(fish-hook or reverse fish-hook incision rotation flap)과 동일하다.

이후 유방절제 및 피판 회전을 위해 이미 만들어진 피부절개선에 추가하여 동측 액와부에 피부 절개를 넣고 아래 근육층으로부터 피부 및 피하지방층을 분리하여 피부피판을 만든다. 액와부의 피부피판은 인체의 다른 부위에 비해 가동성(redundancy)이 커서 유방의 측면을 충분히 커버할 수 있다.

구득된 액와부 피부피판을 앞서 형성해 놓은 회전피판(rotation flap)에 접근시켜 유방의 측면부를 커버한다. 이로써 유방의 외측 사분면의 부족한 볼륨을 추가하는 동시에 피부의 긴장을 완화시켜 유두-유륜 복합체의 변형을 최소화할 수 있다(그림 3-10). 결과적으로 수술 후 큰 변형없이 더 넓은 피부유선 피판을 이용함으로써 결손부의 효율적인 충전이 가능하게 된다. 대부분의 경우 배액관(drainage tube)은 필요하지 않다.

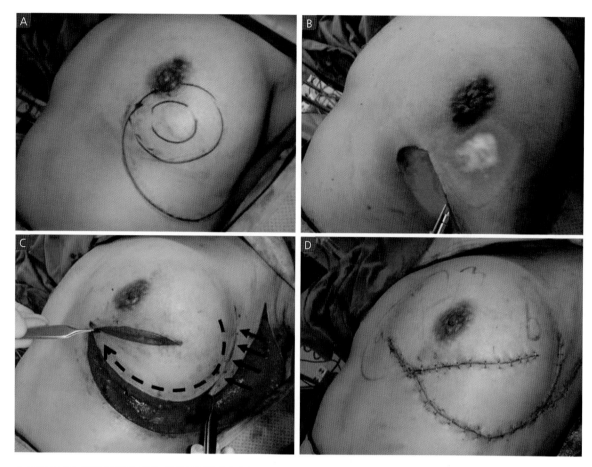

● **그림 3-10. 하부 종양에 대한 피부유선 회전피판술 및 액와부 전진피판술**(dermoglandular rotation flap with subaxillary advancement flap technique)**의 수술 과정. (A)** 하부 외측 종양과 절제경계로 이어지는 낚시 바늘(fish-hook) 모양의 피부 절개선과 이와 연결되는 동측 액와부 전진피판(subaxillary advancement flap)을 위한 피부절개선이 디자인되어 있다. **(B)** 안전절제연을 확보하여 종양을 포함한 유방절제술을 시행한 후 결손 부위를 보여준다. **(C)** 피부유선 피판(dermoglandular flap)을 결손부 방향으로 회전시킨다(점선 화살표). 이후 만들어진 액와부 피부피판(subaxillary advancement flap)을 전진시켜 회전피판의 측면에 근접시킨다(실선 화살표). **(D)** 액와부의 견이(dog ear)를 교정한 후 절개선을 봉합하고 수술을 완료한다.

5) 수술 후 합병증

수술 후 발생할 수 있는 합병증으로는 유두 괴사, 지방 괴사, 상처 감염 등이 있다. 본 수술법은 혈종, 장액종, 부분 피부 괴사와 같은 수술 후 합병증은 약 5-10%에서 발생하였다. 그러나, 대부분의 합병증은 경미했으며 보존적 치료(conservative treatment)로 호전될 수 있었다. 또한 합병증이 발생하여 보조치료(adjuvant treatment)의 지연이 발생하는 경우도 없었다.

낚시바늘형 또는 반전 낚시바늘형 회전피판술(fish- or reverse fish-hook incision rotation flap)과 피부유선 회전피판술 및 액와부 전진피판술(dermoglandular rotation flap with subaxillary advancement flap)은 유방 어느 부위에 발생한 결손부도 채워줄 수 있는 장점이 있다. 특히, 내측 또는 상부에 위치한 비교적 큰 결손에도 적용할 수 있는 효과적인 종양성형술법 중의 하나이다. 이는 추가적인 원위부 피판이나 건강한 반대측 유방의 수술이 필요하지 않고 우수한 미용적인 결과를 얻을 수 있을 뿐만 아니라, 종양성형의가 손쉽게 적용할 수 있는 수술방법이다.

6) 수술 증례

증례1　낚시바늘형 회전피판술(fish-hook incision rotation flap technique)

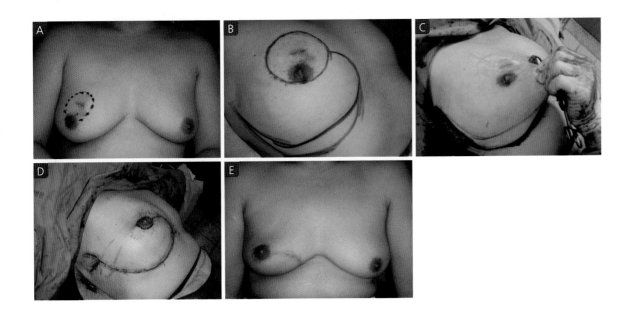

57세 여성. 우측 유방 절제생검(excisional biopsy)에서 침윤성 유방암(invasive ductal carcinoma)으로 진단되어 유방의 부분절제술 및 낚시바늘형 회전피판술(fish-hook incision rotation flap technique)을 시행받았다. (A) 수술 전 사진. 이전 절제생검으로 인한 흉터와 절제 범위가 표시되어 있다. (B) 피판의 도안. 유방밑 주름과 피부절개선이 표시되어 있다. (C) 유방의 부분절제술 후 결손 부위가 관찰된다. (D) 낚시바늘형 회전피판술(fish-hook incision rotation flap technique)을 적용하여 유방 형태를 복원한 직후의 사진. 봉합 부위를 따라 새로 만들어진 유방하주름이 관찰된다. (E) 수술 후 7개월째 사진. 비교적 양측 유방의 대칭성이 유지되며, 대부분의 흉터가 유방하주름과 팔에 의해 가려져 잘 보이지 않는다.

증례2 반전 낚시바늘형 회전피판술(reverse fish-hook incision rotation flap technique)

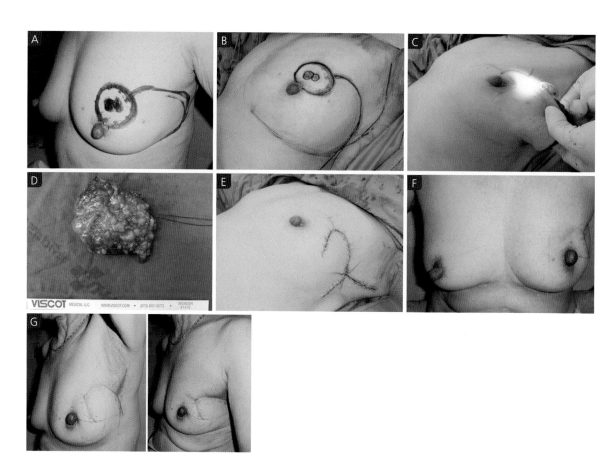

　　69세 여성. 좌측 상부의 침윤성 유방암(invasive ductal carcinoma)으로 유방의 부분절제술 및 반전 낚시바늘형 회
전피판술(reverse fish-hook incision rotation flap technique)을 시행받았다. (A, B) 수술 전 사진. 종양의 위치와 절제 범
위, 유방하주름 및 피부절개선이 표시되어 있다. (액와부 전진피판술도 디자인하였으나, 실제 적용되지는 않았다.)
(C) 유방의 부분절제술 후 결손 부위가 관찰된다. (D) 절제된 유방조직의 육안 사진. (E) 반전 낚시바늘형 회전피판
술(reverse fish-hook incision rotation flap technique)을 적용하여 유방 형태를 복원한 직후의 사진. (F) 수술 및 방사선
치료 후 1개월째 정면 사진. 비교적 양측 유방의 대칭성이 잘 유지되고 있다 (G) 수술 및 방사선 치료 후 1개월째 측
면 사진. 팔을 내린 자세에서 흉터가 많이 가려진다.

증례3 피부유선 회전피판술 및 액와부 전진피판술(dermoglandular rotation flap with subaxillary advancement flap technique)

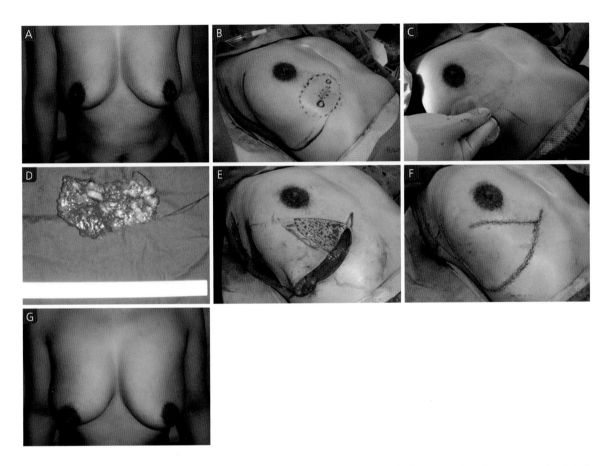

30세 여성. 우측 하내측에 절제생검(excisional biopsy)를 통해 침윤성 유방암(invasive ductal carcinoma)을 진단받았으며, 추가적인 유방의 부분절제술 및 피부유선 회전피판술 및 액와부 전진피판술을 시행받음. (A, B) 수술 전 사진. 종양의 위치와 절제 범위 및 피부절개선이 표시되어 있다. (C) 유방의 부분절제술 후 결손 부위가 관찰된다. (D) 절제된 유방조직의 육안 사진. (E) 피판을 회전시켰을 때 견이 발생부위에 표피박리술을 시행한 모습. (F) 피부유선 회전피판술 및 액와부 전진피판술(dermoglandular rotation flap with subaxillary advancement flap technique)을 적용하여 유방 형태를 복원한 직후의 사진. 봉합 부위를 따라 새로 만들어진 유방하주름이 관찰된다. (G) 수술 후 6개월째 정면 사진. 비교적 양측 유방의 대칭성이 잘 유지되며 흉터가 가려져 보이지 않는다.

낚시바늘형 회전피판술 및 액와부 전진피판술, 유두-유륜 복합체 재건술(fish-hook incision rotation flap technique with subaxillary advancement flap technique, nipple-areolar complex reconstruction)

58세 여성. 우측 유두-유륜 복합체의 파젯씨병(paget's disease)으로 유두-유륜 복합체를 포함한 중심부 사분절제술(central quadrantectomy) 및 피부유선 회전피판술 및 액와부 전진피판술(dermoglandular rotation flap with subaxillary advancement flap technique)과 유두-유륜 복합체 재건술(nipple-areolar complex reconstruction)을 시행받았다. (A, B, C) 수술 전 사진. 종양의 위치와 절제 범위, 유방밑 주름 및 피부절개선이 표시되어 있다. (D) 유방의 부분절제술 후 결손 부위와 피부유선 피판이 관찰된다. (E) 피부유선 회전피판술 및 액와부 전진피판술(dermoglandular rotation flap with subaxillary advancement flap technique)을 적용하여 유방을 재건하고, 유두-유륜 복합체 재건을 위해 디자인한 모습. (F) 유방과 유두-유륜 복합체를 재건한 직후의 사진. 봉합 부위를 따라 새로 만들어진 유방하주름이 관찰된다. (G) 수술 후 1개월째 정면 사진. 비교적 양측 유방의 대칭성이 잘 유지되며 대부분의 흉터가 가려져 보이지 않는다.

증례5 반전 낚시바늘형 회전피판술 및 액와부 전진피판술(reverse Fish-hook incision rotation flap technique with subaxillary advancement flap technique)

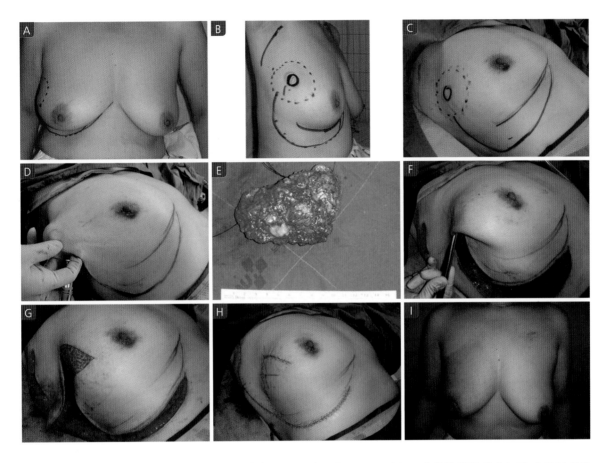

　51세 여성. 우측 유방 상외측의 침윤성 유방암(invasive ductal carcinoma)으로 유방의 부분절제술 및 반전 낚시바늘형 회전피판술 및 액와부 전진피판술(reverse fish-hook incision rotation flap with subaxillary advancement flap technique)을 시행받았다. (A, B) 수술 전 사진. 종양의 위치와 절제 범위 및 피부절개선이 표시되어 있다. (C) 피판의 도안. 유방밑 주름과 피부절개선이 표시되어 있다. (D) 부분절제술 후 결손 부위가 관찰된다. (E) 절제된 유방조직의 육안 사진. (F) 피부유선피판을 만들고 절제 후 결손 부위로 회전시키는 모습. (G) 액와부 아래의 피부피판(dermal falp)이 보이며, 표피박리술이 시행되어 있다. (H) 반전 낚시바늘형 회전피판술 및 액와부 전진피판술(reverse fish-hook incision rotation flap with subaxillary advancement flap technique)을 적용하여 유방재건을 완성한 직후의 모습. 봉합 부위를 따라 새로 만들어진 유방하주름이 관찰된다. (I) 수술 후 2개월째 정면 사진. 비교적 양측 유방의 대칭성이 잘 유지되며 대부분의 흉터가 가려져 보이지 않는다.

✎ 참고 문헌

1. Anderson BO, et al. Oncoplastic approaches to partial mastectomy: an overview of volume displacement techniques. Lancet Oncol 2005;6:145 - 57.

2. Clough KB, et al. Improving breast cancer surgery: a classification and quadrant per quadrant atlas for oncoplastic surgery. Ann Surg Oncol 2010;17:1375 - 91.

3. Clough KB, et al. Oncoplastic surgery for breast cancer based on tumour location and a quadrant - per - quadrant atlas. Br J Surg 2012;99:1389 - 95.

4. Cochrane RA, et al. Cosmesis and satisfaction after breast-conserving surgery correlates with the percentage of breast volume excised. Br. J. Surg 2003;90:1505 - 9.

5. Iwuagwu OC. Additional considerations in the application of oncoplastic approaches. Lancet Oncol 2005;6:356.

6. Lee S, et al. Dermoglandular rotation flap with subaxillary advancement flap as an oncoplastic technique for breast cancer. Breast J 2020;26:420-6.

7. Lee S, et al. Oncoplastic surgery for inner quad - rant breast cancer: fish - hook incision rotation f lap. ANZ J Surg 2017;87:E129 - 33.

8. Levitt WM. Radiotherapy in the prevention and treatment of hypertrophic scars. Br J Plast Surg 1951;4:104 - 12.

9. McCulley SJ, et al.. Planning and use of therapeutic mammoplasty - Nottingham approach. Br J Plast Surg 2005;58:889-901.

10. Ogawa R. The most current algorithms for the treatment and prevention of hypertrophic scars and keloids. Plast Reconstr Surg 2010;125:557 - 68.

11. Rainsbury RM. Surgery insight: oncoplastic breast-conserving reconstruction - indications, benefits, choices and outcomes. Nat. Clin. Pract. Oncol 2007;4:657 - 64.

12. Son DG, et al. Radiation therapy following total keloidectomy: a preliminary report. J Korean Soc Plast Reconstr Surg 2005;32:717 - 22.

CHAPTER

4

광배근 피판술

이탈리아의 외과의사인 Iginio Tansini 교수가 1896년 처음으로 유방절제술(mastectomy) 후의 결손부위를 덮기 위하여 광배근을 이용한 피판술(latissimus dorsi myocutaneous flap, LDMCF)을 보고하였다. 이후 1970년대 중, 후반부터는 유방재건을 위해 점차 이용되기 시작하였으며, 현재까지도 부분 또는 유방전절제술 후 유용하게 적용되고 있다. 특히, 유방의 부분절제술을 받는 환자가 보형물(implant)을 이용한 유방재건을 원하지 않거나 너무 마른 체형, 복부 수술의 기왕력, 기저질환 등으로 횡복직근 피판술(transverse rectus myocutaneous flap, TRAM flap)이 불가능한 경우에는 광배근 피판술이 좋은 대안이 될 수 있다. 또한, 유두보존 또는 피부보존 유방절제술(nipple sparing or skin sparing mastectomy) 후 보형물과 광배근 피판술을 함께 사용하여 유방재건을 하면 보형물만을 이용한 경우에 비해 보다 자연스러운 형태와 촉감 등의 장점을 가질 수도 있다.

유방재건술에 광배근 피판을 이용하는 경우 구득되는 광배근 피판의 부피에 따라 광배근의 일부만을 사용하는 최소 광배근 피판술(mini-LD flap)에서부터 확장 광배근 피판술(extended LD flap)으로 구분할 수 있다. 또한 광배근 피판의 혈관경(vascular pedicle)의 유무에 따라 유경피판(pedicled flap)과 무경피판(유리 또는 자유피판, free flap)으로 나누어지며, 후자의 경우 미세혈관 문합술을 위한 기술, 인력 및 장비가 추가적으로 필요하여 외과의사가 단독으로 수행하기에는 어려움이 따른다.

이 장에서는 부분 또는 전체 유방절제술(partial or total mastectomy) 후 유방새선을 위해 자가 조직을 이용한 부피 치환술(volume replacement technique) 중 가장 일반적으로 사용되는 방법 중에 하나인 유경 광배근 피판술(pedicled latissimus dorsi myocutaneous flap)을 이용한 즉시 유방재건술(immediate breast reconstruction)을 기술하고자 한다.

75

1. 광배근 피판술의 장단점

광배근 피판술은 자가조직을 이용하는 피판이므로 그에 해당하는 장점을 가지는데, 보형물에 비해 보다 자연스러운 윤곽과 모양, 감촉을 확보할수 있어 환자의 만족도가 높다. 또한 자연스러운 유방하수의 재현이 가능하여 반대측 유방과의 대칭성을 유지하는 데에 유용하다. 보형물을 이용하여 재건된 유방과 달리, 자가 조직을 이용한 유방은 보형물로 인한 피막구축(capsular contracture), 악성림프종(breast implant-associated anaplastic large cell lymphoma, BIA-ALCL) 등의 위험이 없으며, 수술 후 시간이 경과함에 따라 나타나는 유방하수, 체중 변화 등에 함께 변화하여 장기적인 미용적 관점에서 안정적이고 우수한 만족도를 유지할 수 있다.

특히, 일반적인 광배근 피판술은 유방의 부분절제술 후 재건을 시행하는 데 가장 효과적이며, 많은 부피가 필요한 유방전절제술 후의 유방재건에는 다른 피판이나 보형물을 같이 병합함으로써 적용해볼 수 있다. 또한 피부보존 유방전절제술, 피부감소 유방절제술 또는 지연 유방재건술 시, 부족한 피부는 광배근의 피부를 이용하여 피부섬(skin island)의 형태로 이용할 수 있으며, 유두-유륜 복합체의 재건도 광배근의 피부로 가능하다. 지연 유방재건술에서 방사선치료를 받은 유방의 경우 상처회복에 문제가 발생할 수 있는데, 건강한 광배근의 피부를 이용함으로써 합병증을 줄일 수도 있다.

광배근 피판술에서는 혈관경을 잘 보존하기만 한다면 피판의 괴사(flap necrosis), 감염(infection) 등의 주요 합병증이 아주 드물며, 근육의 손실로 인한 운동장애도 거의 발생하지 않는 것으로 알려져 있다. 특히 수영, 골프, 테니스, 피트니스 등의 운동도 큰 무리없이 가능하기 때문에 일상생활에서도 큰 어려움이 발생하지 않는다.

단점으로는 유방절제술 후 결손 부위가 광배근 피판의 부피보다 너무 크거나 광배근 자체의 부피가 적은 경우를 미리 예측하기 어렵다는 것이다. 그러나, 유방외과의가 단독으로 수술을 진행하는 경우에는 결손부위와 구득할 피판의 부피를 잘 가늠할 수 있기 때문에 이 역시 큰 문제는 되지 않는다. 광배근 피판술만으로 부족한 경우는 보형물을 삽입하여 추가적인 부피를 확보할 수 있다. 유방하수를 동반한 큰 유방을 가진 여성의 경우에는 반대측 유방축소술(reduction mammoplasty)을 함께 적용하여 양측 유방의 대칭적인 형태 유지도 가능하다.

또 하나의 단점은 피판의 공여부(donor site)인 등쪽에 수술 후 큰 흉터가 남는다는 것이다. 큰 부피가 필요한 경우는 피부와 피하지방이 같이 구득되어야 하기 때문에 이러한 큰 반흔은 어쩔 수 없는 부분이지만, 최소 광배근 피판술이 가능한 경우라면 내시경 또는 로봇을 이용하여 광배근을 등쪽의 피부절개 없이 구득이 가능하다.

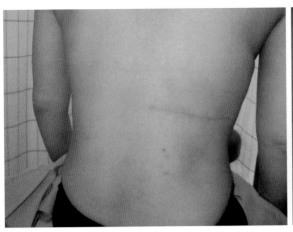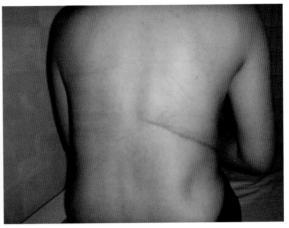

● 그림 4-1. **광배근 피판 구득 후 등쪽에 남은 반흔.** 유방암 동측의 등쪽에 적어도 7-10 cm 이상의 큰 절개선이 남는 단점이 있다. 수술전 브래지어 라인 안으로 생기도록 조절할 수는 있다.

보형물을 이용한 유방재건술과 비교해보면, 피판을 구득하는 수술, 유방암을 절제하는 수술, 유방을 재건하는 수술 등 총 3가지 다른 수술이 복합적으로 이루어지기 때문에 수술시간의 연장은 불가피하다. 따라서 수술시간이 너무 길어지면 문제가 발생할 수 있는 환자에게는 적용하지 않는 것이 좋다. 또한 수술 후 일시적으로는 동측 어깨 및 상지의 운동장애가 발생할 수 있으나, 대부분의 경우 수술 후 2-3개월이 지나면 그 정도가 경미해지거나 수술 이전의 상태로 회복이 가능하다.

2. 해부학

광배근(latissimus dorsi muscle)은 부채꼴 형태의 넓고 편평한 등근육으로 주로 어깨의 신전(extension)과 내전(adduction) 및 내회전(internal rotation)을 담당한다. 하부 6개의 흉추(thoracic spine), 하부 4개의 늑골(rib), 요추(lumbar spine), 천골(sacrum) 및 장골능선(iliac crest)의 뒤쪽 1/3지점에서 기원(origin)하여 견갑골(scapula)의 하부극(lower pole)을 지나 대원근(teres major muscle)의 아래 경계를 감싸며, 동측 액와방향으로 주행하여 상완골의 결간구(bicipital groove of the humerus)에 부착한다. 광배근의 경계는 위쪽으로 견갑골의 하부극과 대원근의 하부 경계에 접하며, 내측으로는 승모근(trapezius muscle)으로 덮여있고, 외측으로는 액와부 중앙선(mid-axillary line)을 이루면서 전방거근(serratus anterior muscle)과 외복사근(external oblique muscle)을 겹쳐서 덮고 있다(그림 4-2).

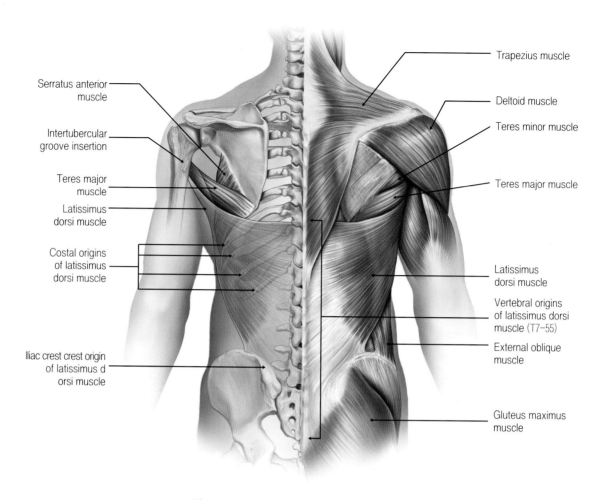

Trapezius muscle

Serratus anterior
muscle

Deltoid muscle

Teres minor muscle

Intertubercular
groove insertion

Teres major
muscle

Teres major muscle

Latissimus
dorsi muscle

Costal origins
of latissimus
dorsi muscle

Latissimus
dorsi muscle

Vertebral origins
of latissimus dorsi
muscle (T7–55)

External oblique
muscle

Iliac crest crest origin
of latissimus d
orsi muscle

Gluteus maximus
muscle

● 그림 4-2. **광배근(latissimus dorsi muscle)의 해부학적 구조**

　　광배근 피판의 구득시 상기의 해부학적 구조를 잘 구분하여 승모근(trapezius muscle)과 전방거근(serratus anterior muscle)을 함께 절제하지 않도록 조심해야 한다.

　　광배근의 혈액공급은 액와부 동맥(axillary artery)의 분지인 견갑회선동맥(circumflex scapular artery)에서 내려오는 흉배동맥(thoracodorsal artery)이 주로 담당한다. 흉배동맥은 광배근으로 들어가기 전에 전방거근에 1-2개의 분지를 내는데, 광배근 내부에서는 동맥이 다양하게 분지하여 강한 혈관 네트워크를 형성하고 그 표층부의 피부에 풍부한 천공지(perforator)를 내어 충분한 혈액을 공급한다. 신경은 상완신경총(brachial plexus)에서 기시하는 운동신경인 흉배신경(thoracodorsal nerve)의 지배를 받는데, 정맥과 신경은 동명의 혈관과 함께 주행한다.

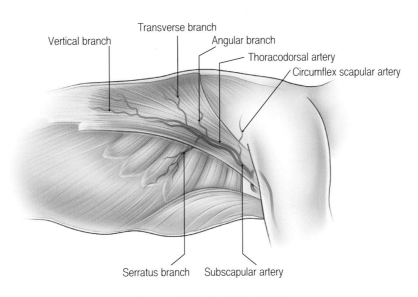

Axillary vein

Pectoralis minor

Pectoralis major

Intercostobrachial nerves

Medial pectoral nerve

Thoracodorsal bundle including vein, artery and nerve

Latissimus dorsi

Lateral thoracic vein and artery

Long thoracic nerve

Serratus anterior muscles

Vertical branch

Transverse branch

Angular branch

Thoracodorsal artery

Circumflex scapular artery

Serratus branch

Subscapular artery

● 그림 4-3. **광배근의 혈관과 신경분포**

3. 적응증

유방의 부분절제술(partial mastectomy) 후 비교적 결손 부위가 커서 인접 유선조직을 이용한 부피이동술(volume displacement technique)만으로는 유방재건이 불가능한 경우, 원래 유방의 크기가 작고 광배근이 큰 여성에 있어 유방전절제술(total mastectomy)후 자가조직으로 유방재건을 원하는 경우, 복부의 피부 및 지방조직이 충분하지 않아 횡복직근 피판술(transverse rectus myocutaneous flap, TRAM flap) 또는 심하복벽 천공지동맥 피판술(deep inferior epigastric perforator flap, DIEP flap)이 불가능한 경우 광배근 피판술이 유용한 유방재건 방법이 될 수 있다.

유방재건의 시기는 유방절제와 동시에 하는 즉시재건술(immediate reconstruction)과 유방절제술 이후 일정시간이 경과한 후 시행하는 지연재건술(delayed reconstruction)이 있는데, 유방절제 후 육아조직의 형성과 반흔 구축(scar contracture)이 형성되어버리면 유방재건 후 자연스러운 미용학적 결과를 확보하기 어려우므로 유방절제와 재건술 사이의 간격은 짧을수록 유리하다. 따라서 저자는 광배근 피판을 이용한 유방재건을 하는 경우 즉시 유방재건술을 선호한다.

일반적으로 전체 유방의 20% 이상을 절제하여 Level II 종양성형술(oncoplastic breast surgery)가 필요한 경우에는 적절한 유방재건술을 계획하는 것이 필요하다. 수술방법을 결정함에 있어서는 종양의 크기와 위치 즉, 결손부의 위치와 크기가 가장 중요한데, 광배근 피판술은 결손부위가 광배근과 가까운 외측에 발생한 경우 더욱 유리하다. 광배근에서 비교적 먼 유방내측의 결손부위는 유경이 충분하지 않아 유방의 재건이 원활하지 않을 수 있다. 하내측 사분면의 큰 결손이 생기는 경우에는 횡복직근 피판을 이용하는 것이 적합할 수 있다. 유경 광배근 피판의 경우, 풍부한 혈액 공급으로 인해 다른 자가 조직을 피판으로 이용하는 것보다 피판괴사로 인해 재건 실패율이 낮아 비만, 당뇨병, 흡연과 같은 위험 요인으로 인하여 미세혈관문합이 부적합한 경우에도 안전하게 수술을 시행할 수 있다.

유방재건의 궁극적인 목표는 양측 유방의 대칭적인 자연스러움이라고 할 수 있는데, 이런 관점에서 특히 원래의 유방 크기가 큰 경우에는 동측 유방의 부분절제술 및 광배근 피판술을 이용한 재건술과 동시에 반대측 유방축소술을 통해 대칭을 확보할 수도 있다.

4. 금기증

광배근 피판술의 절대적인 금기는 이전의 외상, 수술(개흉술 등) 또는 방사선치료로 인한 광배근에 혈액을 공급하는 혈관경의 손상이 있거나 광배근 자체의 손상 또는 위축이 있는 경우이다. 특히, 이전 감시림프절 생검술(sentinel lymph node biopsy) 또는 액와부림프절 절제술(axillary lymph node dissection)을 시행받았거나 방사선치료를 받은 경우에는 도플러 초음파 또는 혈관조영술(angiography) 등을 통해 혈관의 안정성을 확인하는 것이 필요할 수 있다.

임상적으로 T4 이상의 광범위 피부 침범이 동반된, 염증성 유방암(inflammatory breast cancer) 등 절제 후 피부의 음성절제연 확보가 어려운 경우는 광배근 피판술의 금기가 될 수 있으며, 환자의 직업(등산가, 수영 선수, 헬스트레이너 등)을 고려하여 광배근 피판술이 아닌 다른 종양성형술을 택할 수도 있다.

수술 전, 후의 항암화학요법(chemotherapy)이나 유방의 방사선치료(radiation therapy)는 수술의 금기가 되지 않는다.

5. 수술 전 피판 디자인(preoperative marking of the skin)

수술 전날 또는 당일에 환자가 뒤돌아서 앉은 자세 또는 선 자세로 광배근의 경계부 및 피부절개를 도안한다. 가급적 피부의 피판은 혈류를 고려하여 광배근의 경계를 넘어서 피부절개가 들어가지 않도록 주의해야 한다.

저자는 길이 10-15 cm, 폭 5-7 cm 정도의 수평한 방향의 타원형 절개선(elliptical incision)을 선호하는데, 절개선의 위치는 가능하면 브래지어에 의해 가려질 수 있는 높이를 선택하는 것이 좋다. 또한 피부 봉합 후 발생하는 피부의 장력을 고려하여 절개선은 너무 넓지 않게 디자인하는 것이 좋다.

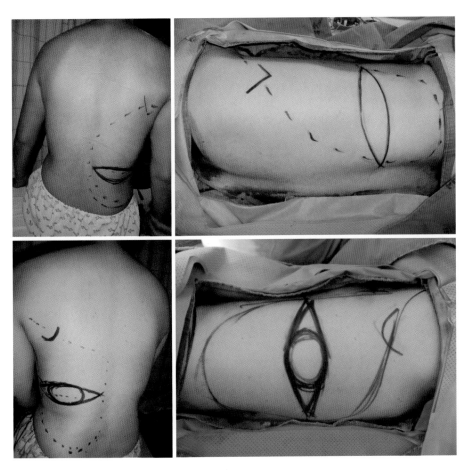

● 그림 4-4. **수술전 피판의 디자인.** 광배근 피판 구득을 위한 피부 절개선과 광배근의 경계를 표시한다.

6. 수술방법

수술은 유방절제술을 먼저 시행하고 광배근을 구득(harvesting)한 후 다시 유방재건을 하는 3단계 수술(3 step surgery)과 광배근을 먼저 구득하고 환자의 자세를 변경하여 유방절제술 및 유방재건술을 동시에 시행하는 2단계 수술(2 step surgery)이 모두 가능하다. 수술시간을 단축하기 위해서는 후자를 택하는 것이 좋은데 유방외과의 단독으로 종양성형술을 시행하는 경우는 결손부위의 예측이 가능하므로 더욱 유리하다.

2단계 수술방법에서는 전신마취 하에 먼저 환자를 측와위(lateral decubitus position)로 눕히고 광배근 피판을 구득하고, 앙와위 자세(supine position)로 변경하여 유방절제술 및 유방재건을 진행한다.

1) 유경 광배근 피판의 구득(harvesting of pedicled LD flap)

① **기존의 광배근 피판 구득술**(conventional harvesting method of pedicled LD flap)

광배근 피판의 구득은 피판 공여부(donor site)가 위쪽으로 향하는 측와위, 양측 팔은 수술대에 90도 각도로 팔 거치대(arm border)에 고정한다. 상완신경총(brachial plexus)의 과도한 견인을 방지하기 위해 팔을 무리하게 펴지 않도록 주의해야 하며, 외측 슬와신경(lateral popliteal nerve)에 압박이 가해지지 않도록 하지의 위치도 확인한다.

팔은 팔고정대(arm board)에서 떨어지지 않도록 압박대로 고정하고, 신체는 앞으로 쏠리거나 젖혀지지 않도록 침대의 양쪽에 측면지지대(padded side supports)를 걸어서 신체를 고정한다. 또는 환자의 아래에 수술용 빈백(bean bag)을 미리 깔아놓고, 환자의 자세를 잡은 후 고정함으로서 신체를 지지할 수도 있다.

집도의는 환자의 뒤에 서서 등쪽을 바라보고 조수는 환자의 가슴 앞쪽에 집도의를 마주보고 선다.

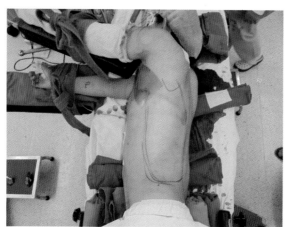

● **그림 4-5. 광배근 피판의 구득시 환자의 측와위 자세 및 술자들의 위치.** 양쪽 팔은 앞으로 뻗은 자세에서 팔고정대에 안정적으로 고정되도록 하고, 허리와 엉덩이 쪽에도 스펀지를 받혀 압력을 최소화한다. 팔을 무리하게 견인하는 경우 신경의 눌림이 발생할 수 있으므로 조심해야 한다.

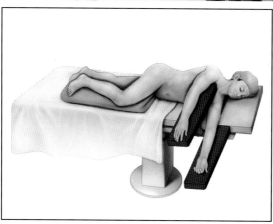

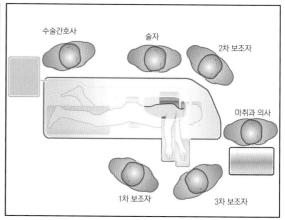

미리 도안된 피부절개선을 따라 피부 절개를 하고 피하의 표재부 근막면(superficial fascial plane)을 따라 전기소작기로 근육을 피부로부터 분리한다. 확장 광배근 피판술에서는 보다 많은 부피를 구득하기 위하여 피판에 지방을 포함하여 박리할 수도 있지만, 지방층의 중간을 분리하는 경우는 출혈이 다소 많을 수 있다. 전기소작기 외 에너지 기구(energy device)를 이용하는 것도 가능하다(그림 4-7①).

표재부 근막과 광배근이 분리되었으면, 광배근의 전방경계(anterior border)를 따라 전방거근(serratus anterior muscle)으로부터 광배근을 박리한다(그림 4-7②). 손가락을 적절히 이용하면(finger dissection) 성근 결합조직(loose connective tissue)이 쉽게 분리되며, 흉벽으로부터 올라오는 천공지 혈관들 중 굵은 것들은 가급적 결찰하여 지연성 출혈을 방지한다(그림 4-6).

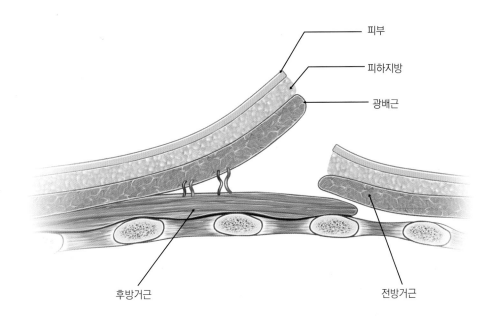

피부
피하지방
광배근
후방거근
전방거근

● 그림 4-6. **광배근의 측단면도.** 광배근은 전방경계는 전방거근(serratus anterior muscle)과 맞닿아 있고, 대부분은 후방거근(serratus posterior muscle) 위에 놓여 있다.

전체 광배근이 피부로부터 분리되고 나면 장골능선(iliac crest) 쪽 광배근을 전기소작기나 애너지 기구(energy device)를 이용하여 횡절단(transection)한다(그림 4-7③). 이 때 구득해야 할 피판의 부피를 고려하여 장골능선 근처에서 자를수도 있고, 훨씬 못미친 경계부에서 절단할 수도 있다. 광배근이 피부 및 흉벽(chest wall)으로부터 분리되고 나서 근육을 바깥쪽으로 당기면 근육의 내측(medial side)에 척추에 부착(insertion)하는 흰색의 힘줄(tendon)을 확인할 수 있다. 전기소작기를 이용하여 척추와 근육의 내측연(medial border)에 존재하는 근육의 힘줄(tendon)을 절단한다(그림 4-7④). 머리쪽으로 힘줄을 분리하면서 올라가다보면 척추에서 시작하여 머리쪽 방향으로 비스듬히 주행하는 승모근(trapezius muscle)을 발견하게 되는데, 이와 광배근을 분리하면서 견갑골의 하부극(lower pole)을 향해 박리를 진행한다(그림 4-7⑤).

83

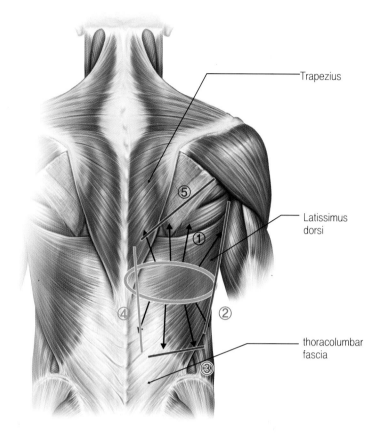

Trapezius

Latissimus dorsi

thoracolumbar fascia

● 그림 4-7. **광배근을 분리하는 순서.** 피부피판을 먼저 박리①하고, 전방거근과의 경계
부를 찾아 광배근을 확인한다②. 이후 장골능선에서 광배근을 적절히 절단③하고, 척추부
위의 인대를 찾아 따라 올라가면서 절단④한다. 이후 승모근(trapezius muscle)과 견갑골
(scapula)의 하면을 찾아서 절단⑤하면 된다.

마지막으로 액와부를 지나 상완골(humerus)로 향하는 혈관경을 분리시키는데 흉배 동정맥신경다발(thora-
codorsal bundle)에 손상이 가지 않도록 주의한다. 등쪽에서 충분히 액와부까지 접근을 해야 환자를 앙와위(supine
position)으로 체위변경했을 때 쉽게 광배근을 찾을 수 있다. 피판이 짧거나 혈관경(pedicle)이 너무 굵어 액와부가 혹
(hump)처럼 불룩해지는 경우는 주영양혈관(feeding vessel)만 남기고 근육을 절제해야 한다. 이 때 영양혈관들은 광
배근의 후면에서 쉽게 관찰되므로 잘 보존할 수 있다. 그러나, 상완골 부착부의 광배근 및 힘줄은 과도한 긴장없이
피판이 유방의 결손 부위로 적절하게 이동된다면 필수적으로 분리할 필요는 없다.

이와 같이 광배근 피판이 완전히 구득되면 액와부 아래에 평행한 4-5 cm 정도 길이의 피부 절개창을 만들고, 이를
통해 피판을 환자의 몸 바깥으로 꺼내고 난 후 무균드랩(aseptic drape)을 이용하여 액와부 아래쪽에 붙여 놓는다(그
림 4-8). 또는 견갑골쪽으로 광배근을 잠시 밀어두었다가 앙와위 자세(supine position)로 변환한 후 유방절개를 통해
꺼낼 수도 있다. 만약, 유방절제를 먼저 시행한 경우에는 구득된 피판을 유방의 결손부위에 위치시키고, 피부 절개는
피부 스테이플러를 이용하여 가봉합해둔 후 환자를 앙와위로 변환한다.

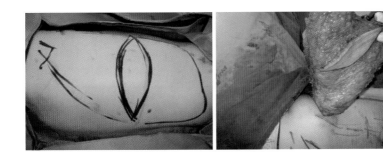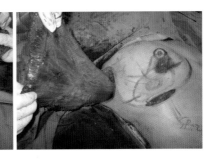

● **그림 4-8. 구득된 광배근을 액와부 아래 절개창을 통해 밖으로 꺼내두는 모습.** 환자를 앙와위 자세(supine position)으로 돌릴때까지는 감염되지 않도록 무균드랩(aseptic drape)을 붙여둔다.

광배근의 공여부를 세척하고 출혈 유무를 확인하고 지혈한다. 공여부의 사강(dead space)을 줄여 술후 장액종(seroma) 형성을 감소시키기 위하여 피하조직과 흉벽의 근육 사이에 누빔봉합술(quilting suture)을 시행할 수 있다(그림 4-9). 그러나, 피부가 너무 얇은 경우는 피부보조개(skin dimpling)이 발생할 수 있으므로 주의한다. 누빔봉합을 한 경우 배액관(drainage tube)이 반드시 필요하지는 않으나, 필요에 따라 삽입할 수도 있다. 등의 피부 절개창은 흡수사를 이용하여 피하 불연속봉합(interrupted sutures)으로 닫는다.

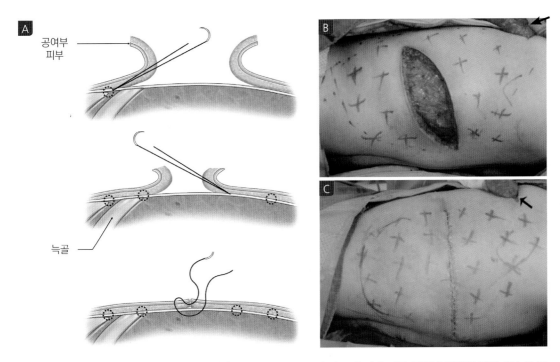

● **그림 4-9. 광배근피판 공여부의 누빔봉합술(quilting suture technique). (A)** 피판 공여부 전체에 걸쳐 흡수성 봉합사를 이용하여 피하조직과 아래의 근육층을 고정한다. **(B)** 누빔봉합술 위치(X 표시)와 구득된 광배근피판(검은색 화살표)가 보인다. **(C)** 흡수성 봉합사로 피판 공여부의 피부를 피하봉합한다.

② 내시경/로봇을 이용한 광배근 피판 구득술(endoscopy/robot-assisted harvesting method of pedicled LD flap)

환자의 자세는 내시경/로봇 및 오픈형 접근방식 모두에서 동일하지만, 내시경/로봇을 이용하는 경우는 오픈형 방식에 비해 환자를 앞쪽으로 조금 더 비스듬히 경사지도록 기울여 수술 기구(instrument)의 삽입과 조작이 용이하도록 해야 한다.

액와부 아래 5-7 cm 길이의 곡선형 절개선을 넣고, 이 절개창을 통해 주변부의 광배근을 피부로부터 박리한다. 더 이상 술자의 눈으로 볼 수 없는 지점에 다다르면 내시경 또는 로봇장비를 이용하여 동일하게 수술을 진행한다. 액와 주변부는 가급적 육안으로 수술을 진행하고, 이후 내시경이나 로봇의 도움을 받아 수술을 진행하여야 수술시간을 최소화할 수 있다.

내시경 또는 로봇을 이용한 광배근 피판 구득의 기본적인 방법은 개방형 술기와 크게 다르지 않지만, 광배근의 박리순서를 표재부 근막보다 심부 흉벽에서 먼저 분리하는 것이 유리하다. 이는 표층부를 먼저 분리하고 나면 중력에 의해 피판이 흉벽쪽으로 흘러내려 시야 확보 및 기구 조작이 어려워지기 때문이다. 수술 시야의 확보를 위해서는 보조자가 견인기(retractor)를 이용하여 수기견인(manual retraction)을 하거나 CO_2 가스를 이용하는 방법이 있는데, 이 때 CO_2 가스의 압력을 7-10 mmHg를 넘지 않도록 한다. 로봇수술에서도 동일한 수술방법을 따른다. 광배근 피판 구득이 완료되면 겨드랑이 피부 절개창을 통해 유방의 절제 후 결손 부위로 이동시킨다.

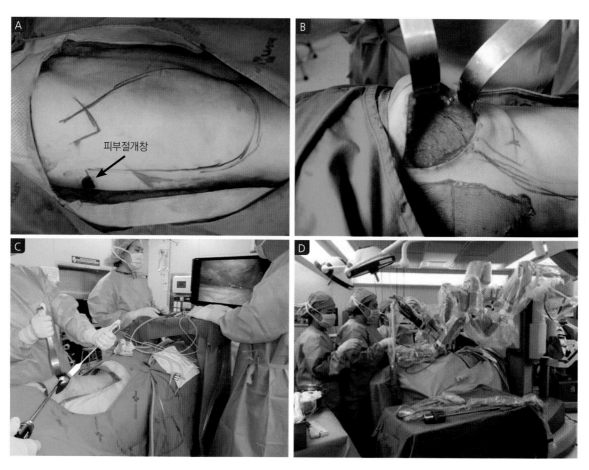

● 그림 4-10. **내시경/로봇을 이용한 광배근 피판의 구득술.** **(A)** 액와부 아래쪽 피부절개를 넣는다. **(B)** 이 절개창을 통해 근위부는 개방형으로 수술을 진행한다. **(C, D)** 더 이상 육안으로 보이지 않는 지점부터는 내시경 또는 로봇을 이용하여 광배근을 구득한다.

2) 유방암의 절제 및 광배근 피판의 이동(migration of harvested LD flap through subaxillary incision)

광배근 피판의 구득이 완료되면 환자를 앙와위(supine position) 자세로 변경한다. 액와부 아래에 만들어진 절개창을 연장하여 유방의 부분 또는 전절제술 및 감시림프절 생검술 또는 액와부림프절 절제술을 시행하고, 음성절제연을 확인한다.

이후 광배근 피판의 부피 및 결손부위까지의 거리 등을 고려하여 광배근의 혈관경(vascular pedicle)을 정리한다. 피판의 가동성을 높이고 겨드랑이 부위가 부풀어 오르는 것(bulging)을 줄이기 위해 근육의 부착부 부위 근육과 힘줄을 일부 절단하는 것이 좋은데, 이 때 흉배 동정맥신경다발(thoracodorsal bundle)을 손상시키지 않도록 매우 주의하여야 한다. 흉배신경을 절단하면 광배근의 운동력이 차단되어 의도하지 않은 근육의 수축을 예방할 수 있지만, 근위축으로 인한 부피의 감소가 야기될 수 있음을 고려해야 한다.

3) 유방의 부분 또는 전절제술(partial or total mastectomy)

이학적 검진 및 영상학적 소견(유방촬영술, 초음파, 유방 MR)을 참고하여 종양의 크기 및 위치를 표시하고, 1-2 cm 정도의 안전절제연을 확보하여 절제범위를 설계한다. 유방의 부분 또는 전절제를 위한 피부절개선을 도안하는데, 상외측의 방사형 절개선은 추후 연장하여 감시림프절 생검술 또는 액와부림프절 절제술을 시행하는 데 이용할 수도 있다.

종양의 위치가 상외측(upper outer quadrant)인 경우에는 액와부 절개선만을 이용하여 유방과 액와부 수술이 모두 가능하며, 다른 부위에 발생한 종양의 절제 후에는 유륜주위 절개선을 이용하면 수술 후 반흔을 최소화할 수 있다(그림 4-11). 유방의 결손부위가 상외측이 아닌 경우에는 구득된 광배근 피판의 혈관경(vascular pedicle)이 지나갈 수 있는 피하터널(subcutaneous tunnel)을 만들어야 한다. 이 터널은 정상 유방실질 조직을 일부 제거하여 피판이 지나갈 수 있는 길을 만드는 것을 의미하며, 터널을 형성하지 않는 경우에는 재건 후 혈관경이 지나는 부위가 돌출되어 부자연스러운 유방 형태가 만들어진다. 또한 유방 내측에 위치한 종양의 경우에는 이 터널을 이용하여 종양의 절제도 용이하다(그림 4-12).

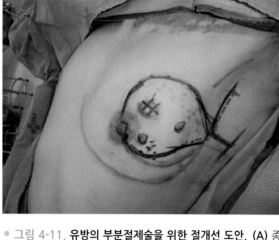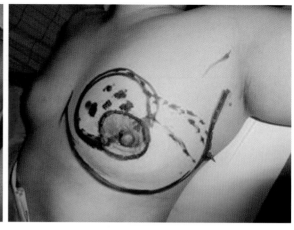

● 그림 4-11. **유방의 부분절제술을 위한 절개선 도안. (A)** 종양이 상외측에 발생한 경우에는 액와부 절개선만으로 유방과 액와부 수술 및 유방재건술이 모두 가능하다. **(B)** 종양이 내측 또는 하측에 발생한 경우에는 유륜주위 절개선을 추가하면 좋은 미용적 결과를 얻을 수 있다.

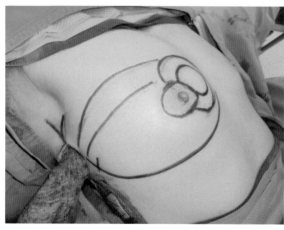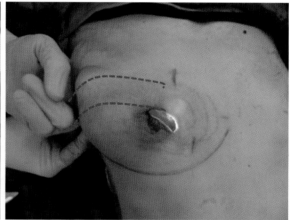

● 그림 4-12. **광배근 피판의 통과를 위한 피하너털 디자인과 경로.** 내측에 결손부위가 발생한 경우, 피하터널을 형성하여 광배근 피판의 혈관경(vascular pedicle)이 지나갈 수 있도록 한다.

4) 유방 재건(breast reconstruction)

유방의 재건은 유방의 전면부로 광배근을 돌려와서 결손부위를 채워 반대측 유방과 유사하게 유방의 형태를 복원한다. 기존의 오픈형 수술인 경우는 피부와 피하지방이 함께 구득되기 때문에 피부를 유두-유륜 복합체 재건에 이용할 수도 있다(그림 4-13).

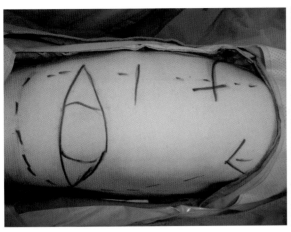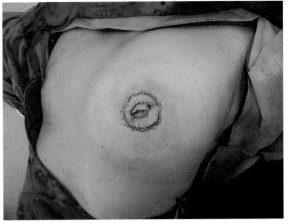

• 그림 4-13. **광배근 피판의 피부를 이용한 유두-유륜 복합체의 재건술.**

피부를 유두-유륜 복합체 재건의 목적으로 이용하지 않는다면, 피부의 표피를 박리하여 피부피판이 주변 근육과 자연스럽게 연결될 수 있도록 고정봉합(anchoring suture)를 해주는 것이 좋다. 이러한 과정이 없으면 광배근 피판의 피부섬(skin island)의 높이가 더 높기 때문에 유방재건을 하였을 때 피부주변만 불룩해질 수 있다(그림 4-14).

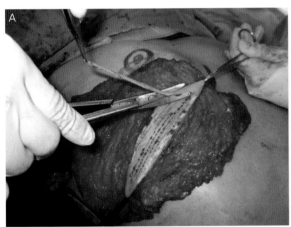

• 그림 4-14. **유두재건이 필요하지 않은 경우 광배근의 피부피판에 표피박리술을 시행하는 모습. (A)** 피부피판의 표피를 수술용 가위로 잘라내고 있다. **(B)** 표피박리술이 이루어진 피부피판은 광배근과 자연스럽게 연결되도록 고정봉합술(anchoring suture, 화살표)을 몇 군데 해준다.

광배근을 고정할 때는 피판의 가장자리 경계를 따라 피판의 가장 먼 쪽부터 대흉근(pectoralis major muscle)에 봉합하여 고정한다. 결손 부위가 액와부에서 멀리 떨어진 경우 조금 더 두꺼운 부피가 필요하다면 근육의 일부를 접을 수도 있다. 마지막으로 광배근 피판을 가쪽 흉벽(lateral chest wall)에 봉합하고 고정시켜 재건 후 피판이 액와부 방향으로 당겨지지 않도록 한다(그림 4-15).

수술 후 재건된 유방이 자연스러운 하수(ptosis)를 보일 수 있도록 하는 것이 중요한데, 수술 테이블을 조정하여 환자의 상체를 올려 앉은 자세로 만들면 수술 후 재건된 유방의 형태를 예측하는 데 도움이 된다. 유방재건의 목적은 양측 유방의 자연스러운 대칭성(symmetry)이지만, 시간이 지나면서 또는 방사선 치료 후에는 약 20%정도의 부피감소를 보이는 경우가 흔하다는 점을 기억해야 한다.

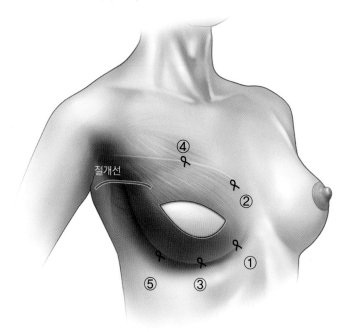

● 그림 4-15. **광배근 피판의 고정순서.** 우선적으로 하내측부터 대흉근에 고정하고, 점점 상방과 가측으로 고정을 한다. 피부 절개선을 가봉합해보고 적절한 유방의 형태를 잡아주면 된다.

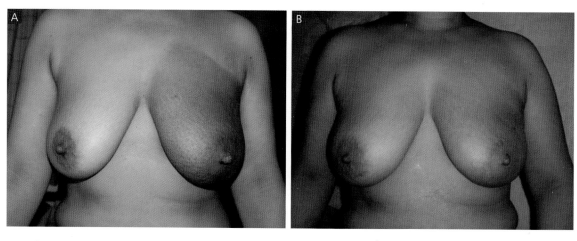

● 그림 4-16. **광배근 피판을 이용하여 유방재건술을 시행받은 환자의 시간경과에 따른 유방부피의 감소. (A)** 수술 후 8개월째 모습. 재건된 좌측 유방이 우측보다 약간 크다. **(B)** 수술 후 3년째 모습. 재건된 좌측 유방의 크기감소로 양측 유방의 크기가 비슷해졌다.

　　원래 유방의 크기가 크거나 결손 부위가 넓어 광배근 피판술만으로는 유방재건이 충분하지 않은 경우에는 다른 피판술과 병합하여 병합피판술(combined pedicle flap)을 시행하거나(그림 4-17) 보형물(implant)을 추가하여 유방재건을 할 수 있다.

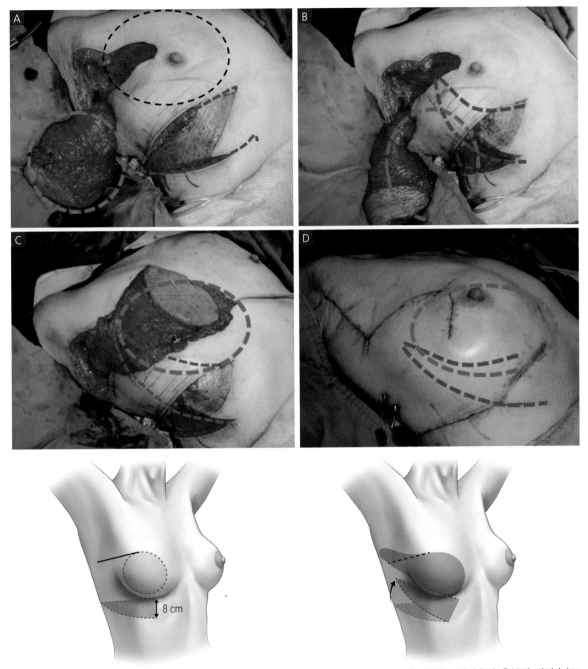

● 그림 4-17. **우측 유방암으로 유두보존 유방절제술(nipple sparing mastectomy) 후 광배근 피판술과 흉복벽 피판술(TE flap)을 병합하여 즉시 유방재건을 시행한 증례.** (A) 유두보존 유방절제술 후 결손부(검은색 점선)와 구득된 광배근피판(파란색 점선)과 흉상복부피판(붉은색 점선)이 보인다. (B) 흉상복부피판을 유방절제 후 결손부위로 회전시킨 모습. (C) 두 피판을 이용하여 결손부위를 채워 유방의 형태를 복원한다. (D) 유방재건이 완료된 모습.

유방의 형태기 완성되면, 흡인 배액관을 재건 부위에 삽입하고 흡수성 봉합사를 이용하여 피하봉합하여 수술을 완료한다.

7. 지연 재건술(delayed reconstruction)

유방절제술과 수술 후 보조요법(항암화학요법, 방사선치료)을 종결 후 이차수술을 통해 유방재건을 하는 경우를 말한다. 이전의 치료와 시간경과에 따른 유방형태의 변형(deformity), 연조직의 반흔과 구축, 유두-유륜 복합체(nipple–areola complex)의 위치이동 등으로 인해 즉시재건술에 비해 상대적으로 어려움이 따른다. 재건술 전에 충분히 환자의 상태를 확인하여 적합한 수술 방법을 선택하는 것이 중요하다. 지연 유방재건술에서의 광배근 피판술을 이용한 유방의 재건은 즉시재건술과 본질적으로 동일하다.

8. 수술 후 합병증(postoperative complications)

광배근 피판술 후 발생할 수 있는 합병증들로는 장액종(seroma), 혈종(hematoma), 감염(infection), 피판괴사(flap necrosis), 어깨 운동의 장애 등이 있다. 대부분의 합병증은 외래 진료로 충분히 처치 및 관리가 가능하며, 합병증으로 인해 유방암의 술후 보조치료가 지연되는 경우는 거의 발생하지 않는다.

이 중 피판 공여부의 장액종 형성이 가장 흔하며, 여러 문헌들에서는 발생률이 약 70-80%까지 보고되기도 한다. 배액관의 하루 배액량이 50 mL 이하로 2일 연속된 경우 배액관을 제거할 수 있다. 배액관을 통한 상행성 감염(ascending infection)을 예방하기 위하여 2주 이상 배액관을 유지하는 것은 권유하지 않는다. 평균적인 재원 기간은 7일 전후이며, 이후 발생하는 공여부 장액종은 초음파 유도하 반복적인 바늘흡인술(needle aspiration)로 쉽게 관리할 수 있다. 적은 양의 장액종은 바늘흡인이 필요없으며 3-4 주에 걸쳐 자연스럽게 흡수된다. 내시경 또는 로봇을 이용해 피판 구득을 하고 누빔봉합술(quilting suture)을 하지 않은 경우에는 장액종 발생의 가능성이 더 높지만, 전통적인 구득법과 마찬가지로 보존적 치료로 해결된다.

피판 공여부의 혈종은 아주 드물지만, 간혹 지연성 출혈에 의한 혈종이 발생할 수 있고 흡수가 되지 않는 경우는 수술적 치료가 필요할 수 있다(그림 4-18).

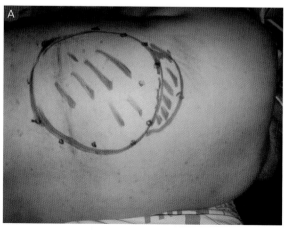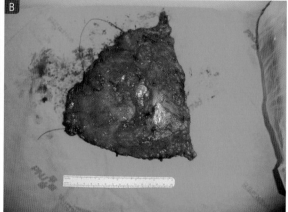

● 그림 4-18. **36세 여성. 수술 후 6개월째 발생한 출혈로 만성혈종이 발생하였고, 흡수되지 않아 수술적으로 제거된 모습. (A)** 혈종의 범위. **(B)** 수술로 제거된 혈종.

공여부 감염 역시 흔하지 않지만, 발생하더라도 항생제 치료, 배농 등의 보존적 치료로 해결이 가능하다. 광배근 피판의 괴사도 빈도가 높지는 않은데, 혈류공급이 원활하지 못하면 쉽게 괴사될 수 있고 이는 유방을 딱딱하게 만들 수 있어 수술 시 혈관 및 혈류의 보존은 매우 중요함을 알 수 있다. 광배근 피판술과 함께 보형물을 삽입한 경우 피막구축(capsular contracture) 및 보형물 전위(transposition)가 발생할 수 있으나, 광배근의 심부에서 발생하므로 환자가 느끼는 증상이나 드러나는 유방의 형태변화는 훨씬 경미하다. 어깨 운동의 제한 역시 일시적으로 나타날 수 있지만, 시간이 경과하거나 약간의 재활치료로 충분히 호전가능하다.

9. 수술 후 관리(postoperative care)

통증만 적절히 조절된다면, 수술 당일부터 보행이 가능하며 빗질과 세수, 양치질을 포함한 일상적인 활동도 문제가 없다. 더 격렬한 신체 활동은 수술 2-3개월 후 점진적으로 시작할 수 있도록 환자를 교육한다. 일반적으로 수술 후 7일경에 배액관 제거 후 퇴원하게 된다. 유방암의 추적관찰시 광배근을 이용한 유방재건술은 국소재발의 진단에 영향을 미치지 않는 것으로 보고되고 있어 종양학적으로도 안전한 술식이라 할 수 있다.

일반적으로 전체 유방 부피의 20% 이상이 절제되면서 환자가 반대측 유방의 수술을 원하지 않는 경우, 광배근 피판을 이용한 유방재건술은 훌륭한 선택일 수 있다. 광배근 피판을 이용한 유방재건은 외과의가 단독으로 수술하기에도 술기가 비교적 쉽고, 보형물을 이용한 재건보다 자연스러운 미용적 결과를 보이는 경우가 많아 환자의 만족도가 매우 높은 술식이다. 또한, 다른 수술법에 비해 상대적으로 수술 후 합병증의 발생이 적고 경미하여 대부분 보존적 치료로 해결되며, 유방암의 술후 보조요법에도 영향을 미치지 않는 장점이 있다. 최근 시행되고 있는 내시경 또는 로봇을 이용한 광배근 피판술은 기존의 오픈형 수술의 단점까지 보완한 술식으로 최소한의 흉터와 빠른 회복으로 심미적으로 만족스러운 결과를 얻을 수 있게 한다.

수술 증례(practical pictures)

증례1 유방의 부분절제술(partial mastectomy) 및 광배근 피판술(latissimus dorsi myocutaneous flap)을 이용한 유방재건술

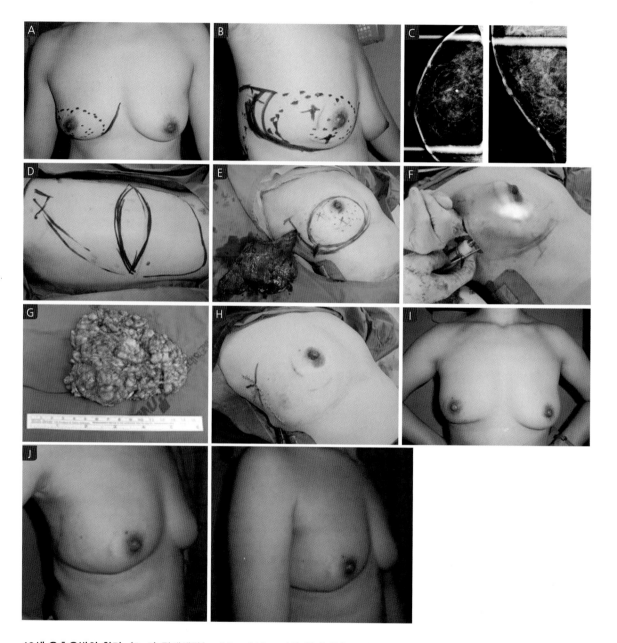

48세 우측유방암 환자. (A, B) 절제생검(excisional biopsy)을 통해 우측 유방 하측의 상피내암(ductal carcinoma in situ)을 진단받음. 이전 절제생검 부위(X표시)와 주변의의 미만성 미세석회화(diffuse microcalcification) 범위와 계획된 피부절개선이 그려져 있다. **(C)** 수술 전 우측 유방의 확대 유방촬영술(mammography) 상 이전 수술 부위 주위로 미세석회가 관찰된다(빨간색 점선). **(D)** 광배근 피판 구득을 위한 피부 도안. **(E, F)** 구득된 광배근 피판과 유방의 부분절제술이 시행된 사진. **(G)** 절제된 유방조직. **(H)** 광배근 피판을 이용한 유방재건 직후의 모습. **(I)** 수술 후 6개월째 정면 사진. **(J)** 수술 후 6개월째 측면 사진. 피부절개가 액와부 아래쪽에 위치해서 자연스럽게 팔을 내리면 흉터가 가려진다.

증례2 유두보존 유방절제술(nipple sparing mastectomy) 및 광배근 피판술(latissimus dorsi myocutaneous flap)을 이용한 유방재건술

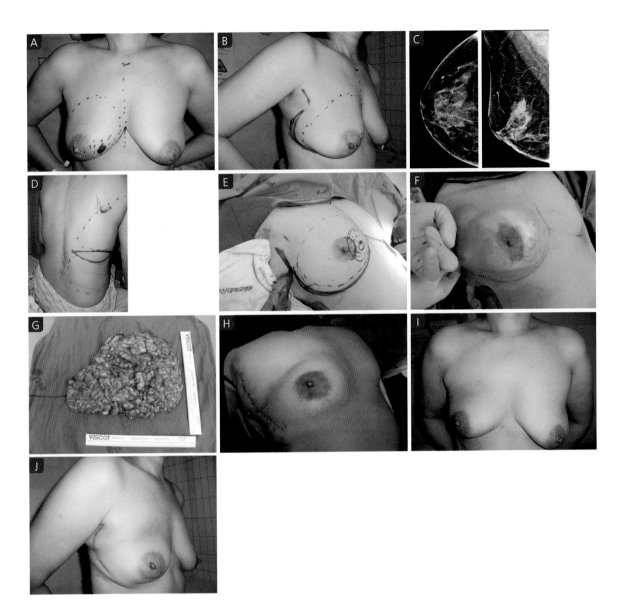

57세 우측유방암 환자. (A, B) 우측 유방 하내측의 침윤성 유관암(invasive ductal carcinoma)을 진단받음. 동반된 미만성 미세석회화(diffuse microcalcification)가 발견되어 유두보존 유방전절제술을 계획하였다. 종양의 위치와 미세석회 및 절제 범위, 액와부 아래의 피부절개선이 표시되어 있다. **(C)** 수술 전 유방촬영술에서 미세석회화가 관찰된다(빨간색 점선). **(D)** 수술 전 광배근의 경계와 피판구득을 위한 피부절개선이 그려져 있다. **(E, F)** 구득된 광배근 피판이 액와부 절개선을 통해 관찰되며, 유두보존 유방전절제술이 시행된 사진. **(G)** 절제된 유방조직. **(H)** 유방재건이 완료된 직후 모습. **(I)** 수술 후 8개월째 정면, 측면 사진. 대부분의 흉터가 가려져 보이지 않는다.

증례3 피부보존 유방절제술(skin sparing mastectomy) 및 광배근 피판술(LD flap), 유두-유륜 복합체 재건술을 이용한 유방재건술

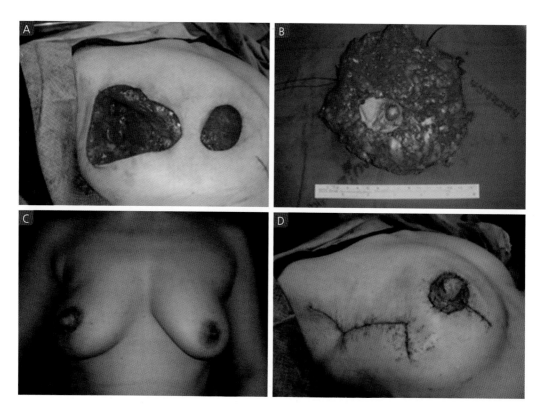

(A) 우측 유방의 침윤성 유관암(invasive ductal carcinoma)으로 피부보존 유방절제술(skin sparing mastectomy) 직후 사진. **(B)** 절제된 유방조직의 육안 사진. **(C)** 광배근 피판을 이용한 유방 및 유두-유륜 복합체의 재건이 완료된 직후 사진. **(D)** 수술 후 2개월째 사진.

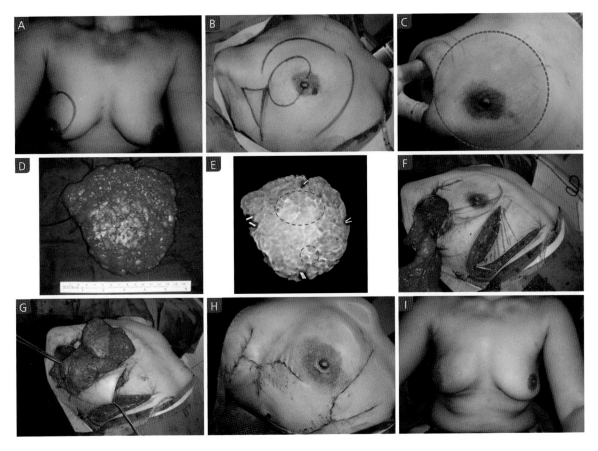

증례4 유두보존 유방절제술(nipple sparing mastectomy) 및 병합피판술(combined pedicle flap): 광배근 피판술(LD flap)

+ 흉복벽 피판술(TE flap)

(A) 우측 유방의 미만성 미세석회화(diffuse microcalcification)가 동반된 침윤성 유관암(invasive ductal carcinoma)으로 진단된 여성의 수술 전 사진. (B) 종양 및 미세석회의 위치와 유방절제범위 및 피부절개선이 표시되어 있다. (C) 유두보존 유방절제술(nipple sapring mastectomy) 후 결손 부위가 관찰된다. (D) 절제된 유방조직의 육안 사진. (E) 수술 중 검체 촬영술 사진으로 미만성 미세석회가 확인된다(빨간색 점선). (F) 유방재건을 위해 구득된 광배근피판과 흉상복부피판이 관찰된다. 흉상복부피판의 표피박리술(de-epithelialization)이 시행될 부위가 표시되어 있다. (G) 표피박리술이 시행된 광배근 피판과 흉복벽 피판을 결손 부위로 이동시켜 유방 형태를 복원한다. (H) 유방재건이 완료된 직후의 사진. 절개선이 다소 커보이지만, 대부분의 절개선은 가려지는 위치에 형성되었다. (I) 수술 9개월 후 사진. 액와부 및 유방하주름 부위의 흉터는 정면에서 잘 보이지 않는다.

증례5 유두보존 유방절제술(nipple sparing mastectomy) 및 광배근 피판술(LD flap), 보형물을 이용한 유방재건술

(A) 미만성 미세석회화(diffuse microcalcification)가 동반된 우측 유두 아래 위치한 유방암 환자의 수술 전 사진. 종양의 위치와 절제 범위가 표시되어 있다. (B) 유두보존 유방절제술(nipple sparing mastectomy) 후 결손 부위가 관찰된다. (C) 수술 중 검체 촬영에서 미만성 미세석회화(diffuse microcalcification)가 확인된다(빨간색 원). (D) 광배근과 대흉근을 봉합하여 공간을 만들고 보형물을 삽입한다. (E) 유방재건이 완료된 직후의 사진. (F) 수술 9개월 후 사진.

증례6 유두보존 유방절제술(nipple sparing mastectomy) 및 광배근 피판술(latissimus dorsi myocutaneous flap), 보형물 삽입술(implant insertion) 을 이용한 유방재건술, 반대측 유방확대술(contralateral augmentation)

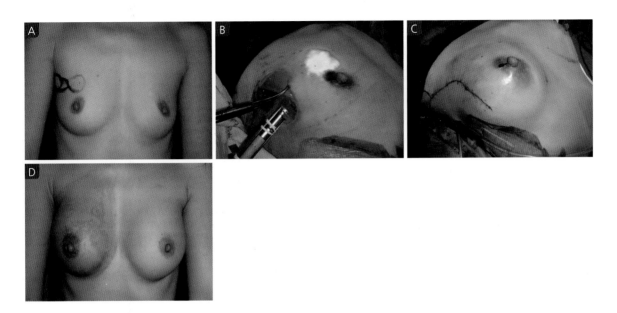

35세 우측유방암 환자. **(A)** 우측 유방의 다발성 유방암으로 우측 유방의 전절제술과 동시에 양측 유방확대술을 원하였다. 종양의 위치가 검은색 마커로 피부에 표시되어 있다. **(B)** 유두보존 유방절제술 후 결손 부위를 빛을 비춘 모습(illumination). **(C)** 우측 유방은 광배근 피판술과 보형물삽입술을 동시에 시행하여 재건을 하고, 좌측은 보형물 삽입을 통해 유방확대술을 완료하였다. **(D)** 수술 후 9개월째 항암치료 및 방사선 치료가 완료된 후 사진.

✎ 참고 문헌

1. Baildam A, et al. Oncoplastic breast surgery: a guide to good practice. Eur J Surg Oncol 2007;33:S1-23.

2. Bailey SH, et al. Latissimus dorsi donor-site morbidity: the combination of quilting and fibrin sealant reduce length of drain placement and seroma rate. Ann Plast Surg 2012;68:555-8.

3. Bostwick J 3rd, et al. Breast reconstruction after a radical mastectomy. Plast Reconstr Surg 1978;61:682-93.

4. Carlson GW, et al. The use of skin sparing mastectomy in the treatment of breast cancer: the Emory experience. Surg Oncol 2003;12:265-9.

5. Cha Y, et al. Total quilting suture at latissimus dorsi muscle donor site: Drain tube is no longer needed. Korean Journal of Clini\-cal Oncology. 2019;15:121-6.

6. Cho BC, et al. Free latissimus dorsi muscle transfer using an endoscopic technique. Ann Plast Surg 1997;38:586-93.

7. Clough KB, et al. Donor site sequelae after autologous breast reconstruction with an extended latissimus dorsi flap. Plast Recon\-str Surg 2002;109:1904-11.

8. Cochrane RA, et al. Cosmesis and satisfaction after breast-conserving surgery correlates with the percentage of breast volume excised. Br J Surg 2003;90:1505 9.

9. Fraulin FO, et al. Functional evaluation of the shoulder following latissimus dorsi muscle transfer. Ann Plast Surg 1995;35:349-55.

10. Frazier T, et al. An objective analysis of immediate simultaneous reconstruction in the treatment of primary carcinoma of the breast. Cancer 1985;55:1202-5.

11. Kronowitz SJ, et al. Determining the optimal approach to breast reconstruction after partial mastectomy. Plast Reconstr Surg 2006;117:1-11; discussion 12-4.

12. Kulber DA, et al. The use of fibrin sealant in the prevention of seromas. Plast Reconstr Surg 1997;99:842-9.

13. Lee J, et al. Use of latissimus dorsi muscle onlay patch alternative to acellular dermal matrix in implant based breast reconstruc\-tion. Gland Surg 2015;4:270-6.

14. Lee S, et al. Oncoplastic breast surgery with latissimus dorsi myocutaneous flap for large defect in patients with ptotic breasts: is it feasible when combined with local flaps? World J Surg Oncol 2014;12:65.

15. Mühlbauer W, et al. The latissimus dorsi myocutaneous flap for breast reconstruction. Chir Plast 1977;4:27.

16. Olivari N. The latissimus flap. Br J Plast Surg 1976;29:126-8.

17. Schneider WJ, et al. Latissimus dorsi myocutaneous flap for breast reconstruction. Br J Plast Surg 1977;30:277-81.

18. Soong IS, et al. Postmastectomy radiotherapy after immediate autologous breast reconstruction in primary treatment of breast cancer. Clin Oncol (R Coll Radiol) 2004;16:283-9.

19. Tomita K, et al. Postoperative seroma formation in breast reconstruction with latissimus dorsi flaps: a retrospective study of 174 consecutive cases. Ann Plast Surg 2007;59:149-51.

20. Vinton A, et al. Immediate breast reconstruction following mastectomy is as safe as mastectomy alone. Arch Surg. 1990;125:1303-7; discussion 1307-8.

21. Webster D, et al. Immediate reconstruction of the breast after mastectomy: is it safe? Cancer 1984;53:1416-9.

22. Woerdeman LA, et al. Breast-conserving therapy in patients with a relatively large (T2 or T3) breast cancer: long-term local con\-trol and cosmetic outcome of a feasibility study. Plast Reconstr Surg 2004;113:1607-16.

CHAPTER

5

유방축소술

유방축소술(reduction mammoplasty)은 유방하수(ptosis)의 정도가 심한 유방에서 유방의 부피를 줄이면서 처진 정도를 교정해주는 수술로 유방암을 절제하고 남은 유선을 이용하여 유방 모양을 재구성하는 방법이다. 안전절제연을 확보하여 유방암을 절제한 후 남은 유선으로 유방의 모양을 우선적으로 맞추어 주고, 마지막으로 유두-유륜 복합체의 위치를 적절한 위치로 이동시키면 수술이 종결된다.

1. 해부학

유방의 축소성형술에 있어 해부학적으로 가장 중요한 부분은 유두-유륜 복합체로의 혈류분포와 신경분포에 관한 이해이다. 유방으로의 혈액이 공급되는 방법은 크게 세 가지인데, 유방 실질은 주로 내흉동맥(internal thoracic artery), 외흉동맥(external thoracic artery)과 3-5번째 후늑간동맥을 통해 혈류를 공급받고 특히, 유방실질 전체 혈류공급의 약 60%를 담당하는 내흉동맥은 여러 개의 내측천공지(perforators)를 내어 주로 유방 내측면의 넓은 면에 혈류를 공급하며, 외흉동맥은 유방의 상부, 외측면의 약 30%를 담당한다. 3-5번째 후늑간동맥의 전방 및 측방분지(anterior and lateral branches)는 나머지 유방 하외측의 혈류를 공급한다. 유두는 유두아래의 실질과 피부의 혈관을 통하여 혈류를 공급받는다(그림 5-1).

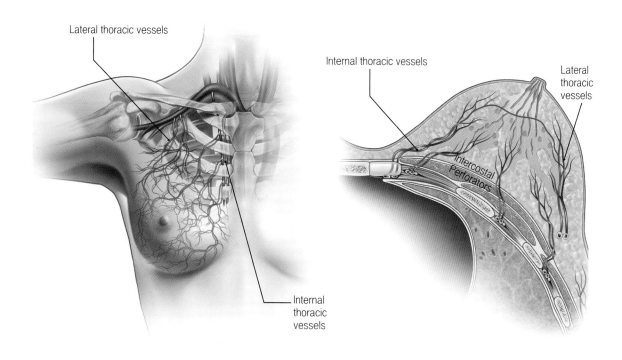

• 그림 5-1. **유방의 혈류공급 모식도**

감각 신경의 분포는 유방과 유두-유륜 복합체가 다르다. 유방 전체적으로는 내측부분은 2-6번째 내흉 늑간신경 (medial thoracic intercostal nerves)의 전방 피부분절이, 상부는 경부신경총(cervical plexus)의 3-4번째 분지로부터 연결된 쇄골상신경(supraclavicular nerve)이, 외측부분은 2-6번째 외흉 늑간신경(lateral thoracic intercostal nerves)들이 분포한다(그림 5-2). 그러나, 유두-유륜 복합체는 주로 4번째 늑간신경의 전방 및 외측 피부분지(anterior and lateral cutane-ous branches of the 4th intercostal nerve)와 3번째, 5번째 늑간신경의 부분적인 신경분포가 복합적으로 담당한다.

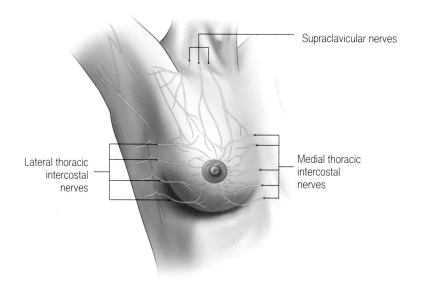

• 그림 5-2. **유방의 신경분포 모식도**

2. 수술 전 평가 및 계획

수술 전에 철저한 유방 관련 수술이력과 검사를 시행해야 하며, 이전 수술병력이 유선이나 유두-유륜 복합체의 혈류흐름을 일부 끊는 형태로 남았다면 축소성형술은 적합하지 않다. 또한 환자가 향후 모유수유를 원한다면 유방 축소성형술이 모유수유에 영향을 미칠 수 있으므로 수술 전 이에 관한 충분한 상담이 필요하다. 흡연력은 수술 후 합병증의 위험을 두 배 이상 증가시키므로 흡연자는 본 수술을 시행하기에 적합하지 않다.

수술 전 유방의 하수(ptosis) 정도, 비대칭 정도, 유방하주름의 위치, 유두 위치 등을 평가해야 한다(그림 5-3). 수직 보정 정도를 평가하기 위해 흉골절흔(sternal notch)에서 유두, 유두에서 유방 밑 주름까지 측정해야 한다. 흉골절흔에서 유두까지의 거리를 측정하는 것은 유두를 새로운 유두 위치로 올리는 데 필요한 거리를 정하는 것뿐만 아니라 유두 피판에 적합한 술기를 선택하는 것에도 도움을 준다.

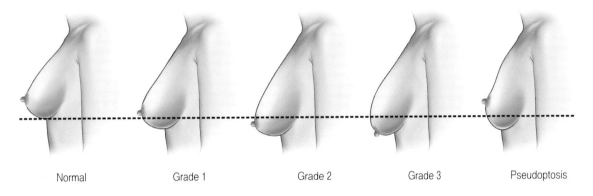

Normal   Grade 1   Grade 2   Grade 3   Pseudoptosis

● 그림 5-3. **유방하수의 정도 평가.** 유방하주름을 기준으로 정상부터 1-3단계의 하수, 위하수(pseudoptosis)로 판단할 수 있다.

3. 수술방법의 선택

거대유방증(gigantomastia)과 심한 유방하수는 여성들에게 미용상의 문제로 정서적 위축을 야기하며, 목과 허리, 어깨 통증 및 어깨 휘어짐 등 육체적 고통을 발생시키기도 한다. 또한 피부가 접히는 부위에는 만성 습진이나 궤양이 발생하기도 한다.

이러한 여성에서 유방암이 진단되면, 최우선 목표는 당연히 유방암의 완전한 절제이지만 부가적으로는 미용학적 개선이 두 번째 목표가 될 수 있다. 유방암 수술에서 유방 축소성형술을 계획할 때에는 유방암의 발생위치에 따라서 유방의 상부실질을 기반(superior-pedicle)으로 할 것인지 하부실질을 기반(inferior-pedicle)으로 할 것인지 달리 결정해야 한다. 유방암이 하부에 발생하였으면 유방의 하부 실질이 절제되므로 상부기반 축소성형술(superior-pedicle reduction mammoplasty)을, 유방암이 상부에 발생하였으면 유방의 상부가 절제되므로 하부기반 축소성형술(inferior-pedicle reduction mammoplasty)을 적용할 수 있다.

유방의 축소성형술에서 가장 조심스럽게 진행되어야 하는 부위는 유두-유륜 복합체 아래쪽의 유선을 반드시 충분히 남겨야한다는 점이다. 유방의 모양이 자연스럽게 만들어졌더라도 최종적으로 유두나 유두-유륜 복합체의 괴사가 발생하게 되면 환자의 만족도는 매우 감소하게 된다. 따라서 절개선은 절제될 피부 내부에 국한해서만 시행을 하고, 다른 모든 과정에 앞서 유두-유륜 복합체 주변의 유선실질이 절제되지 않도록 확보하는 것이 필요하다. 두 번째로 조심해야 하는 부분은 유방 양쪽의 날개피판의 두께이다. 대부분의 경우 상부 피부피판에는 절개선이 가해지지 않기 때문에 허혈이나 괴사는 잘 발생하지 않지만, 피부피판의 두께가 너무 얇거나 일정하지 않은 경우에는 재구성(rearrangement)된 유방을 덮었을 때 유선이 피부위로 울퉁불퉁하게 만져질 수 있다. 대부분 하수가 심한 유방은 지방을 많이 포함하기 때문에 양쪽 날개형 피부피판 아래 충분한 정도의 지방을 확보하면 수술 후 보다 자연스러운 유방모양을 완성할 수 있다.

축소성형술은 하내측이나 하외측에 발생한 유방암에도 시행할 수 있는데, 이 때 많이 남은 쪽 유선을 회전시키듯 돌려 유선끼리 봉합을 해주면 유방의 모양을 자연스럽게 만들 수 있다. 이후 구득된 날개형 피부피판을 이불덮듯이 유선을 감싸주고 유방하주름과 봉합하면 쉽게 모양을 완성할 수 있다(그림 5-4).

유방암이 진단된 쪽 유방을 먼저 수술한 후 절제된 양만큼 반대편 유방도 절제하여 수술을 시행하면 된다.

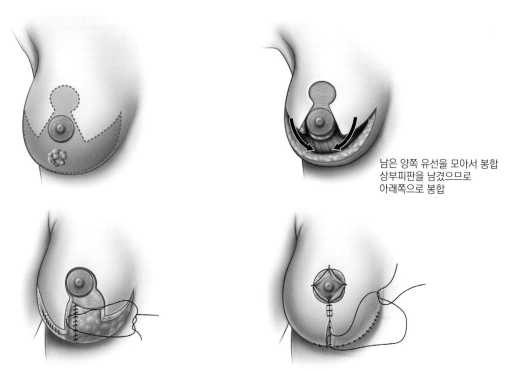

● 그림 5-4. **유방의 하부에 발생한 유방암의 축소성형술 방법. (A)** 피부와 유선을 분리하고, 하부의 유방암을 절제한다. **(B)** 남은 양쪽 유선을 모아서 봉합한다. **(C)** 유두-유륜 복합체를 중심으로 유선을 위쪽으로 끌어올리고, 피부는 이불덮듯이 위를 덮어준다. **(D)** 유선과 피부를 각각 봉합한다.

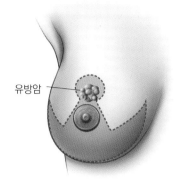

하부기반 축소성형술

상부기반 축소성형술

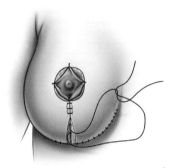

● 그림 5-5. **유방의 축소성형술 과정.** (상) 하부기반 축소성형술(inferior-based reduction mammoplasty) (하) 상부기반 축소성형술(superior-based reduction mammoplasty)

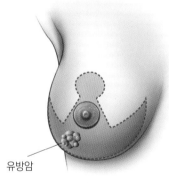

유방암

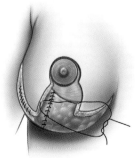

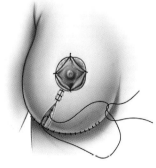

● 그림 5-6. **축소성형술의 응용.** 하내측이나 하외측에 발생한 유방암도 절제 후 많이 남은 쪽의 유선실질을 회전시켜 봉합하면 자연스럽게 유방의 모양이 완성된다. 이 때 양쪽 날개모양으로 들려진 피부피판은 유선과는 독립적으로 움직일 수 있으므로 이불을 덮듯이 유선을 덮어주면 된다.

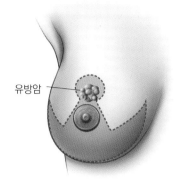 유방암

4. 수술과정

(1) 수술 전 디자인

환자의 가장 중심부인 흉골절흔(sternal notch)를 표시하고, 이를 기준으로 중앙의 수직선을 하나 그린다. 이 선을 기준으로 유두가 대칭의 위치에 있는지 확인하고, 유두-유륜 복합체가 교정될 위치에도 대칭인 점을 그린다. 유두-유륜 복합체가 교정될 중심점은 실제 유두가 교정될 위치이기 때문에 이를 중심으로 원을 그리거나 유두-유륜 표시기를 이용하여 선을 그린다.

이 중심점을 기준으로 절제되어야 할 피부를 대칭으로 그리고, 수술시야에서 착각하지 않도록 다른 색 마커펜을 이용하여 색칠해 두는 것이 좋다. 그림 5-7에서는 붉은 색 매직마커를 이용하여 빗금으로 표시한 것을 볼 수 있다.

유방 축소성형술에서는 유두-유륜 복합체로 혈액을 공급하는 유경을 보존하는 것이 매우 중요한데, 유두-유륜 복합체에 혈류를 공급하는 혈관 분포는 큰 하나의 혈관이기보다는 여러 가닥의 분지들이 복합적으로 존재하기 때문에 유두-유륜 복합체 아래의 유선을 충분히 남기는 것이 필요하다.

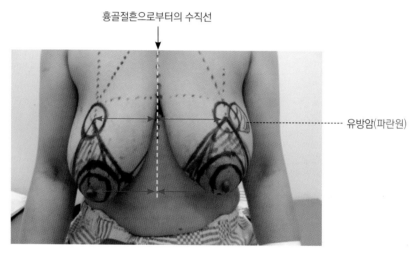

흉골절흔으로부터의 수직선

유방암(파란원)

● 그림 5-7. **유방의 축소성형술 전 수술디자인.** 흉골절흔을 중심으로 양쪽 유두-유륜 복합체가 대칭적으로 올 수 있게 미리 위치를 그려두어야 한다. 수술 전 이러한 과정을 거치지 않으면, 절개선을 잘못 넣거나 유선 또는 유두-유륜 복합체로의 혈류를 방해하거나 비대칭을 야기할 수 있다.

(2) 피부 절개 방법

피부절개선은 절제될 피부 내부에 시행하는 것이 좋으며, 절개 유형은 수술방법에 따라서 달라질 수 있다. 축소성형술은 피판의 유경면에 상관없이 대부분 역T자(reverse T shape) 또는 Wise 패턴의 절개선으로 디자인하는데, 유방암의 위치에 따라서 조금씩 회전되기도 한다.

Wise 패턴형 절개선은 유방 축소성형술에서 가장 일반적으로 사용되는 피부 절개 방식이며, 하부기반(inferior-pedicle)이 주로 사용되지만 어떤 방향의 유경이라도 사용할 수 있다. 유방암의 위치가 유방 하측에 위치하게 되면 상부기반(superior-pedicle)을 기반으로 수직절개형 축소성형술도 가능하다(그림 5-8).

Wise 패턴 절개술은 피부의 늘어남 정도도 심한 경우 유선과 함께 피부를 넓게 제거함으로써 유방 축소 및 교정이 가능한 방법으로 유두-유륜 복합체를 기준으로 주로 아래쪽 반흔만 남기 때문에 정면에서는 잘 보이지 않는 장점이 있다.

수직절개형 유방 축소성형술은 Passot가 처음 개발하고, 이후 Lassus, Lejour, Hall-Findlay에 의해 더욱 발전되었다. 수직절개형 절개선 방식은 경도, 중등도의 유방하수에서 적은 부피의 축소시에 적합하며, 일반적으로 상측, 내측 또는 상내측유경을 사용한다. 이는 유선 구조의 모양이 변형된 결과로 시간이 지남에 따라 유방 형태가 개선된다. 또한 Wise 패턴에 비해 수술 흉터의 부담도 적다. 수직 절개의 아래 쪽 끝과 관련된 합병증은 유방 축소 정도와 체질량 지수에 비례한다.

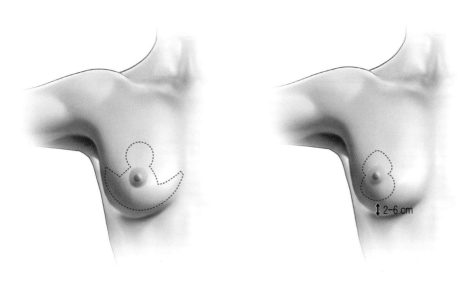

2-6 cm

● 그림 5-8. Wise 패턴형 축소성형술(좌)과 수직절개형 축소성형술(우)

(3) 절개선 표시

얼마만큼의 유선을 절제해야 한다는 공식은 없지만, 가장 우선이 되는 것은 안전절제연을 포함한 유방암의 완전한 절제이다. 절제된 유선량을 비교하여 남은 유선으로 유방형태를 재구성하고, 반대편 유방에도 비슷한 정도 부피의 유선을 절제하고 대칭을 맞추면 된다. 피부탄력이 좋은 여성 유방암 환자의 경우 미용적 만족도는 더욱 높은 것으로 알려져 있으나, 과도한 피부장력이 발생하거나 피부피판을 지나치게 얇게 박리하면 수술 후 피부괴사의 위험을 증가시킨다(그림 5-9).

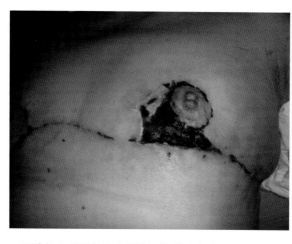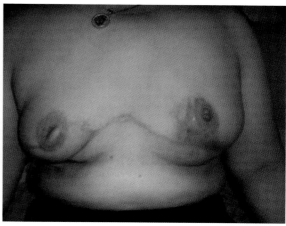

● 그림 5-9. **유방의 축소성형술 후 발생한 합병증.** 54세 여자 환자로 좌측 유방암을 제거하기 위하여 좌측 유방 부분절제술 후 양측 유방 축소성형술을 시행받았다. 방사선치료를 시작한 후 얇은 피부피판에서 피부괴사가 발생하여 괴사된 조직을 제거하고 재봉합을 시행하였다. 상처는 회복되었지만, 최종적으로는 양측 비대칭 및 가시적인 큰 반흔이 남았다.

(4) 일반적인 수술과정

1) 절제될 피부절제면 내부에 절개선을 만들거나 유방하주름을 절개하여 유방암을 절제한다(그림 5-10B).

2) 유두-유륜 복합체를 안쪽으로 묻어둔 채 남은 피부만으로 유방의 모양을 만들어보고, 스테이플러를 이용하여 가봉합한다(그림 5-10C).

3) 마커펜을 이용하여 유두-유륜 복합체가 교정될 위치에 원을 그리고, 가봉합선을 따라서 그림을 그린다. 이후 스테이플침을 제거하면 절제되어야 할 피부면적이 구체적으로 확인가능하다.

4) 절제된 면적을 따라서 피부박리술을 시행한다(그림 5-10E). 이 때 유두-유륜 복합체 위쪽으로 견이(dog-ear)가 형성되면 절제해도 되지만, 정면에서 보았을 때 수직 수직 절개선은 유두-유륜 복합체 위쪽으로도 발생할 수 있음을 인지하여야 한다(그림 5-10F).

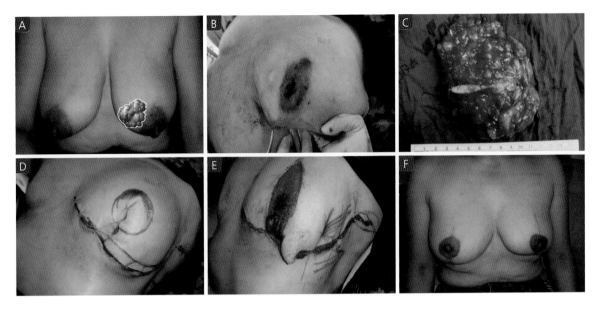

● 그림 5-10. **유방의 축소성형술 과정. (A)** 좌측 유방의 하내측에 발생한 유방암. 유방하수의 정도가 중등도 이상이다. **(B)** 유방하주름을 절개하여 하내측의 유방암을 절제하였다. **(C)** 남은 유방을 중심부에서부터 수직으로 스테이플을 이용하여 가봉합하고, 유방이 적당한 모양이 유지되도록 유방하주름과 가봉합한다. **(D)** 이렇게 가봉합한 유방에 마커펜을 이용하여 남을 피부를 선으로 남긴 후 스테이플을 풀면 절제되어야 할 피부면적이 관찰된다. **(E)** 표피박리술(de-epithelialization)을 시행하고 나머지 유방의 모양을 맞춰서 봉합한다. **(F)** 양쪽 축소성형술이 이루어진 정면모습.

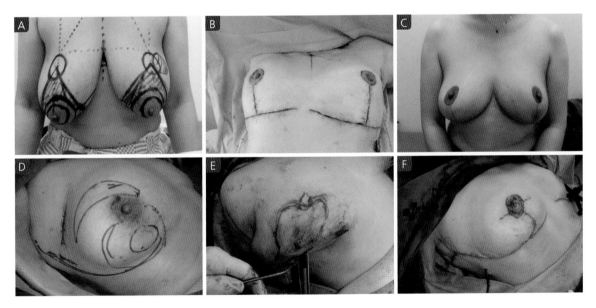

● 그림 5-11. **유방의 축소성형술 증례. (A-C)** 일반적인 유방의 축소성형술 전, 중 및 후 사진. **(D-F)** 비교적 하외측에 발생한 유방암에 대해서 역T자(reverse T shape)가 약간 비스듬히 형성된 모양.

✎ 참고 문헌

1. Bartsch RH, et al. Crucial aspects of smoking in wound healing after breast reduction surgery. J Plast Reconstr Aeshet Surg 2007;60:1045-9.

2. Berthe JV, et al. The vertical mammoplasty: a reappraisal of the technique and its complications. Plast Reconstr Surg 2003;111:2192-9.

3. Hall-Findlay EJ. A simplified vertical reduction mammoplasty: shortening the learning curve. Plast Reconstr Surg 1999;104:748-59.

4. Harris L, et al. Is breast feeding possible after reduction mammoplasty? Plast Reconstr Surg 1992;89:836-9.

5. Hidalgo DA. Improving safety and aesthetic results in inverted T scar breast reduction. Plast Reconstr Surg 1999;103:874-86.

6. Kerrigan CL, et al. Evidence-based medicine: reduction mammoplasty. Plast Reconstr Surg 2013;132:1670-83.

7. Lassus C. A technique for breast reduction. Int Surg. 1970;53:69-72.

8. Lejour M. Vertical mammoplasty and liposuction of the breast. Plast Reconstr Surg 199;94:100-14.

9. Regnault P. Breast ptosis. Definition and treatment. Clin Plast Surg. 1976;3:193-203.

10. Souto GC, et al. The impact of breast reduction surgery on breastfeeding performance. J Hum Lact 2003;19:43-9.

11. Wise RJ. A preliminary report on a method of planning the mammoplasty. Plast Reconstr Surg 1956;17:36-75.

3

SECTION

유방전절제술 후 종양성형술

Chapter 1 횡복직근 피판술

Chapter 2 흉복부 피판술(외복사근 피판술)

Chapter 3 보형물을 이용한 즉각 유방재건술

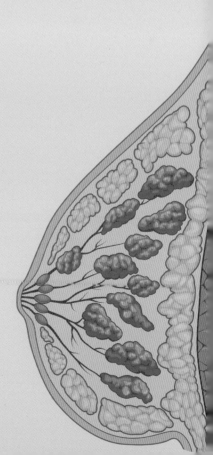

CHAPTER

1

횡복직근 피판술

횡복직근 피판술(transverse rectus abdominis myocutaneous flap, TRAM flap)은 복벽을 구성하는 횡복직근을 포함하여 하복부의 피부와 피하 조직을 하나의 피판으로 구득하여 유방재건에 사용하는 방법이다. 1982년 Hartrampf 등은 유방암 환자에서 유방절제술 후 흉벽을 재건하기 위하여 횡복직근 피판술을 이용한 증례를 처음 보고하였고, 이후 단순히 흉벽의 재건뿐 아니라 유방절제술 후 유방을 재건하기 위한 목적으로도 적용되고 있다. 혈관경(vascular pedicle)을 유지하는 유경피판(pedicle flap)과 미세혈관 문합술(microvascular anastomosis)이 필요한 자유피판(free flap) 두 가지 모두 가능한데, 자유피판으로는 심부 하복벽관통지 피판술(deep Inferior epigastric perforator, DIEP flap)이나 표재 하복벽동맥 피판술(superficial inferior epigastric artery, SIEA flap) 등도 가능하다.

횡복직근 피판술은 자가조직을 이용하는 다른 유방재건 수술방법에 비하여 훨씬 많은 부피를 얻을 수 있어 유방의 전절제술 후 보형물의 추가 없이 유방재건이 가능하며, 동시에 처진 복부의 형태를 미용적으로 개선시키는 복부성형의 효과가 있어 서구 여성에서는 비교적 흔히 사용된다. 그러나 심부 하복벽관통지 피판술(DIEP flap)이나 표재 하복벽동맥 피판술(SIEA flap)은 미세혈관 문합을 위한 특수장비와 기술이 필요하며, 높은 수술의 난이도, 긴 수술 시간 및 세심한 술후 관리가 필요하기 때문에 외과의사가 단독으로 수행하기에는 어려움이 따른다.

이 장에서는 유방 종양성형의(oncoplastic surgeon)이 혼자서도 할 수 있는 유경 횡복직근 피판술(pedicled TRAM flap)을 이용한 즉시 유방재건술(immediate breast reconstruction)에 대해서 기술하고자 한다.

1. 횡복직근 피판의 장단점

자가조직(autologous tissue)을 이용한 유방재건은 보형물을 이용하여 재건한 유방에 비하여 자연스러운 유방 형태와 촉감을 가질 뿐 아니라 시간 경과에 따른 자연스러운 노화현상을 겪게 되므로 한결 더 자연스러워질 수 있는 장점이 있다. 횡복직근 피판술의 가장 큰 장점은 다른 피판술에 비하여 상대적으로 풍부한 피판과 함께 넓은 피부를 같이 구득할 수 있다는 점이다. 따라서 유방의 전절제술을 시행하면서 유방의 피부를 남기지 못하는 경우에도 충분히 유방재건이 가능하다. 횡복직근 피판술은 복부 비만이 있는 경우 복부성형술(cosmetic abdominoplasty)을 동시에 하게 되는 이차적인 이득이 있지만, 비만도가 비교적 낮은 아시아 여성에서는 수술의 적용이 어려운 경우가 많다.

횡복직근 피판술의 주요 단점으로는 하복부의 긴 흉터, 복벽의 약화로 인한 복벽탈장(abdominal hernia)의 위험 등을 들수 있다. 하지만, 흉터의 경우 치골결합(symphysis pubis)에 근접한 부위를 따라 생기기 때문에 속옷을 입으면 가려질 수 있고, 복직근(rectus muscle) 및 복직근초(rectus sheath)의 결손을 비흡수성 메쉬(non-absorbable mesh)를 사용하여 보강해주면 탈장의 가능성을 현저히 감소시킬 수 있어 대부분 큰 문제는 발생하지 않는다.

이 장에서 다루고자하는 유경 횡복직근피판술은 한쪽의 복직근을 혈관경으로 이용하는 단일 혈관경 피판(single pedicled flap)과 양측 복직근을 모두 이용하는 이중 혈관경 피판(double pedicled flap)으로 구분된다. 양측 상복벽동맥(superior epigastric artery)을 피판과 함께 구득하는 경우는 피판에 공급되는 혈류가 안정적이고 풍부하여 단일 혈관경에 비해 많은 부피의 조직 및 피부를 재건에 이용할 수 있으나, 양측 복직근 모두가 소실되기 때문에 복벽의 약화로 인해 탈장의 가능성이 보다 높아지며, 유경이 간혹 상복부에서 도드라지게 만져져 앉은 자세에서 불편감을 야기하기도 한다.

2. 해부학

복직근은 복벽의 중앙, 표층부에 위치한 강한 복부 굴곡근이며, 복벽의 다른 근육들과 함께 복부 내장 장기를 보호하고 복부 압력을 증가시켜 호기(expiration), 배뇨, 배변 및 기침 시에도 복부를 보호하고 늑골을 지지하고 안정화하는 역할을 한다. 복부의 양쪽에 대칭으로 존재하는 두 개의 복직근은 수직방향으로 주행하며, 일반적으로 배꼽위 2개, 배꼽아래 1개의 건획(tendinous intersection)에 의해 총 4구역으로 구분된다. 이 건획에서 복직근과 복직근초가 아주 밀접히 붙어 있어, 피판구득을 위한 복직근과 복직근초의 분리가 쉽지 않다(그림 1-1A).

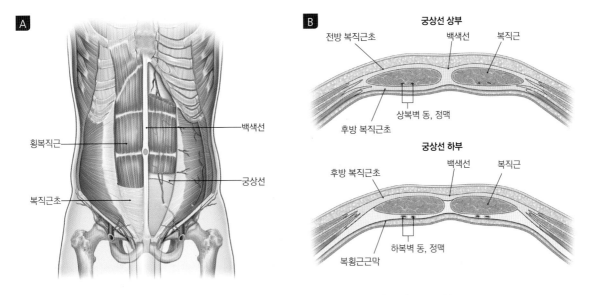

• 그림 1-1. 복벽 근육의 해부학적 구조 및 복직근초와 근막구조 모식도

횡복직근은 치골과 치골결합에서 기원(origin)하여 검상돌기(xiphoid process)와 함께 5-7번째 늑골연골(costal car-tilage)에 부착(insertion)하며, 다리 쪽으로 내려갈수록 폭이 좁아지는 형태를 보인다. 복직근초는 복직근을 둘러싸고 있는데, 가쪽에 위치한 3개의 복부 근육들(external oblique, internal oblique, transversus muscle)의 건막(aponeurosis)과 연결되는 구조를 가진다. 이 복직근초는 궁상선(활꼴선, arcuate line)의 두개방향(cranial direction)으로는 복직근을 앞뒤로 완전히 둘러싸고 있으나, 미추방향(caudal direction)으로는 복직근의 앞쪽만을 덮고 있어 궁상선 아래의 복직근의 뒤쪽은 복막전방 지방조직(preperitoneal fat tissue) 및 복막(peritoneum)과 직접 접하는 구조를 가진다(그림 1-1A).

복직근피판의 혈액공급은 내흉동맥(internal thoracic artery)에서 분지하는 상복벽동맥(superior epigastric artery)과 외장골동맥(external iliac artery)에서 분지하는 심부 하복벽동맥(deep inferior epigastric artery)에 의해 이루어지며, 이 두 동맥은 배꼽근처에서 서로 연결된다. 두 동맥은 복직근 속을 관통하고 있어 사실상 횡복직근만 온전히 보전하여 구득하면 혈류손상은 문제가 거의 없지만, 심부하복벽 동맥은 외장골동맥에서 분지하여 상방으로 주행하면서 복직근의 뒤쪽으로 노출되어 있어 복직근의 하부를 박리할 때는 주의를 요한다(그림 1-1B).

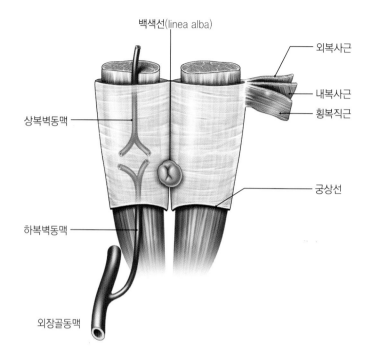

복직근초(rectus sheath)의
후방면(posterior view)

백색선(linea alba)

외복사근

내복사근

횡복직근

상복벽동맥

궁상선

하복벽동맥

외장골동맥

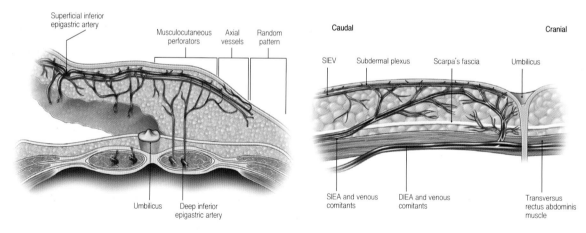

그림 1-2. **횡복직근의 혈류분포 횡단면(좌) 및 종단면(우)**

배꼽 아래쪽 하복부의 피하 지방조직과 피부로의 혈류는 이 두 동맥에서 기원하는 3-4개 정도의 천공지(perforator)를 통해 피하혈관총(subdermal plexus)을 형성하여 공급된다(그림 1-2). 정맥들은 동맥들과 주행을 같이한다.

횡복직근의 신경지배는 아래 6개의 늑간신경(intercostal nerve)에 의해 이루어지며, 같은 이름의 동맥과 함께 주행하여 복직근초의 가쪽 경계(lateral border)를 통해 근육으로 들어오게 된다. 피판 거상 시 적어도 이 신경들의 3개 이상을 절단해야 의도치 않은 근육의 수축을 방지할 수 있다.

이와 같은 해부학적 지식은 횡복직근 피판의 구득(harvesting) 및 피판 공여부인 복벽을 복원하고 보강하는데 매우 중요하다. 횡복직근 피판은 피하 지방조직과 피부로의 혈류의 안정성에 따라 안정성이 높은 곳(zone I)부터 낮은 곳(zone IV)까지 4개의 구역으로 나뉜다(그림 1-3). 혈관경에 가까운 부위일수록 동맥 혈류량이 많고 관류압이 높으며, 정맥 환류도 원활하여 피판구득 후 생존 가능성이 높아진다. 일반적으로 단일 혈관경(single pedicled flap)을 이용하는 경우 전체 피판의 약 2/3정도가 유방재건에 사용되며 zone III-IV에 해당하는 나머지 1/3은 피판의 괴사빈도가 높아 유방형태를 재건 시 절제하는 것이 일반적이다. 남겨놓는다하더라도 대부분의 경우 혈류공급이 원활하지 않아 지방괴사(fat necrosis)가 발생하며, 해당 부위가 딱딱하게 변하게 된다. 유방 또는 흉벽의 재건 시 많은 부위의 피판이 필요하다면, 처음부터 이중 혈관경 피판(double pedicled flap)을 사용하는 것이 좋다.

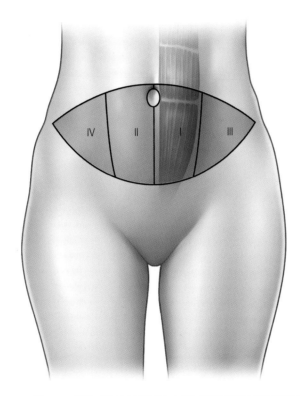

● 그림 1-3. **횡복직근의 구역분포.** 피하 지방조직과 피부로의 혈류의 안정성(reliability)에 따라 높은 곳부터 낮은 곳까지 zone I~IV 로 구분된다.

3. 적응증(indications)

유방의 부피가 큰 환자가 유방전절제술 후 자가조직으로 유방재건을 원하는 경우 또는 방사선치료가 계획되어 있어 자가조직을 이용한 유방재건이 필요한 경우, 흉벽의 결손부위가 커서 넓은 피판이 필요한 경우, 복부의 피부 및 피하지방 조직의 양이 충분하면서 복벽성형을 환자가 같이 원하는 경우에 있어 횡복직근 피판술은 이상적인 수술 방법이 될 수 있다. 또한 이전에 자가조직(주로 광배근 피판술)을 이용한 유방재건을 하고, 이후 피판괴사 또는 수술

부위 감염, 보형물 파열 등의 합병증이 발생하여 새로운 피판이 필요한 경우, 종양이 재발하여 기존의 피판을 절제해 내고 새로운 피판을 이용하여 유방재건을 해야 하는 경우에도 횡복직근 피판술은 좋은 대안이 될 수 있다.

단일유경 복직근피판(single pedicled TRAM flap)은 양측 모두 이용 가능하나, 동측 복직근을 이용하는 경우에는 근육의 접힘현상으로 정맥 환류(venous return)에 장애가 있을 수 있다. 재건할 유방 반대측 복직근을 이용하게 되면 복직근의 접힘을 최소화할 수 있고 수술 후 방사선 치료의 영향을 덜 받게 되는 장점이 있다. 반면, 비교적 긴 횡복직 근이 필요하며, 유경이 지나가는 통로가 동측 복직근을 이용할 때보다 돌출되는 경향이 있다(그림 1-4). 하지만 시간 이 지남에 따른 근 위축으로 인해 상복부의 돌출은 감소하게 된다.

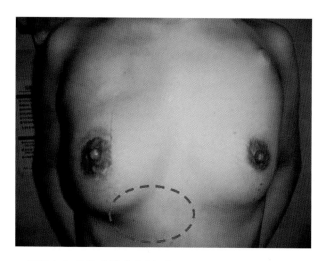

● 그림 1-4. **우측 유방전절제술 후 횡복직근 피판술을 받은 환자 의 수술 및 방사선치료 종결 후 사진.** 양쪽의 유방모양이나 대칭성 은 잘 유지되어 있으나, 좌측유경 횡복직근 피판을 이용하여 우측 유방재건술을 시행하여 우측 유방하주름의 하내측의 유경이 통과 한 부위가 약간 돌출되는 경향이 보인다.

4. 금기증(contraindications)

횡복직근 피판술의 금기로는 과도하게 비만한 환자, 유방의 크기가 상대적으로 작은 경우, 피판 혈관경의 손상이 예상되는 이전 복부수술의 기왕력(지방흡입술, 개복술, 복부성형술 등), 흡연, 긴 수술 시간을 견디기 힘든 전신상태 의 환자 등이 있다.

과거 복부수술 병력으로 배꼽아래 정중선 절개가 있는 경우라면 피판의 절반만을 사용하면 되지만, 부피가 적어 유경 횡복직근의 장점을 살리기 어렵다. 전체 피판을 모두 사용하기 위해서는 양측 혈관경(double pedicle)을 유지해 서 피판을 구득하면 된다. 파넨슈틸 절개(pfannenstiel incision)와 충수돌기 절제술(appendectomy)의 기왕력은 횡복 직근 피판술의 금기가 아니다.

5. 수술 전 피판 디자인

수술을 위한 피판 디자인은 서거나 앉은 자세 및 바로 누운 자세로 자세를 변화시켜가면서 절제가능한 부피를 가늠한다. 유방의 절제를 위해서 우선적으로 종양 위치 및 절제 범위, 피부절개선 및 유방하주름을 그린다.

횡복직근 피판의 피부절개선은 복부성형술(abdominoplasty)과 비슷한데, 상부 피부절개선은 배꼽 약간 위쪽을 지나가는 레벨에 그리고 하부 피부절개선은 구득하고자 하는 피판의 양을 가늠해서 타원형 또는 반원형으로 그려주면 된다. 하부 피부절개선은 치골 바로 위쪽을 지나면서 자연스럽게 쳐지는 피부 주름을 고려하여 최대한 아래쪽에 위치하도록 그린다. 양측 복직근의 경계와 복직근 사이 정중선을 검상돌기(xiphoid process)에서 배꼽을 지나 치골까지 표시한다(그림 1-5).

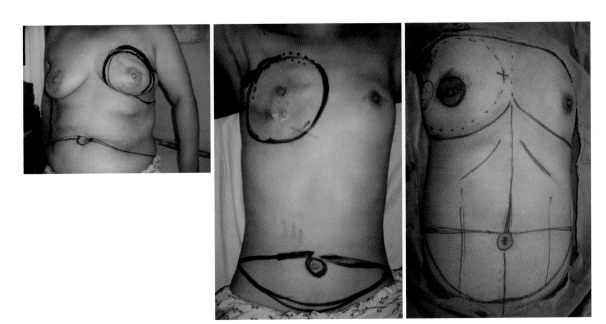

● 그림 1-5. **횡복직근 피판술의 수술전 디자인.** 다양한 자세에서 피판구득 후 복부봉합이 충분히 가능한지 미리 평가하는 것이 중요하다. 피판 절제 후 복부피부의 당김이 너무 심한 경우는 환자라 기립자세에서 허리를 꼿꼿히 펴는 것이 힘들 수 있다.

6. 수술방법

환자는 전신마취하에 앙와위(바로누운자세, supine position)로 양팔을 90°로 외전(abduction)시켜서 유방부터 치골에 이르기까지 넓게 드랩할 수 있도록 준비한다. 환자 자세의 변화없이 유방절제술, 횡복직근피판 구득술 및 유방재건술을 모두 시행할 수 있다. 즉시재건술에서는 유방절제술과 횡복직근피판 구득을 각각의 팀으로 나누어 두 개의 팀이 동시에 수술을 진행할 수도 있다.

1) 유방절제술

유방전절제술은 종양의 크기, 위치 및 피부침범(skin invasion)의 유무를 고려하여 피부절개선을 만들고 음성절제
연을 확보하여 시행한다. 흔히 피부침범이 있는 유방암이 적응증이 될 수 있는데, 유경 횡복직근 피판술을 계획한 경
우라면 충분한 범위의 피부피판이 이용가능하기 때문에 안전절제연의 확보가 필요한만큼 충분히 절제하여도 무방
할 것이다. 유선과는 달리 유방을 덮고 있는 피부는 일부 남길 수도 있는데, 종양학적 안전성을 확보하기 위하여 상
하좌우 적어도 4개 이상 방향의 피부에서 동결절편 검사를 통하여 음성절제연을 확보하는 것이 필요하다.

원래 유방의 크기가 크거나 유방하수(ptosis)가 심한 경우, 피부축소 유방절제술(skin reducing mastectomy) 또는
반대측 유방축소술(contralateral reduction mammoplasty)을 함께 진행할 수도 있다.

2) 상부절개 및 유경 횡복직근 피판의 통로 형성

수술 전 표시된 상부 피부절개선을 따라 피부와 피하조직을 절개하고 상복부의 피부와 피하지방층을 근육층으로
부터 분리한다. 절제깊이는 횡복직근의 근막까지 절제하고 근막에 다다르면 근육의 전방을 근육과 평행하게 피판이
통과될 터널을 형성한다(그림 1-6).

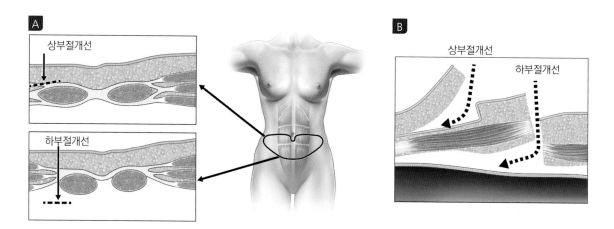

● 그림 1-6. **구득된 유경 횡복직근 피판 단면도. (A)** 상부절개선과 하부절개선의 절개깊이. 상부는 횡복직근의 전방까지 절제
해 들어가고, 하부는 횡복직근의 하방까지 절제한다. **(B)** 구득된 유경 횡복직근 피판의 횡단면.

상부절개선을 횡복직근의 전방까지 진행하였으면, 이제 횡복직근을 남기고 상부로 피판이 유방위치로 올라갈 수
있는 터널(tunnel) 형태의 통로를 만들어야 한다. 복부의 횡복직근과 외복사근(external oblique muscle)의 건막(apo-
neurosis)을 보존하면서 머리쪽 방향으로 흉골(sternum) 레벨까지 박리를 진행한다(그림 1-6A). 이렇게 분리가 완료
된 상복부 피부-피하지방 피판을 이미 표시된 아래쪽 치골 상방의 피부절개선까지 당겨 내려 과도한 장력(tension)이
걸리지 않는지 확인한다(그림 1-7). 과도한 장력이 발생하는 경우 향후 피부 괴사 및 환자 기립자세 불가 등의 문제가
발생할 수 있으므로 이 때는 하부절개선을 조금 더 높이는 방향으로 조정해야 한다.

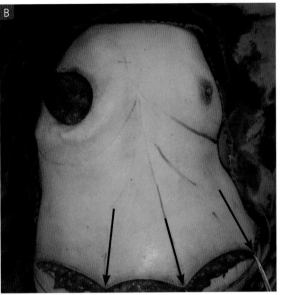

● 그림 1-7. **횡복직근 피판이 통과할 통로(터널)의 형성 및 복부 가봉합. (A)** 횡복직근의 전방 근막을 따라 흉골까지 전체 복벽을 박리하여 터널을 만든다. **(B)** 위쪽 복벽을 잡아당겨 만들어야 심한 장력이 발생하지 않는 위치를 표시하여 하부절개선을 결정한다.

3) 유경 횡복직근 피판의 구득(pedicled TRAM flap harvesting)

통로를 형성하고 복벽의 장력이 적당하다 판단되면 하부절개선을 따라 피부와 피하조직을 절개하고 하복부의 피부피판을 구득한다. 상부절개선과는 달리 횡복직근을 횡절단(transection)하여 구득해야 하기 때문에 절제깊이는 횡복직근의 후방부 배가로근막(transversalis fascia)까지 들어가야 한다. 횡복직근이 완전히 절제된 것이 확인되면 상부에서 한 것과 동일하게 횡복직근과 평행하게 후방부를 박리하면서 상부로 올라가면 된다.

양 옆으로는 횡복직근의 가쪽 근막을 따라서 전방에서 박리해놓은 흉골레벨까지 피판을 구득한다. 피판이 구득되고 나면 가운데 1개 또는 2개의 횡복직근으로 연결된 복부피판의 형태가 확인된다(그림 1-8).

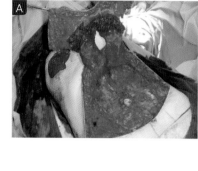
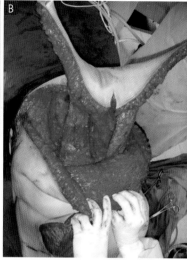

● 그림 1-8. **구득이 완료된 횡복직근 피판. (A, B)** 이중유경 횡복직근 피판(double pedicle TRAM flap). **(B)** 단일유경 횡복직근 피판(single pedicle TRAM flap).

궁상선(arcuate line) 하방에서 하복벽혈관(inferior epigastric vessel)의 주행을 확인하고 결찰 후 복직근의 하부 말단을 치골결합 상방에서 분리한다. 이후 흡수성 봉합사를 사용하여 절제된 횡복직근을 전방의 피부피판에 고정해두면, 피판이 유방 절제부위로 옮겨질 때 천공지(perforator vessles)의 긴장유발손상(tension-induced damage)을 방지할수 있다(그림 1-9).

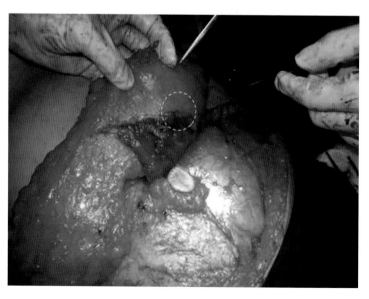

● 그림 1-9. 횡복직근의 하부절제가 완료되면 이동시 횡복직근의 긴장유발손상(tension-induced damage)을 방지하기 위하여 횡복직근을 피부피판에 고정해두면 좋다.

4) 배꼽주위 박리

횡복직근 피판술을 이용한 유방재건술에서 피판의 괴사나 피부의 괴사도 주요한 합병증일 수 있지만, 드물게 배꼽의 괴사가 발생하기도 한다. 배꼽은 사실상 유두보다 미용학적으로 더 중요한 장기이므로 괴사가 발생하여 절제되면 복부의 피부를 이용하여 배꼽재건술을 시행하여야 하는데, 이 과정에서 환자는 매우 고통받을 수 있으므로 피판구득 시 배꼽 주변의 충분한 조직을 남기는 것은 매우 중요하다.

횡복직근 피판 구득 시 배꼽 주변을 가장 먼저 주의해서 박리하는데, 배꼽 아래의 기둥의 폭이 실제 배꼽의 절개선보다 넓어야 안전하다. 박리를 시행하다보면 배꼽아래 기둥이 깔대기 모양으로 남는 경우가 발생하는데, 이 배꼽의 괴사 가능성이 매우 높아진다(그림 1-10).

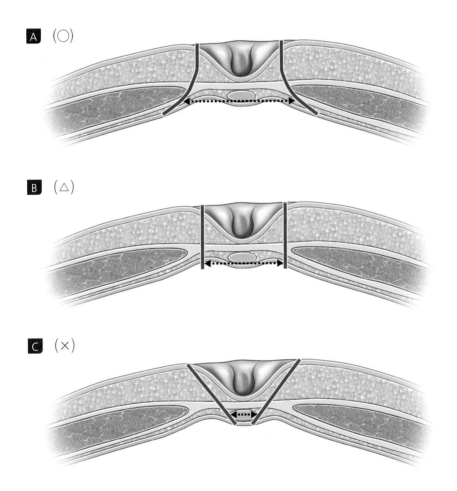

● 그림 1-10. **배꼽주위 조직의 박리. (A)** 배꼽아래 기둥의 폭은 배꼽보다 넓어야 배꼽주변의 혈류가 안전하게 유지된다. **(B)** 동일한 두께면 이론적으로 혈류가 부족하지는 않지만, 박리를 하는 과정에서 배꼽이 고정되지 못하고 휘어지면서 유경이 좁아질 수 있어 처음부터 넓게 박리하는 것이 중요하다. **(C)** 깔대기 모양의 유경이 발생하면 배꼽의 괴사가 진행될 확률이 매우 높으므로 아예 절단 후 새 배꼽을 재건하는 것이 나을 수 있다.

5) 횡복직근 주변 박리

구득할 횡복직근의 앞쪽 복직근초(anterior layer of rectus sheath)를 전기소작기(electrocautery) 또는 수술용 칼 (scalpel)을 이용하여 절개하고, 횡복직근 전체를 복직근초로부터 분리하며 늑간신경과 혈관들(intercostal vessels)을 결찰해 가면서 구득한다. 이 때 가능한 많은 근막을 복벽에 보존해두면 피판구득 완료 후 재봉합하여 복벽을 강화시킬 수 있다. 그러나, 건획(tendinous intersection)이 있는 곳은 근막이 근육에 밀접하게 부착되어 있어서 근막의 분리가 쉽지 않을 수 있다.

횡복직근은 전체를 완전히 구득하는 것이 나은데, 근육의 일부를 남겨두는 것은 기능적으로 도움이 되지 않을 뿐 아니라 분리과정에서 혈관 손상의 위험이 높아지기 때문이다. 잔류근육은 신경이 위축되면서 궁극적으로 근육 자체의 위축(atrophy)과 섬유화(fibrosis)가 진행되기 때문에 근육의 일부를 남기는 것의 어떠한 이점도 없다.

6) 구득된 횡복직근 피판의 이동(transposition of harvested TRAM flap)

피판이 유방절제술 부위로 긴장없이 회전할 수 있도록 필요 시 늑골연 부위의 횡복직근의 외측 일부를 절제하는데, 일반적으로 정중선에서 약 2-3 cm 떨어져 주행하는 상복벽혈관(superior epigastric vessel)의 손상이 없도록 매우 주의해야 한다(그림 1-11).

복부와 유방절제술 부위를 연결하는 검상돌기 위에 피하터널을 만든다. 이는 이후 복직근피판을 흉벽으로 옮길 때 혈관경이 지나는 통로가 된다. 터널은 유방하주름의 하내측에 만들어야 유방 형태가 외측으로 볼록해지는 것을 방지할 수 있다. 또한 반대쪽 유방의 내측 경계를 넘어서지 않는 것이 중요하며, 터널의 크기는 피판이 무리없이 통과되면서 피판의 울혈(congestion)이 발생하지 않을 정도로 충분히 넓어야 한다(그림 1-12). 구득된 피판을 복부에서 유방절제 부위로 이동하면서 터널내부의 출혈여부나 혈관경(vascular pedicle)의 꼬임, 뒤틀림 등을 복부봉합 전에 확인해야 한다.

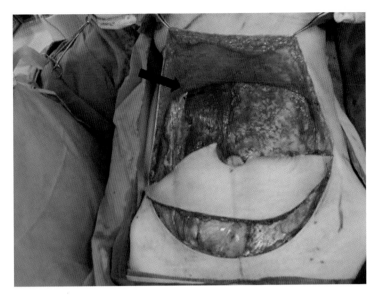

● 그림 1-11. **횡복직근 피판의 가쪽연 일부 절제.** 피판이 유방절제술 부위로 긴장없이 회전할 수 있도록 횡복직근의 가쪽(lateral) 일부를 절제하는데(화살표), 상복벽혈관(superior epigastric vessel)의 손상을 야기하지 않도록 혈관을 확인해가면서 절제하여야 한다. 수술중 초음파로 혈관의 위치를 확인하는 것도 좋은 방법이다.

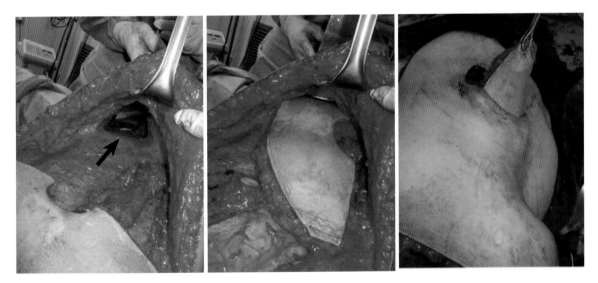

● 그림 1-12. 유방하주름의 하내측(infero-medial side)에 피판의 유경(pedicle)이 통과할 터널을 만들고, 피판을 관통시켜 유방쪽으로 이동시킨다.

7) 유방재건

구득된 횡복직근 피판의 혈류상태를 가늠하기 위하여 수술용 칼(blade)을 이용하여 zone III-IV에 작은 절개선을 넣어 원활히 혈류가 공급되고 있는지 출혈여부를 확인한다. 선홍색 출혈은 혈액공급이 양호함을 의미하며, 암적색 출혈은 그렇지 못하다는 것으로 향후 괴사가 발생할 가능성이 높음을 의미한다. 따라서, 피판의 먼쪽 부위부터 시작하여 선홍색 출혈이 보이는 곳까지 피판의 일부를 제거해야 할 수도 있다(주로 zone III-IV). 일반적으로 피판의 zone I-III은 재건에 사용될 수 있다. 몇몇 보고에 따르면, 실제 혈류 감소와 지방괴사는 영역 II에서 더 흔히 나타나는 것으로 보고되고 있으나, 이는 주된 혈관공급의 문제인 것으로 판단된다.

횡복직근 피판을 유방절제부위에 적절히 위치시키고, 남은 유방의 피부를 덮어 절제되어야 할 피부의 범위를 스테이플을 이용한 가봉합으로 가늠한다. 마커펜을 이용하여 대강의 봉합위치를 그려놓고, 스테이플을 제거한 후 횡복직근 피판을 우선 대흉근에 3-4 cm 간격으로 봉합한다. 환자를 앉은 자세로 변경하면 쉽게 양측 유방의 대칭성을 확인할 수 있다.

유두보존 유방전절제술(nipple sparing mastectomy)이나 피부보존 유방전절제술(skin sparing mastectomy)을 시행한 경우라면 횡복직근의 피부는 전부 표피박리(de-epithelialization)하면 되고, 횡복직근의 피부를 이용하여 유방을 재건해야 하는 경우는 앞서 기술한 가봉합술을 이용하여 절제될 피부의 면적을 확인해볼 수 있다. 횡복직근 피판술을 이용한 유방재건이 즉시재건술로 이루어지는 경우는 미용적 결과를 향상시키기 위하여 유방전절제술 과정에서 유방하주름을 보존하여야 하며, 지연재건술(delayed reconstruction) 로 이루어지는 경우에서는 유방하주름을 함께 재건해야한다.

유두-유륜 복합체의 재건술은 횡복직근 피판의 피부를 이용하여 할 수 있는데, 이는 뒤에 기술될 유두-유륜 복합체 재건술 챕터를 참고하면 된다.

폐쇄성 흡인배액관(closed suction drain)을 삽입하고, 흡수사로 피하봉합하여 수술을 완료한다(그림 1-13).

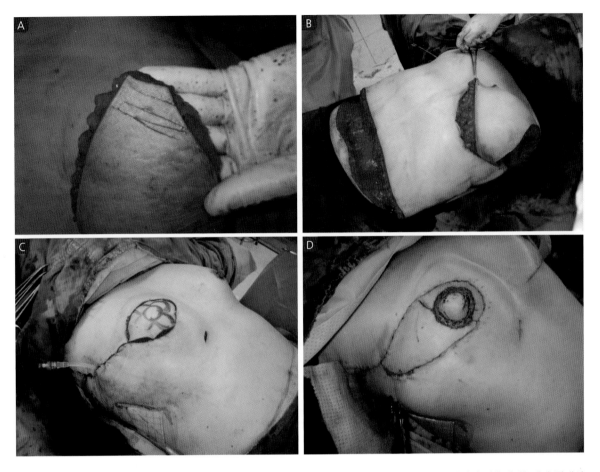

● 그림 1-13. **구득된 횡복직근 피판술을 이용한 유방재건술. (A)** 피판의 혈류공급을 확인하기 위하여 가측에 몇 개의 절개선을 넣어본다. 이 때 출혈이 원활하지 않으면, 해당 구역(zone)의 피판은 제거하여야 한다. **(B)** 유방전절제술 부위에 남은 피부와 구득된 피판을 적절히 배열한다. **(C)** 스테이플러를 이용하여 가봉합하여 남길 피부의 면적을 가늠한다. 즉시 유두-유륜 재건술을 횡복직근 피판의 피부를 이용하여 디자인한 모습. **(D)** 유두-유륜 재건술도 시행이 되었고, 피부도 최종적으로 봉합되었다.

8) 복벽 봉합 및 배꼽 재위치술(abdominal closure and umbilical rearrangement)

　횡복직근 피판의 구득과정에서 절개된 전방 복직근초(anterior rectus sheath)는 반드시 조심스럽고 정확하게 재봉합하여야 복벽탈장의 위험을 줄일 수 있다. 보존된 대부분의 근막은 비교적 강한 비흡수성 봉합사(주로 프롤렌, prolene을 이용한다)를 이용하여 재봉합해야 하는데, 횡복직근 피판의 혈관경을 압박하지 않는 한도까지만 봉합한다.

　복부의 근막이 온전히 잘 보존되었다면, 궁상선(arcuate line)의 하복부만 비흡수성 합성 메쉬(non-absorbable synthetic mesh)를 이용하여 보강하면 된다. 이 부위는 배가로근막(transversalis fascia)과 복막(peritoneum)만 존재하므로 복부탈장(abdominal hernia, laparocele)의 가능성이 높아 반드시 메쉬를 이용하여 보강해주어야 한다(그림 1-14). 이 외에도 근막의 손상이 크거나 결손부위가 있는 경우에는 복벽장력의 강화를 위해 합성 메쉬(synthetic mesh)를 덧댈 수 있다. 메쉬는 비흡수성 봉합사(주로 prolene)를 이용하여 주위 근막 및 근육에 고정한다. 저자들의 경우 복직근초를 닫고 나서 메쉬도 함께 사용하여 복벽을 보강하는 방법을 선호한다.

　새로운 배꼽의 위치가 될 부분을 복부 피부에 표시하고, 폐쇄성 흡인배액관을 삽입한다. 타원형 형태의 위-아래 피부와 피하지방측을 흡수성 봉합사를 이용하여 닫는다. 마지막으로, 앞서 표시된 배꼽 위치의 피부를 절제하고 아래에 있는 배꼽을 끌어올려 정중선에 맞추어 흡수성 봉합사로 피하봉합하여 고정한다. 시간이 흐름에 따라 배꼽은 다소 말려들어가는 경향이 있기 때문에 층층이 단단하게 피하조직과 봉합해야 한다(그림 1-15).

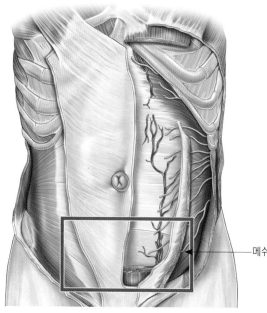

메쉬로 보강해야 할 부분

● 그림 1-14. **하복부 근막 모식도.** 궁상선(arcuate line)의 하방에는 배가로근막(transversalis fascia)과 복막(peritoneum)만 존재하므로 복부탈장(abdominal hernia, laparocele)의 가능성이 높아 반드시 메쉬를 이용하여 복부탈장을 예방해 주어야 한다.

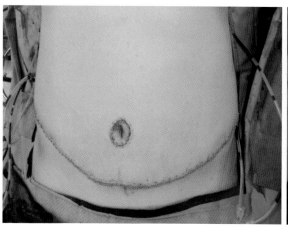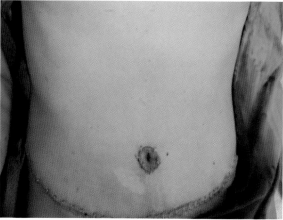

● 그림 1-15. **복부 및 배꼽의 봉합이 종결된 사진.** 배꼽은 시간이 흐름에 따라 다소 무너지는 경향이 있기 때문에 층층이 단단하게 피하조직과 봉합해야 한다.

7. 이중유경 복직근 피판을 이용한 양측 유방재건(bilateral breast reconstruction using double pedicled TRAM flap)

양측 유방절제가 필요하고 환자가 자가조직을 이용한 유방재건을 원하는 경우, 공여부 피부와 피하지방층을 절반으로 나누어 각각 동측의 유방재건을 동시에 수행한다. 수술 방법은 이중 유경 피판을 구득하는 것과 동일하며, 구득 후 피부와 피하지방층을 둘로 분할하여 양측 유방 재건에 사용한다(그림 1-16).

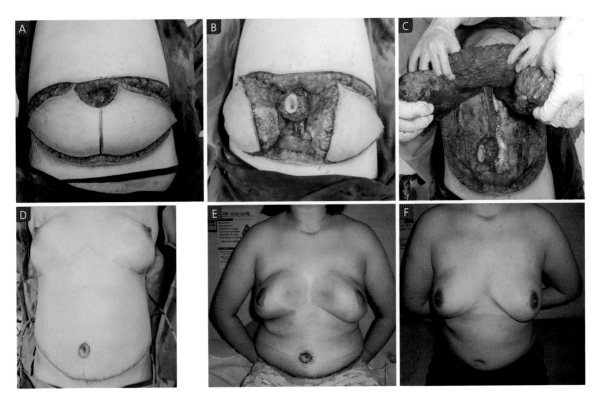

• 그림 1-16. **이중유경 횡복직근 피판술을 이용한 양측 유방재건. (A-C)** 이중유경 복직근 피판술의 수술방법. 각 동측의 유경 피판을 이용하여 유방을 재건하였다. **(D-F)** 수술 후 사진. 시간이 지남에 따라 점차 자연스러운 모양이 형성됨을 알 수 있다.

8. 수술 후 합병증(postoperative complications)

횡복직근 피판술 후 발생할 수 있는 합병증으로는 복벽 탈장, 혈종, 장액종, 감염 및 피판괴사 등이 있으며, 이러한 합병증의 위험을 증가시키는 요인은 이전 복부수술 병력, 비만, 흡연 등이다. 보고된 바에 따르면 복벽 탈장의 발생률은 2-10% 정도이며, 최근에는 합성 메쉬의 사용으로 발생률이 현저히 낮아졌다. 배액관 제거 후 혈종 및 장액종이 발생하는 경우는 매우 드물다. 수술부위 감염도 흔하지 않지만 흡수되지 않은 혈종, 지방 또는 피부괴사에 이차적으로 발생할 수 있다. 예방적 항생제는 필요하지 않으며 감염 발생 시 항생제 사용, 배농 등의 보존적 치료로 해결된다.

복부 피부의 괴사는 가장 긴장이 큰 배꼽 아래 가운데 부분에서 발생하기 쉬우며, 과도한 장력이 걸리지 않도록 복부 피부절개선을 도안하는 것이 중요하다. 횡복직근 피판 구득시 배꼽을 박리하는 과정에서 주위 지방조직을 충분히 포함시키지 않으면 향후 배꼽의 괴사를 초래할 수 있어 주의해야 한다.

횡복직근 피판의 괴사는 수술 후 몇 시간 내에 쉽게 확인되며 이후 24시간에 걸쳐 진행될 수 있다. 괴사 부위의 피부는 초기 푸른색을 띄다 점점 어두워져 결국 검게 변하게 되며, 심부의 지방괴사가 동반되어 있을 수도 있다. 횡복직근 피판의 적은 면적이나 표재부 괴사(superficial necrosis)는 기다려보거나 국소마취하에 절제하고 봉합할 수 있다. 넓은 부위의 심부 괴사(deep necrosis)가 동반된 경우에는 일반적으로 전신마취 하에 괴사 부위를 절제하고 나머지 피판 조직을 이용해 유방 형태를 재건해야 한다.

상기의 처치로 복구 불가능한 상당한 부위의 괴사는 결국 수술적으로 피판을 완전히 제거해야 하며, 이를 방치할 경우 감염이 진행하여 패혈증을 유발할 수도 있으므로 피판의 괴사가 명백히 관찰되면 과감하게 절제하는 것이 유리하다. 만약 절제 후에도 유방의 재건을 원하는 경우라면 대체방법으로 또다른 자가조직 종양성형술인 광배근 피판술을 고려해야 한다. 이미 감염이나 염증이 진행된 유방에는 2차 수술로 보형물 삽입술은 피하는 것이 좋다.

9. 수술 후 관리(postoperative care)

수술 후 1-2일 동안 피판의 괴사 유무를 주의 깊게 관찰해야 한다. 수술 다음날부터 식이, 보행 및 일상적인 활동이 가능하지만, 일반적으로 수술 후 1-2일 동안은 침상안정을 하게 된다. 이후 1-2주 정도는 보행시 복부의 과신전(hyperextension)을 예방하기 위하여 30도 정도 앉은 자세로 생활하도록 환자를 교육한다. 약 2-3개월 후에는 보통의 활동으로 복귀할 수 있다. 배액관은 하루 배액량이 50 mL 이하이면 제거 가능하다.

횡복직근 피판을 이용한 유방 재건술은 자가 조직을 이용함으로써 얻을 수 있는 이점을 가지며, 특히 시간이 지남에 따라 안정된 자연스러운 외관과 미용적으로 만족스러운 결과를 제공한다. 또한, 복부 비만이 있는 여성에서 복부성형술의 이차적인 효과를 얻을 수 있다. 그러나, 종양성형의는 수술 후 합병증을 최소화하기 위하여 해부학과 술기에 대해 충분히 숙지하여야 하고, 이에 합당한 지식을 구비하여야 한다.

✎ 참고 문헌

1. Ascherman, et al. "Abdominal wall morbidity following unilateral and bilateral breast reconstruction with pedicled TRAM flaps: an outcome analysis of 117 consecutive patients". Plast Reconstr Surg 2008;121:1-8.

2. Clough KB, et al. Prospective evaluation of late cosmetic results following breast reconstruction: II. Tram flap reconstruction. Plast Reconstr Surg 2001;107:1710-6.

3. Edsander-Nord, et al. "Donor-site morbidity after pedicled or free TRAM flap surgery: a prospective and objective study". Plast Reconst Surg. 1998;102:1508-16.

4. Hartrampf CR, et al. Breast reconstruction with a transverse abdominal island flap. Plast Reconstr Surg 1982;69:216-25.

5. Jones G. The pedicled TRAM flap in breast reconstruction. Clin Plast Surg 2007;34:83-104.

6. Kim EK, et al. Comparison of fat necrosis between zone II and zone III in pedicled transverse rectus abdominis musculocutane\-ous flaps: a prospective study of 400 consecutive cases. Ann Plast Surg 2007;59:256-9.

7. Miller LB, et al. The superiorly based rectus abdominis flap: predicting and enhancing its blood supply based on an anatomic and clinical study. Plast Reconstr Surg 1988;81:713-24.

8. Petit JY, et al. Abdominal sequelae after pedicled TRAM flap breast reconstruction. Plast Reconstr Surg 1997;99:723–9.

9. Petit JY, et al. Breast reconstruction without implant: experience of 52 cases. Eur J Surg Oncol 1987;13:219–23.

수술 증례(practical pictures)

증례1 유방의 부분절제술 및 단일유경 횡복직근 피판술

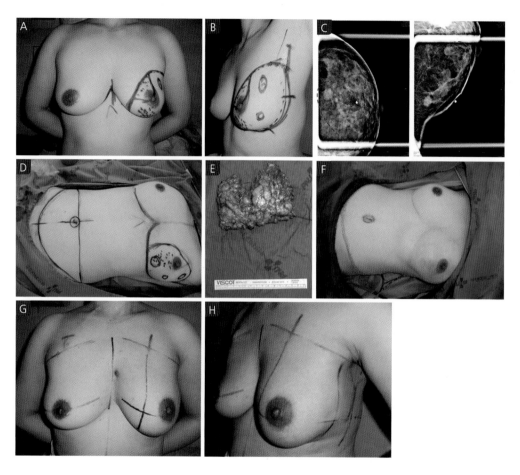

(A, B) 42세 여성, 좌측 유방의 다발성(multicentric) 침윤성 유방암으로 진단된 환자의 수술 전 사진. 종양과 미세석회의 위치 및 절제범위가 표시되어 있다. **(C)** 수술 전 확대 유방촬영술상에 우측 유방의 미만성 미세석회화(diffuse microcalcification) 가 관찰된다(빨간색 점선). **(D)** 부분 유방절제술의 절제 범위와 횡복직근피판 구득을 위한 피부절개선이 표시되어 있다. **(E)** 절제 된 유방조직의 육안 사진. **(F)** 유방재건 및 복벽 봉합이 완료된 직후 사진. **(G, H)** 수술 후 8개월째 항암치료 및 방사선 치료 가 종결된 직후의 사진.

유두보존 유방절제술 및 단일유경 횡복직근 피판술

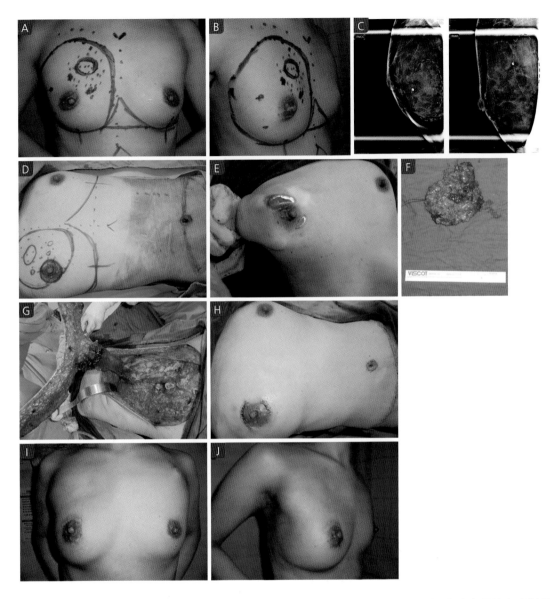

(A, B) 38세 여성, 우측 유방의 다발성(multicentric) 침윤성 유방암으로 진단된 환자의 수술 전 사진. 종양과 미세석회화 위치 및 절제 범위가 표시되어 있다. **(C)** 수술 전 확대 유방촬영술상에 우측 유방의 미만성 미세석회화(diffuse microcalcification)가 관찰된다(빨간색 점선). **(D)** 부분 유방절제술의 절제범위와 횡복직근 피판구득을 위한 피부절개선이 표시되어 있다. **(E)** 유두보존 유방절제술(nipple sparing mastectomy) 후 결손 부위가 관찰된다. 절제를 용이하게 하기 위해 유륜주위 피부절개를 추가로 하였다. **(F)** 절제된 유방조직의 육안 사진. **(G)** 반대측 단일 유경 횡복직근피판을 구득하였다. **(H)** 유방재건 및 복벽봉합이 완료된 직후의 사진. **(I, J)** 수술 후 9개월째 사진.

증례3 재발성 유방암으로 피부감소 유방절제술(skin reducing mastectomy) 및 이중유경 횡복직근 피판술, 유두재
건술 시행

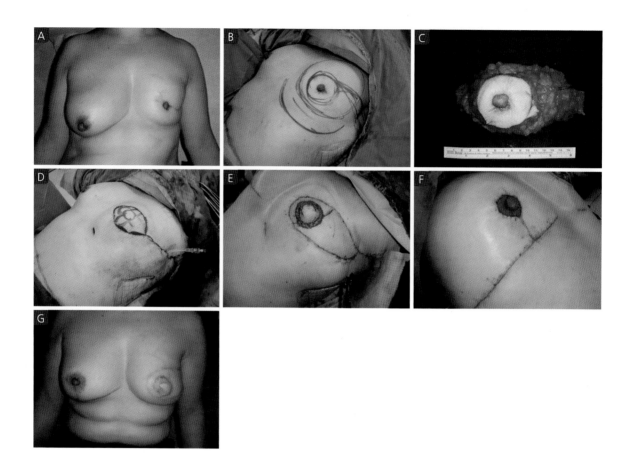

(A) 10년 전 좌측 유방암으로 유방보존술(breast conserving surgery) 받은 여성으로, 좌측 유두를 침범한 유방암이 재발하였
다. **(B)** 유두-유륜을 포함한 피부감소 유방절제술(skin reducing mastectomy)을 위한 도안. **(C)** 절제된 유방조직의 육안 사
진. **(D)** 횡복직근피판을 이용하여 유방의 형태를 복원하고 유두-유륜 재건을 위한 도안을 하였다. **(E)** 유두-유륜 재건이 완성된
사진. **(F)** 재건된 좌측 유방에 비해 우측 유방의 크기가 커서, 우측 유방축소술을 함께 시행하였다. **(G)** 수술 후 20개월째 사진.

증례4   양측 유두보존 유방전절제술 및 이중유경 횡복직근피판을 이용한 양측 유방재건술

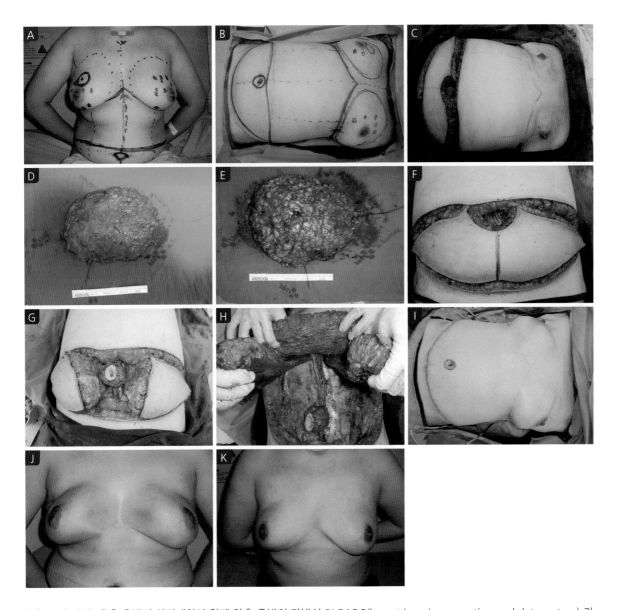

(A) 32세 여성, 우측 유방의 상피내암와 함께 양측 유방의 다발성 BI-RADS(breast imaging reporting and data system) 카테고리4 병변이 동반되어 환자로 양측 전절제술과 자가 조직을 이용한 유방 재건을 원하였다. **(B)** 양측 유방의 절제 범위와 횡복직근 피판구득을 위한 피부절개선이 표시되어 있다. **(C)** 양측 유두보존 유방전절제술이 완료된 후 피판 구득을 위해 복부의 피부를 절개하였다. **(D, E)** 절제된 양측 유방조직 육안 사진. **(F)** 이중 유경 횡복직근 피판구득이 완료되었다. **(G)** 구득된 피판을 양측 유방 재건을 위해 이등분하였다. **(H)** 이등분된 피판이 관찰된다. **(I)** 각각의 피판을 이용하여 양측 유방 재건을 완성하고 복벽을 봉합한 직후의 사진. **(J)** 수술 후 2주째 사진. **(K)** 수술 후 6개월째 사진.

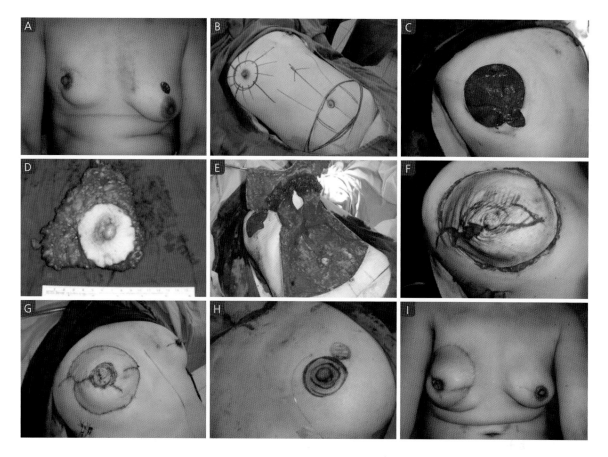

(A) 우측 유방의 국소진행성 유방암(locally advanced breast cancer, cT3N2M0)으로 진단된 여성. 우측 유방의 피부 및 유두함몰(nipple retraction) 소견이 보인다. 좌측 유방의 양성종양이 표시되어 있다. (B) 유방의 절제 범위와 횡복직근 피판구득을 위한 피부절개선이 표시되어 있다. (C) 유방절제 후 사진. 넓은 피부 결손이 관찰된다. (D) 절제된 유방조직 육안 사진. (E) 구득된 이중유경 횡복직근 피판, (F) 피판을 이용하여 유방의 형태를 복원하고, 유두-유륜 재건을 위한 도안을 하였다. (G) 유방재건 및 유두-유륜 재건이 완성된 상태. (H) 좌측 유방의 양성 종양을 절제하고, 유륜을 일부 구득하여 우측 유륜의 이식에 사용하였다. (I) 수술 후 8개월째 사진.

CHAPTER

2

흉복부 피판술

흉복부 피판술(thoraco-abdominal flap, TAF)은 흉복벽 피판술(thoraco-epigastric flap, TEF)의 반사형 피판 (mirror flap)으로서 방향만 반대일뿐 거의 동일한 천공지 혈관을 이용한 수술방법이기 때문에 특별한 다른 기술이 추가로 필요하지는 않다. 흉복벽 피판과 반대 방향인 측면(flank)에 유경(pedicle)을 두고 디자인하면 된다(그림 2-1).

흉복부 피판술은 외복사근을 포함하여 구득하기 때문에 외복사근 피판술(external oblique myocutaneous flap, EOMCF)이라고 불리기도 한다.

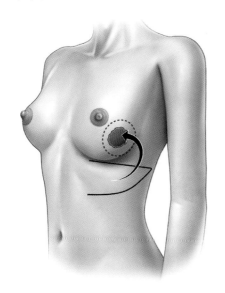
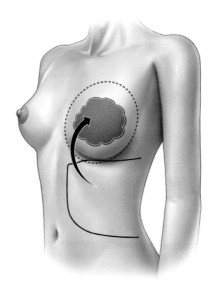

● 그림 2-1. **흉복벽 피판술(thoraco-epigastric flap, 좌)와 흉복부 피판술(thoraco-abdominal flap, 우)의 모식도.** 이 두 피판술은 비슷한 원리를 가지지만, 반사형 피판(mirror flap)으로 각기 다른 재건의 목적을 가진다.

흉복부 피판술은 정면에서 절개선이 크게 남을 수 있어 미용적 측면에서는 적합하지 않다. 따라서 대부분의 경우 넓게 디자인하여 염증성 또는 국소진행성 유방암에서 유방의 피부를 모두 절제해야 하는 경우, 흉부를 덮는 목적으로 이용된다. 회전피판술의 원리를 이용하여 복부의 피판을 넓게 사용할 수 있는 장점이 있다. 생각보다 훨씬 회전반경이 크기 때문에 90도 이상 피판을 회전시킬 수 있고, 상부 유방절개선과 상부 흉복부 피판을 스테이플러로 우선 고정하게 되면 어렵지 않게 흉부를 잘 덮을 수 있다. 피판의 회전반경이 부족한 경우에는 하복부쪽 절개선을 연장하여 회전반경을 늘릴 수 있다.

그러나 피판이 훨씬 넓기 때문에 피부와 피하지방만으로는 혈류를 충분히 공급받기 어려워 외복사근을 같이 구득하는 것이 좋다. 수술 후 피판이나 피부의 괴사를 예방하여야 다음 치료로 빨리 넘어갈 수 있기 때문이다. 외복사근(external oblique muscle)은 횡복직근의 가쪽에 존재하는 복부 근육으로 피판에 붙여서 구득하면 된다. 이 때 복부로부터 올라오는 1-2개의 큰 혈관은 반드시 잘 결찰하여야 수술 후 출혈을 방지할 수 있다.

적응증은 횡복직근 피판술(transversus rectus abdominis myocutaneous flap, TRAM flap)과 비슷하지만. 고령의 환자나 기저질환으로 인하여 수술을 빨리 종결해야 하는 경우 단순히 흉부를 덮어주는 술식방법이라 생각하면 된다. 수술 후 정면에서 보이는 복부의 큰 절개선은 본 수술방법의 단점이기도 하지만, 염증성 유방암의 경우 염증이 동반되고 진물이 나는 등 위생적으로 매우 나빴던 상황에서는 흉부를 깨끗하게 재건함으로써 환자의 삶의 질이 한결 높게 유지될 수 있으며 이를 유지하면서 추가적인 항암 또는 방사선치료를 시행할 수 있게 한다.

1. 적응증

흉복부 피판술은 유경면의 길이에 따라서 유방의 부분절제술 후 재건술의 목적으로 이용할 수도 있고, 피부를 포함한 유방전절제술이 시행된 후 흉벽만 재건하는 목적으로 이용할 수도 있다. 유방의 부분재건술에서 해당되는 유방암의 위치는 주로 하내측에서 하중심부인데, 피판의 회전반경을 크게하면 상내측에도 피판의 이동이 가능하다. 유방의 부분재건을 시행하는 경우는 흉복벽 피판술과 비슷한 형태로 약 6-7 cm정도의 유경면을 측복부(flank)쪽에 디자인하고, 그 외 피판을 구득하는 과정은 흉복벽 피판술과 거의 동일하다. 회전반경이 반대이기 때문에 외측보다는 내측에 발생한 유방의 결손을 채우기에 유리하다. 그러나 부분재건을 위해서는 회전반경이나 혈류의 흐름, 복부 재형성 등을 고려할 때 흉복벽 피판술이 다소 유리하다.

흉복부 피판술은 주로 피부를 포함하여 유방의 전절제술을 시행한 후 흉벽을 재건하는 목적으로 많이 이용되고 있는데, 앞장에서 기술한 횡복직근 피판술을 대신하여 적용할 수 있다. 특히 피부침범이 있는 국소진행성 유방암의 경우 피부를 포함하여 유방을 절제해야 하는데, 절제 후에는 대흉근이 고스란히 드러나기 때문에 이를 덮을 수 있는 넓은 면의 피판이 필요하다. 유방의 형태를 재건하면서 흉벽을 덮을 수 있는 횡복직근 피판술이 가장 먼저 고려되겠지만, 장시간의 수술을 견디기 어렵거나 기저질환으로 인하여 횡복직근의 피판의 생존이 어려울 것으로 판단되는 경우 비교적 짧은 시간 내에 흉벽재건이 가능한 흉복부 피판술을 시행해 볼 수 있다(그림 2-2).

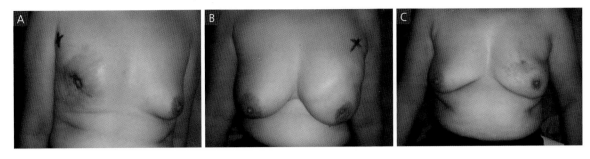

● 그림 2-2. **피부를 포함한 유방전절제술이 필요한 염증성 또는 국소진행성 유방암. (A, B)** 유두를 침범한 넓은 범위의 국소 진행성 유방암. **(C)** 상내측 피부침범을 동반한 염증성 유방암. 이러한 경우 피부가 유방과 함께 절제되므로 피부피판이 필요하므로 횡복직근 피판술을 우선 고려할 수 있지만, 고령이나 기저질환 등으로 인하여 장시간의 수술을 견디기 어려운 경우라면 흉복부 피판술을 이용하여 흉벽을 재건할 수 있다.

2. 수술방법

1) 유방절제술

유방암에 대한 안전절제연이 충분히 확보될 만큼 피부에 절개선을 디자인하고, 액와부림프절 절제술이 추가로 필요하면 절개선을 연장한다. 본 수술이 필요한 경우는 대부분 염증성 유방암 또는 국소진행성 유방암이므로 필요 시 피부의 다양한 방향에서 조직을 채취하여 안전절제연에 대한 동결절편 검사를 진행한다(그림 2-3).

근치적 유방절제술의 방법은 기존의 유방절제술과 동일하다.

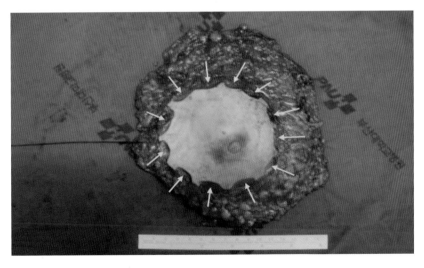

● 그림 2-3. **피부를 포함한 유방전절제술을 통해 절제된 유방.** 총 12방향의 피부에서 동결절편검사가 신행되었고, 모두 음성절제연이 확인되다.

2) 흉복부 피판의 설계

흉복부 피판술은 대개 흉벽의 재건이 목적이므로 흉벽의 결손부위의 가로와 세로의 길이를 대략 측정한다. 결손부위의 가로 길이는 흉복부 피판의 가로폭을 결정하는 데 필요하고 세로 길이는 흉복벽 피판이 회전되었을 때 피판의 끝부분이 결손부위의 가장 상부에 다다를 수 있어야 하며, 피판의 괴사를 예방하기 위하여 약 5 cm정도의 여유를 두고 최상부까지 닿을 수 있도록 면적을 구상한다(그림 2-4).

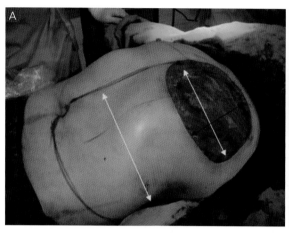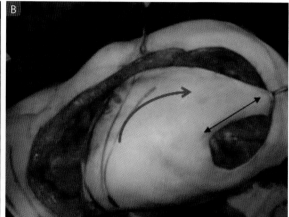

● 그림 2-4. **흉복부 피판의 면적 예측. (A)** 결손부위의 가로폭보다 피판의 가로폭이 넓어야 피판의 장력을 최소할 수 있어 괴사를 예방할 수 있다. **(B)** 피판은 회전되어 봉합되므로 결손부위의 세로폭은 회전된 피판의 끝이 결손부위의 끝에 약 5 cm정도의 여유를 두고 닿을 수 있게 구득하여야 한다.

3) 흉복부 피판의 구득

절개선이 디자인되었으면 복부절개선을 시행하는데, 이 때 배꼽의 손상이 발생하지 않도록 가급적 동측내에서만 피판이 구득될 수 있도록 조심한다.

복부의 내측(medial side)은 횡복직근의 전방을 박리하고, 복부의 가측(lateral side)은 외복사근을 포함하여 피판이 구득될 수 있도록 외복사근의 후방을 박리한다(그림 2-5). 디자인된 절개선의 피부절개를 넣은 직후 피판의 하외측을 먼저 피하절제 시행하게 되면, 외복사근을 쉽게 찾을 수 있다(그림 2-6). 우선 외복사근을 횡절단(transection)하여 후방의 근막(fascia)를 찾고 거기서부터 내측과 상방으로 피판을 구득하면 되는데, 횡복직근이 나타나면 횡복직근은 남기고 전방으로 박리를 진행하면 된다. 피판의 혈류공급을 위해 외복사근은 함께 구득하지만, 횡복직근까지 구득하게 되면 복부탈장의 위험성이 발생하기 때문이다.

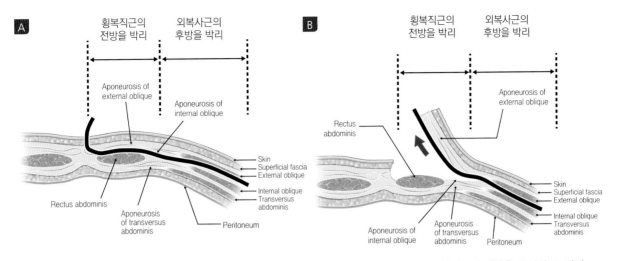

● 그림 2-5. **흉복부(외복사근) 피판의 구득범위 모식도. (A)** 피판의 내측(medial side)는 횡복직근의 전방을 박리하고, 피판의 가측(lateral side)는 외복사근의 후방을 박리한다. **(B, C)** 구득된 피판의 구성.

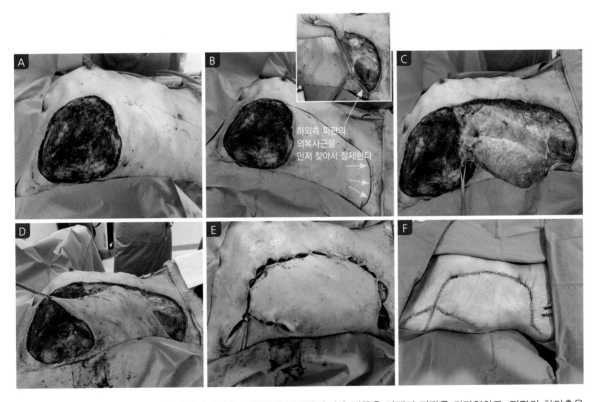

● 그림 2-6. **(A)** 유방암을 충분한 안전절제연을 포함하여 절제한다. **(B)** 배꼽을 피해서 피판을 디자인하고, 피판의 하외측을 먼저 절개하여 외복사근을 찾는다. **(C)** 외복사근을 피판에 붙여서 구득하고, 피판의 1/2 이상이 박리되었으면 회전시켜 흉벽을 충분히 덮을 수 있는지 판단한다. **(D)** 피판을 회전시켜 흉벽이 덮여지는지 가늠하고, 부족한 경우에는 하외측 절개선을 더 연장하여 회전반경을 확보힌다. 여유가 없이 매우 큰 장력이 걸린 채로 봉합하게 되면 1-2일 내로 피부괴사가 발생하므로 조심해야한다. **(E)** 스케이플러를 이용하여 가봉합을 한다. **(F)** 흡수사를 이용하여 봉합하되 장력이 크게 걸리는 부위는 2-0를 이용하여 튼튼하게 봉합한다. 피부는 피하봉합보다는 스테이플러를 이용하면 피부의 혈류가 더 잘 유지된다. 수술 후 2-3일 정도는 환자로 하여금 일자로 눕지 말고 30도 정도 침대를 높여 생활하도록 하여 피부장력을 최소화하면 도움이 된다.

4) 흉복벽 피판의 회전

피판의 3면이 모두 박리되었으면 회전시켜 결손부위를 충분히 덮을 수 있는지 확인한다. 면적의 가늠은 피판의 상내측의 끝을 집게나 모스키토(mosquito)를 이용하여 피판을 회전시켜 보면 된다. 만약 충분히 상부로 피판이 회전되지 않으면, 피판의 하외측 절개선을 연장하여 회전반경을 넓혀 피판의 가동성을 확보한다(그림 2-7A의 원).

5) 피판의 봉합

흉복부 피판이 회전되었으면 스테이플러를 이용하여 가봉합을 시행한다. 피판의 가장자리는 혈류의 공급이 원활하지 않을 가능성이 높으므로 결손부위를 충분히 덮을 수 있다면, 피판의 뾰족한 끝부분은 가급적 절제해버리는 것이 피부괴사를 예방할 수 있는 방법 중 하나이다(그림 2-7A). 피판의 가봉합 후 발생하는 견이(dog ear)는 처리하여 매끈하게 만들어주고, 배꼽이 정중앙에 위치할 수 있도록 필요 시 피판에 구멍을 내어 재봉합한다(그림 2-7B).

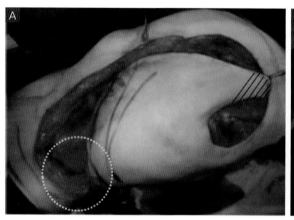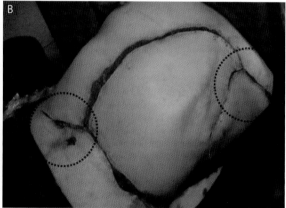

● 그림 2-7. **피판의 봉합과정. (A)** 구득된 피판이 결손부위를 충분히 덮지 못하면 하외측 절개선(노란원)을 연장하여 회전반경을 넓히고, 피부괴사를 예방하기 위하여 피판의 가장자리는 약 3-5 cm정도 잘라낸다(검은 빗금선). **(B)** 피판의 가봉합 후 견이(dog ear)가 발생하면 이를 처리하고, 배꼽의 위치를 다시 잡아준다.

3. 합병증

흉복부 피판은 유경면이 넓어 비교적 혈류가 잘 공급되기 때문에 피판 자체의 괴사는 거의 발생하지 않는다. 그러나, 흉부를 덮는 과정에서 피부가 모자라 장력이 과도하게 발생하면 일부에서 피부의 괴사를 야기하게 된다. 수술 종결시의 피부봉합은 피하봉합술보다는 스테이플러를 이용하면 피부의 혈류가 더 잘 유지된다. 수술 후 2-3일 정도는 환자로 하여금 일자로 눕지 말고 30도 정도 침대를 높여 생활하도록 하여 피부장력을 최소화하면 도움이 된다.

피부괴사가 발생하게 되면 다른 부위의 피부를 이식하는 것도 좋은 방법이지만, 대부분의 환자에서 추가적인 항암치료나 방사선치료가 빠른 시간 내에 시작되어야 하므로 시간이 조금 걸리더라도 보존적 치료(conservative treatment)만 시행하는 것이 나을 수도 있다.

✎ 참고 문헌

1. Das DK, et al. "Thoraco-Abdominal Flap"- A Simple Flap for Skin and Soft Tissue Cover Following Radical Surgery for Lo\-cally Advance Breast Cancer-The Malaysian Experience. International Journal of Collaborative Research on Internal Medicine & Public Health 2013;5:398-406.

2. Deo SVS, et al. Myocutaneous versus thoraco-abdominal flap cover for soft tissue defects following surgery for locally advanced and recurrent breast cancer. Journal of surgical oncology 2003;83:31-5.

3. Deo SVS, et al. Thoracoabdominal Flap: a Simple Flap for Covering Large Post-mastectomy Soft Tissue Defects in Locally Ad\-vanced Breast Cancer. Indian J Surg Oncol 2019 Sep;10(3):494-8.

4. Lee J, et al. External Oblique Myocutaneous Flap for Reconstruction of Large Chest-Wall Defects following Resection of Ad\-vanced Breast Cancer. Annals of Surgical Treatment and Research 2008;75:368-74.

5. Min K, et al. Single vertical incision thoracoabdominal flap for chest wall reconstruction following mastectomy of locally ad\-vanced breast cancer. Annals of Surgical Treatment and Research 2019;97:168-75.

6. Park JS, et al. Using Local Flaps in a Chest Wall Reconstruction after Mastectomy for Locally Advanced Breast Cancer. Arch Plast Surg 2015;42(3):288-94.

7. Persichetti P, et al. Chest wall reconstruction with the perforator-plus thoracoabdominal f lap. Plast Reconstr Surg 2012 ;130(3):488e-9e.

8. Persichetti P, et al. Extended cutaneous 'thoracoabdominal' flap for large chest wall reconstruction. Ann Plast Surg 2006 ;57(2):177-83.

9. Sakamoto A, et al. Thoracoabdominal flap reconstruction after resection of superficial soft-tissue sarcomas in the chest wall. J Surg Case Rep 2021 29;2021(1):rjaa571.

CHAPTER

3

보형물을 이용한 즉각 유방재건술

유방하수(ptosis) 중등도 이상의 유방은 반대편과 대칭을 만들 수 있는 적절한 피판기반 유방재건술이 적합하다. 그러나 유방하수가 심하지 않거나 장시간의 수술을 견디기 어려운 경우, 또는 환자가 원하는 경우 보형물을 이용한 유방재건술이 가능하다. 보형물만으로도 유방재건이 가능하지만, 광배근피판술을 이용한 유방재건술 후 부족한 볼륨을 작은 보형물로 채울 수도 있다.

1. 보형물의 종류

1) 세대별 보형물(generation of breast implant)

실리콘을 이용한 유방보형물은 1963년 다우코닝 사에 의하여 개발되었고, 이는 1세대 유방보형물로 일컬어진다. 보형물은 무형의 실리카(amorphous silica)로 채워진 "고무(gum)" 재질의 피막(shell) 제품이었는데, 보형물의 겔(gel)은 백금경화(platinum cured)된 재질로 이용되었다. 단단한 껍질로 파열율은 낮았지만, 구형구축으로 인한 합병증이 심했고 비교적 겔 누출의 빈도가 높은 것으로 보고되었다.

이후 다우코닝 사는 1960년대 후반부터 새로운 형태의 2세대 실리콘 보형물을 제작하였고, 전 세계 보형물의 88%를 차지할 정도로 인기가 높았다. 겔이 중앙에 쏠리는 것을 방지하기 위해서 보형물 내부에는 중격(septum) 형태로 구성되어 있었고, 현재에도 이러한 원리는 지속되고 있다. 2세대 보형물은 비교적 얇은 피막으로 감촉을 보다 자연스럽게 만들어주었고, 파열되거나 수축되는 빈도는 훨씬 낮아졌다. 1972년 더 부드러운 겔을 이용하고, 더 얇은 탄성중합체(elastomeric) 피막을 이용하였다. 전 세계 110,000명 이상의 여성이 이러한 보형물을 삽입하였으며, 보형물의 폴리우레탄(poylurethan) 코팅은 염증반응을 일으켜 구형구축의 빈도를 낮추는 것으로 알려졌다. 또한 2세대 보형물은 이중내강(double lumen) 및 이중피막(double capsule)으로 만들어졌는데, 안쪽 내강에는 겔이, 바깥쪽 내강에는 식염수를 넣어 겔이 누출되는 것으로 방지하고자 하였으나 실제 효과는 없었던 것으로 밝혀졌다. 누출된 겔은 흉곽이나 주변 조직으로 스며들면서 피부괴사와 이차감염을 발생시켰고, 1992년 미국 식품의약국(food and drug administration, FDA)과 캐나다 보건국(health canada)은 실리콘 보형물에 대한 모라토리움(moratorium)을 선언함으로써 더 이상 실리콘 보형물은 사용할 수 없게 되었다.

3세대 보형물은 이를 보완하여 피막은 더욱 단단하게, 겔은 누출되더라도 주변조직으로 쉽게 스며들어가지 않도록 점액성이 강한 것으로 대체되어 생산되었다. 다시 한번 실리콘 보형물은 FDA 승인을 받았으며, 이후 보형물의 이용은 다시 활성화되었다. 이후 여러 보완된 보형물들이 차례대로 개발되었으며, 모양 또한 해부학적 유방모양을 유사하게 구현한 물방울(teardrop) 형태로 발전하게 되었다(표 3-1).

오늘날 사용되는 임플란트의 대부분은 실리콘 겔로 채워진 단일내강(single lumen) 형태로 피막(shell)은 탄성중합체 엘라스토머 실리콘 고무로 만들어지며, 실리콘 겔이 누출(bleeding, leakage)하는 것을 방지하도록 플루오로실리콘 또는 보완된 엘라스토머 층으로 된 내부차단 코팅이 있다. 텍스처(textured) 타입의 보형물은 까끌까끌한 질감의 표면을 가지는데, 보형물 강(cavity)의 조직이 이러한 표면으로 자라나와 염증반응을 일으키게 된다. 이러한 염증반응은 궁극적으로 구형 구축을 유발하는 섬유 조직의 발달을 지연시키는 것으로 알려져 있다. 최근 6세대 보형물로 알려진 마이크로텍스처(microtextured) 타입의 보형물은 더욱 그 기능이 강화되었다.

표 3-1. 보형물의 발전사

세대	특징
1세대 (1962-70)	스무스(smooth) 타입 두꺼운 이중 피막 점액성이 강한 실리콘 겔 물방울(teardrop) 모양 보형물 존재함.
2세대 (1970-82)	텍스처(textured) 타입 Dacron 입지지 않은 부드러운 피막형 원형(round shape) 보형물 점액성이 낮은 액상 실리콘 겔
3세대 (1982-92)	외피와 내부겔의 안전성을 보완한 스무스 보형물 부드러운 표면 원형 보형물 점액성이 강한 실리콘 겔
4세대 (1987-현재)	3세대 보형물에 텍스처 구조를 입힌 보형물 피막은 더욱 두꺼워짐 원형, 물방울 모양 모두 생산됨. 흐트러지지 않는 코헤시브(cohesive) 실리콘 겔 대표사: Allegan, Mentor

세대	특징
5세대 (1993-현재)	코헤시브 겔 타입 물방울 모양 보형물 피막은 더 단단해지고, 겔 누출(bleeding)이 적음. 원형, 물방울 모양 모두 생산됨. 보완된 코헤시브(cohesive) 실리콘 겔 대표사: Allergan, Mentor, Silimed, Polytech, Eurosilicon, Sebbin
6세대 (2010-현재)	마이크로텍스처(microtextured) 타입 보형물 신형 스무스타입 보형물 대표사: Motiva, BellaGel

2) 보형물의 구성물질

① 실리콘

초기 유방의 성형이나 재건수술에 이용된 보형물은 다우코닝 사의 액상형 실리콘 재질의 보형물로 둥근 모양으로 피막 안에 실리콘을 채워넣은 제품이었다. 그러나 피막이 충분히 두껍지 못하였고, 피막이 터지는 경우 실리콘이 액상형이었기 때문에 유방 주변조직 또는 흉곽내부로 흘러들어가거나 피부괴사를 일으키는 등 치명적인 합병증이 많이 발생하는 것이 확인되어 1992년 전면 생산금지 되었다. 모라토리움 이후 생산된 실리콘은 훨씬 점액성이 강하였고, 피막이 찢어지더라도 겔이 흐르거나 흡수되지 않고 그 위치에 그대로 있도록 보완되었다. 이후 코헤시브 겔(cohesive gel) 형태로 발전된 실리콘은 반고형물질로 흐름이 전혀 없지만, 촉감이나 형태면에서 여러모로 훨씬 보강된 보형물을 만들 수 있게 하였다.

② 생리식염수

실리콘 보형물의 모라토리움 사태 이후 유방보형물은 생리식염수를 넣어 이용하는 제품을 주로 사용하였다. 국내에서는 주로 Mentor사 제품이 이용되었는데, 비어있는 보형물에 생리식염수를 주입할 선을 연결하고 위치를 잡는다. 선은 비교적 가늘고 길기 때문에 보형물 주변 조직을 모두 봉합하여도 충분히 밖으로 연결 가능하다.

보형물이 부풀어진 후에 바늘로 봉합을 하는 것은 보형물 손상을 야기할 수 있어 반드시 봉합을 종결한 후 식염수를 넣어 부피를 조절하는 것이 좋다. 식염수는 최대 부피까지 원하는 만큼 넣을 수 있어 부피조절에 좋지만, 촉감이 실리콘만큼 자연스럽지는 않아서 대부분 광배근 아래 부피를 보충하는 정도로 사용되곤 했다. 최근에는 실리콘 제품들이 워낙 잘 개발되어 있어 잘 이용되지 않는다.

2. 보형물의 모양

1) 보형물의 형태(그림 3-1)

① 원형(round shape): 기본적으로는 둥근 형태의 보형물이 제작이 쉽기 때문에 가장 많이 생산된다. 그러나, 해부학적인 구조와 중력을 고려해볼 때 기립자세에서 한쪽 가슴은 보형물로 인하여 봉긋하게 솟아 있고, 반대편 가슴은

중력과 노화에 의해 자연스럽게 처져있다면 비대칭이 발생하게 된다.

② 물방울(teardrop) 모양: 해부학적 유방의 형태를 잘 나타내기 때문에 해부학적 겔(anatomical gel)이라고 불리기도 하며, 최근 가장 선호되는 형태이다. 보형물을 넣을 때 상하, 좌우가 바뀌지 않도록 조심해야 한다.

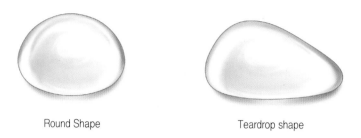

Round Shape   Teardrop shape

● 그림 3-1. **보형물의 모양에 따른 분류.**

2) 보형물의 단면도(profile)

보형물은 형태에 따라 높이(height), 넓이(width), 융기(projection)가 다르게 제작되므로 환자의 체형에 맞추어 선택하면 된다. 보형물을 바로 놓았을 때 세로 길이는 높이가 되고, 가로 길이는 넓이가 되며, 앞으로 돌출된 길이는 융기(projection)으로 표현한다(그림 3-2). 이 융기정도에 따라서 저단면(low profile)에서 고단면(high profile)로 나뉜다(그림 3-3).

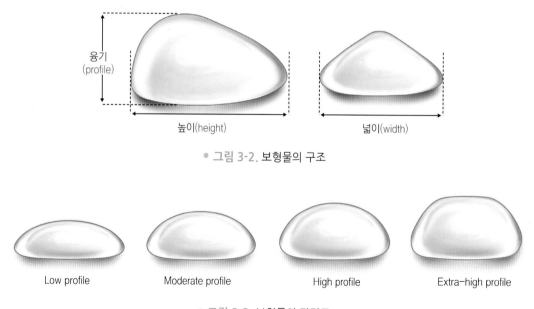

융기
(profile)

높이(height)   넓이(width)

● 그림 3-2. **보형물의 구조**

Low profile   Moderate profile   High profile   Extra-high profile

● 그림 3-3. **보형물의 단면도**

각 보형물의 구조는 회사마다 조금씩 다르게 제작되기 때문에 사용하고자 하는 보형물 회사의 전체 단면도 정보를 입수하여 확인하고 사용하는 것이 좋다(그림 3-4).

Natrelle® 410
ANATOMICAL GEL IMPLANTS

STYLE FF FULL HEIGHT/FULL PROJECTION

Catalog Number	Volume (cc)	Width (cm)	Height (cm)	Projection (cm)	Re-sterilizable Sizer
FF-410185	185	10.0	10.5	4.0	MSZFF185
FF-410220	220	10.5	11.0	4.2	MSZFF220
FF-410255	255	11.0	11.5	4.4	MSZFF255
FF-410290	290	11.5	12.0	4.6	MSZFF290
FF-410335	335	12.0	12.5	4.8	MSZFF335
FF-410375	375	12.5	13.0	5.1	MSZFF375
FF-410425	425	13.0	13.5	5.2	MSZFF425
FF-410475	475	13.5	14.0	5.3	MSZFF475
FF-410535	535	14.0	14.5	5.6	MSZFF535
FF-410595	595	14.5	15.0	5.8	MSZFF595
FF-410655	655	15.0	15.5	6.1	MSZFF655
FF-410740	740	15.5	16.0	6.2	MSZFF740

STYLE MF MODERATE HEIGHT/FULL PROJECTION

Catalog Number	Volume (cc)	Width (cm)	Height (cm)	Projection (cm)	Re-sterilizable Sizer
MF-410140	140	9.5	8.6	3.7	MSZMF140
MF-410165	165	10.0	9.1	4.0	MSZMF165
MF-410195	195	10.5	9.6	4.2	MSZMF195
MF-410225	225	11.0	10.1	4.4	MSZMF225
MF-410255	255	11.5	10.6	4.6	MSZMF255
MF-410295	295	12.0	11.1	4.8	MSZMF295
MF-410335	335	12.5	11.6	5.1	MSZMF335
MF-410375	375	13.0	12.1	5.2	MSZMF375
MF-410420	420	13.5	12.5	5.3	MSZMF420
MF-410470	470	14.0	12.9	5.6	MSZMF470
MF-410525	525	14.5	13.2	5.8	MSZMF525
MF-410580	580	15.0	13.6	6.1	MSZMF580
MF-410640	640	15.5	13.9	6.2	MSZMF640

STYLE LF LOW HEIGHT/FULL PROJECTION

Catalog Number	Volume (cc)	Width (cm)	Height (cm)	Projection (cm)	Re-sterilizable Sizer
LF-410125	125	9.5	7.6	3.7	MSZLF125
LF-410150	150	10.0	8.1	4.0	MSZLF150
LF-410175	175	10.5	8.6	4.2	MSZLF175
LF-410205	205	11.0	9.1	4.4	MSZLF205
LF-410240	240	11.5	9.6	4.6	MSZLF240
LF-410270	270	12.0	10.1	4.8	MSZLF270
LF-410310	310	12.5	10.5	5.1	MSZLF310
LF-410390	390	13.5	11.4	5.3	MSZLF390
LF-410440	440	14.0	11.8	5.6	MSZLF440
LF-410490	490	14.5	12.2	5.8	MSZLF490
LF-410540	540	15.0	12.6	6.1	MSZLF540
LF-410595	595	15.5	13.0	6.2	MSZLF595

Natrelle® 410
ANATOMICAL GEL IMPLANTS

STYLE FM FULL HEIGHT/MODERATE PROJECTION

Catalog Number	Volume (cc)	Width (cm)	Height (cm)	Projection (cm)	Re-sterilizable Sizer
FM-410205	205	10.5	11.0	3.8	MSZFM205
FM-410235	235	11.0	11.5	4.0	MSZFM235
FM-410270	270	11.5	12.0	4.2	MSZFM270
FM-410310	310	12.0	12.5	4.4	MSZFM310
FM-410350	350	12.5	13.0	4.6	MSZFM350
FM-410395	395	13.0	13.5	4.8	MSZFM395
FM-410440	440	13.5	14.0	5.0	MSZFM440
FM-410500	500	14.0	14.5	5.2	MSZFM500
FM-410550	550	14.5	15.0	5.4	MSZFM550
FM-410605	605	15.0	15.5	5.5	MSZFM605
FM-410670	670	15.5	16.0	5.6	MSZFM670

STYLE MM MODERATE HEIGHT/MODERATE PROJECTION

Catalog Number	Volume (cc)	Width (cm)	Height (cm)	Projection (cm)	Re-sterilizable Sizer
MM-410160	160	10.0	9.1	3.6	MSZMM160
MM-410185	185	10.5	9.6	3.8	MSZMM185
MM-410215	215	11.0	10.1	4.0	MSZMM215
MM-410245	245	11.5	10.6	4.2	MSZMM245
MM-410280	280	12.0	11.1	4.4	MSZMM280
MM-410320	320	12.5	11.6	4.6	MSZMM320
MM-410360	360	13.0	12.1	4.8	MSZMM360
MM-410400	400	13.5	12.5	5.0	MSZMM400
MM-410450	450	14.0	12.9	5.2	MSZMM450

STYLE LM LOW HEIGHT/MODERATE PROJECTION

Catalog Number	Volume (cc)	Width (cm)	Height (cm)	Projection (cm)	Re-sterilizable Sizer
LM-410140	140	10.0	8.1	3.6	MSZLM140
LM-410190	190	11.0	9.1	4.0	MSZLM190
LM-410220	220	11.5	9.6	4.2	MSZLM220
LM-410250	250	12.0	10.1	4.4	MSZLM250
LM-410320	320	13.0	10.9	4.8	MSZLM320

● 그림 3-4. Allergan사 Natrelle® 410, 물방울 형태(anatomical, teardrop gel) 보형물의 단면도(profile) 예시.
(출처: Allergan사 홈페이지)

3. 수술방법

보형물을 이용한 즉시 유방재건술은 덮을 수 있는 피부가 있을 때만 가능하기 때문에 대부분 유두보존 유방전절제술(nipple sparing mastectomy) 또는 피부보존 유방전절제술(skin sparing mastectomy)을 시행한 후 적용 가능하다.

광배근이나 횡복직근 피판과 동시에 유방보형물 삽입술을 시행하는 경우는 수술방법은 동일하면서 보형물의 크기만 조절하면 되므로 여기서는 추가적인 피판술식 없이 시행하는 대흉근내 보형물 삽입술에 관한 수술방법을 소개하겠다.

1) 유두보존 또는 피부보존 유방전절제술

유방전절제술과 동일한 범위를 절제하지만, 유두보존 유방전절제술은 유두-유륜 복합체와 피부를 보존하며 피부보존 유방전절제술은 유두 또는 유두-유륜 복합체를 절제하고 피부만 보존하는 방법이다.

술자의 선호도에 따라 피하박리(subcutaneous dissection)는 팽창액(tumescent solution)을 이용한 수력분리술(hydrodissection) 또는 전기소작술(electrocauterization)로 시행된다. 전체적인 수술방법은 section I의 3장을 참조하면 된다.

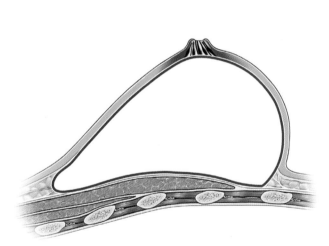
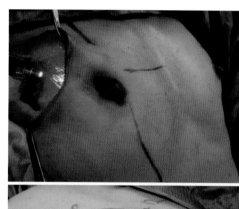
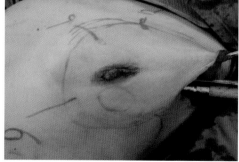

● 그림 3-5. 유두보존 유방전절제술 후 모습.

2) 대흉근 박리술(dissection of Pectoralis major muscle)

유방전절제술이 종결된 후 먼저 유방의 내강을 따뜻한 생리식염수로 충분히 세척하여 이물질을 제거하고, 출혈이 발생하는 부위를 확인하고 처리한다.

이후 대흉근과 소흉근을 박리하는데, 전기소작기를 이용해도 되지만 보형물 주위에 발생한 출혈은 감염이나 형태의 변형을 야기하므로 에너지 기구(energy device)를 이용하면 더 좋다. 또한 가쪽에서 안쪽까지 박리해야 하기 때문에 비교적 길이가 긴 에너지 기구를 이용하면 접근이 더 용이하다. 특히 소흉근에서 대흉근으로 올라오는 혈관분지들은 공간이 좁아 결찰이 어려우므로 에너지 기구를 이용하여 확실하게 지혈하고 절제하여야 한다.

대흉근의 상측과 내측은 흉벽에 그대로 붙여두고 아래쪽은 대흉근을 흉벽으로부터 잘라주어야 보형물이 들어갈 포켓이 형성가능하다. 이후 보형물을 감싸지 못하는 부분은 무세포 진피조직(acellular dermal matrix, ADM)을 이용해서 덮어준다.

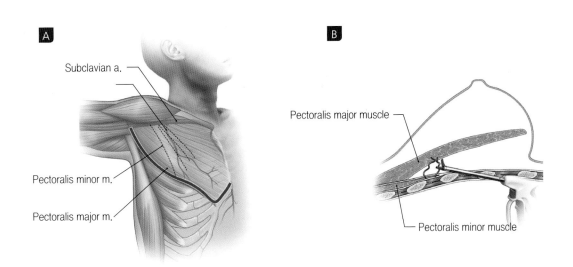

● 그림 3-6. **보형물 삽입을 위한 포켓형성방법. (A)** 보형물이 삽입될 포켓(pocket)은 가측과 하부가 오픈되는 형태로 만들어지는데, 대흉근의 가쪽부터 하부경계를 따라(검은선) 박리하면 된다. 보형물이 근육에 의해 덮이지 못하고 노출되는 부위는 무세포 진피조직(acellular dermal matrix, ADM)을 이용하여 덮어준다. **(B)** 대흉근의 박리는 전기소작기를 이용해도 되지만, 20 cm이상의 긴 에너저 기구를 이용하면 보다 쉽고 안전하게 박리가 가능하다. 특히 시야가 깊어 확인이 어려운 혈관은 굳이 결찰하지 않더라도 에너지 기구를 이용하여 소작이 가능하다.

3) 무세포 진피조직의 처리

무세포 진피조직(ADM)은 사용된 진피종류에 따라서 처리, 가공과정도 다르고, 감염율과 두께도 다르다. 그러나 최근 대부분의 무세포 진피조직은 가공이 잘 되어 나오고 감염율도 높지 않아 어떤 것을 사용해도 무난하다.

무세포 진피조직은 넓게 사용하면 미용적 만족도가 매우 높지만, 현재까지는 비싼 편이라 면적이 1 cm^2 늘어날 때마다 가격차이가 어마어마하다. 그래서 작은 면적의 진피조직을 늘리는 방법이 많이 이용된다. 제품을 개봉하면 주변에 처리된 약물들을 씻어내기 위하여 우선 생리식염수에 담그고, 충분히 세척한다. 11번 메스(blade)를 이용하여 진피 내부에 5 mm 크기과 간격의 틈(slit)을 촘촘히 내어주는데, 이는 진피 내부의 체액이 밖으로 잘 빠져나올 수 있게 하는 역할과 동시에 무세포 진피조직의 면적을 넓혀주는 역할도 한다. 이후 베타딘 용액와 생리식염수 용액으로 번갈아가며 적어도 3회 이상 깨끗하게 문질러서 세척한다(그림 3-7).

● 그림 3-7. **무세포 진피조직의 처리과정.** 11번 블레이드를 이용해서 5 mm 크기와 간격의 틈을 촘촘하게 만들어주면, 덮을 수 있는 면적이 훨씬 넓어질 뿐만 아니라 체액이 바깥으로 빠져나올 수 있어 감염율을 줄일 수 있다.

4) 무세포 진피조직의 봉합

보형물을 대흉근 아래 위치시키면 가측과 하부는 덮을 조직이 없는 것을 확인할 수 있다. 근육이 덮지 못하는 보형물의 면적을 가늠하여 진피조직을 근육에 위치시키고 봉합하면 되는데, 이 때 진피조직이 흉벽에 붙는 부위를 먼저 흡수성 다섬유 봉합사(absorbable multifilament suture)를 이용하여 봉합해준다. 다섬유 봉합사를 이용하면 실이 잘 풀어지지 않아 단단히 봉합할 수 있다.

무세포 진피조직은 흉벽에 먼저 고정시켜주고 보형물을 넣은 후 진피조직과 대흉근을 봉합하는 순서로 진행하는 것이 좋은데, 이는 보형물이 삽입된 상태에서 봉합을 할 때 잘 보이는 부분을 마지막으로 봉합하여야 보형물의 손상을 방지할 수 있기 때문이다. 또한 유방의 모양을 잡기에도 이러한 순서가 조금더 용이하다.

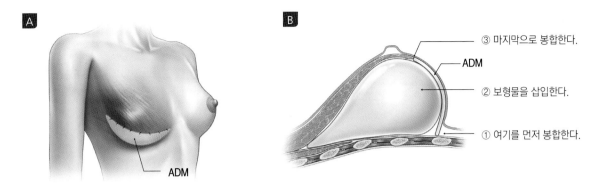

③ 마지막으로 봉합한다.

ADM

② 보형물을 삽입한다.

① 여기를 먼저 봉합한다.

● 그림 3-8. **무세포 진피조직의 봉합과정. (A)** 대흉근이 덮지 못하는 하외측을 주로 무세포 진피조직(ADM)으로 덮게 된다. **(B)** 무세포 진피조직을 우선 흉벽에 고정하고, 보형물을 삽입한 후 대흉근과 무세포 진피조직을 전방에서 봉합하면 보형물의 손상없이 손쉽게 봉합이 가능하다.

진피조직의 면적이 충분하지 못하다면, 보형물의 가쪽은 전방거근(serratus anterior muscle)을 박리하여 커버할 수 도 있다.

대흉근(pectoralis major muscle)

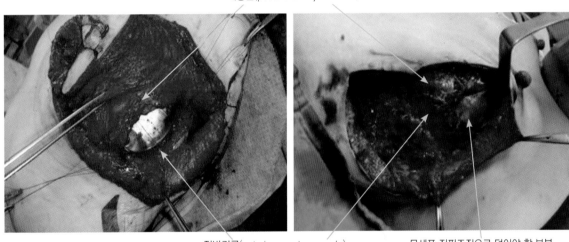

전방거근(anterior serratus muscle)

무세포 진피조직으로 덮어야 할 부분

● 그림 3-9. **보형물 주변의 근육. (A)** 보형물은 대흉근의 가쪽을 따라 소흉근과 대흉근 사이를 박리하여 공간을 만들어 위치 시킨다. 보형물은 가측은 무세포 진피조직을 이용해도 되지만, 면적을 조금더 줄이기 위해 전방거근을 박리하여 대흉근과 연결 하여 공간을 형성하기도 한다. **(B)** 전방거근을 이용하여 보형물의 가측을 덮은 모습. 하부만 무세포 진피조직을 이용하여 덮어 주면 되므로 필요한 면적이 훨씬 줄어든다.

4. 수술증례

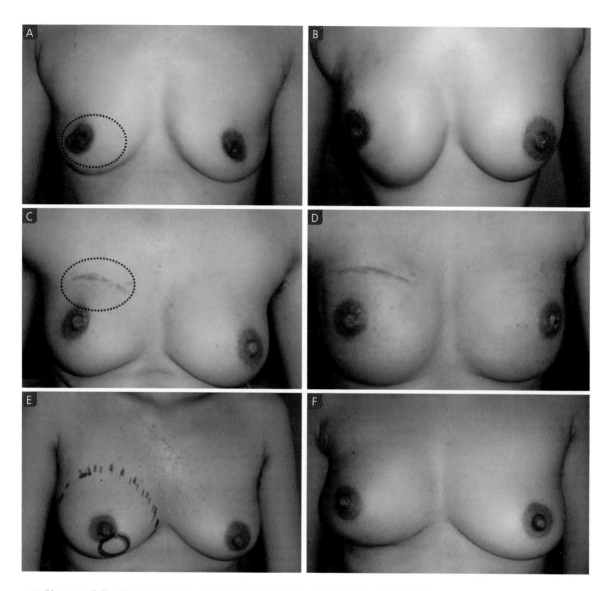

● 그림 3-10. **유두보존 유방전절제술 후 보형물을 이용한 즉시 유방재건술을 시행한 증례. (A, C, E)** 수술 전 사진. 유방암의 위치와 범위가 표시되어 있다. **(B, D, F)** 수술 후 사진. 비교적 양쪽 유방의 대칭이 잘 유지되고 있으며, 수술 전에 비하여 유방이 조금 리프팅된 느낌이다.

5. 합병증

1) 보형물 주위 장액종(seroma)

　장액종은 보형물을 이용한 유방재건술 이후 가장 흔히 발생하는 합병증이다. 환자가 보형물 주변으로 조금 부푼 느낌이나 뻐근한 증상을 호소한다면 장액종이 발생했을 가능성이 높다.

초음파에서 보면 보형물의 피막 바깥쪽에 무에코성 병변으로 나타나는데, 이 부위를 타겟으로 흡인하면 장액이 확인된다(그림 3-11). 피막의 크기와 보형물의 크기가 정확히 일치하지 않아 발생하는 합병증이므로 시간이 지나면서 일부 구축이 일어나 장액이 더 이상 발생하지 않는 시기가 온다. 환자에게 안심시켜 주면서 꾸준하게 흡인하는 것이 필요하다.

보형물의 피막(capsule)

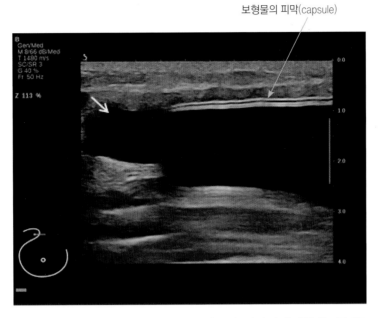

● 그림 3-11. 보형물 주위 장액종의 초음파 소견. 피막 밖에 관찰되는 무에코성 병변(흰 화살표)이 장액종이다.

흡인을 할 때 일반 주사기의 바늘은 뾰족해서 보형물 손상을 일으킬 수 있으므로 끝이 덜 뾰족한 척추천자바늘(spinal needle)이나 정맥 카테터(IV catheter)를 위치시키고 내부의 바늘을 제거하고 플라스틱 피막(plastic sheath)만 거치하여 흡인해 낼 수 있다(그림 3-12).

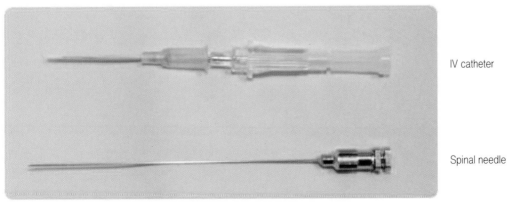

IV catheter

Spinal needle

● 그림 3-12. **정맥카테터와 척수천자바늘.** 정맥카테터는 내부의 바늘을 제거하고 플라스틱 피막만 남기고 흡인하면 안전하며, 척수천자바늘은 끝이 많이 뾰족하지 않아 비교적 안전하게 사용할 수 있다.

155

2) 보형물 주위 감염

보형물 주위 감염은 장액종이 오랫동안 방치되어 염증이 발생하였거나 보형물을 덮은 무세포 진피조직에서 감염이 발생하는 것이 대부분이다. 앞서 기술한대로 50 cc 이상의 장액종은 지속적으로 흡인해서 제거해 주어야 염증이나 감염으로 진행하는 것을 방지할 수 있으며, 무세포 진피조직은 항생제를 사용하여 염증을 가라앉혀주어야 한다. 특히 무세포 진피조직은 보형물이 맞닿아있는 부위이기 때문에 염증이나 감염이 적절히 치료되지 않으면 보형물을 제거해야 할 수도 있어 주의를 요한다.

3) 보형물 관련 역형성 대세포 림프종(breast implant-associated anaplastic large cell lymphoma, BIA-ALCL)

림프종 관련 합병증은 이전부터 간헐적으로 보고되어 왔지만, 국내에서는 2019년 처음 보고되면서 경각심을 불러일으켰다. 실제 유방보형물 관련 역형성 대세포 림프종(breast implant-associated anaplastic large cell lymphoma, BIA-ALCL)은 발생빈도가 매우 낮은 것으로 보고되고 있지만, 일반적인 림프종과는 달리 고형장기암과 비슷한 경과를 보이는 것으로 알려져 있다. 초기에는 보형물강 내에 결절의 형태로 국한되어 있지만, 진행될수록 국소림프절 및 전신전이도 일으키는 것으로 알려져 있어 초기에 발견하지 못하면 수술과 항암치료까지 필요할 수 있다. 그러나 초기에 발견하면 해당부위를 절제하는 것으로도 충분히 완치를 기대할 수 있다.

수술시기가 한참 지났음에도 불구하고 지속적이고 난치성 경과를 보이는 장액종이 발생하는 경우, 초음파상에서 보형물 강 내에 결절의 형태가 보이는 경우 장액종에 대한 세포검사나 결절에 대한 조직검사로 진단이 가능하다. 역형성 대세포 림프종은 Ki-1(CD30)의 양성과 Anaplastic Lymphoma Kinase (ALK) 음성이 전형적인 면역화학염색 소견이며, 약 40-80%에서 Epithelial Membrane Antigen (EMA)가 양성으로 발현되는 것으로 알려져 있다.

✎ 참고 문헌

1. Chu CK, et al. Implant Reconstruction in Nipple Sparing Mastectomy. Semin Plast Surg 2019;33:247-57.

2. Gardani M, et al. Breast reconstruction with anatomical implants: A review of indications and techniques based on current liter\-ature. Ann Med Surg (Lond) 2017;21:96-104.

3. JoAnna Nguyen T, et al. Use of human acellular dermal matrix in implant- based breast reconstruction: evaluating the evidence. J Plast Reconstr Aesthet Surg 2011;64:1553-61.

4. Lee J, et al. Comparison between ultrasound-guided aspiration performed using an intravenous cannula or a conventional nee\-dle in patients with periprosthetic seroma. Medicine (Baltimore). 2019;98:e18511.

5. Lee JH. Breast implant-associated anaplastic large-cell lymphoma (BIA-ALCL). Yeungnam University Journal of Medicine 2021;38:175-82.

6. Nahabedian MY. Implant-based breast reconstruction following conservative mastectomy: one-stage vs. two-stage approach. Gland Surg 2016;5:47-54.

7. Nahabedian MY. Implant-based breast reconstruction: Strategies to achieve optimal outcomes and minimize complications. J Surg Oncol 2016;113:895-905.

8. Perdanasari AT, et al. Update in Direct-to-Implant Breast Reconstruction. Semin Plast Surg 2019;33:264-9.

9. Perry D, et al. The history and development of breast implants. Ann R Coll Surg Engl 2020;102:478-82.

10. Salzberg CA. Focus on technique: one-stage implant-based breast reconstruction. Plast Reconstr Surg 2012;130:95S-103S.

11. Spear SL, et al. Implant-based reconstruction. Clin Plast Surg 2007;34:63-73.

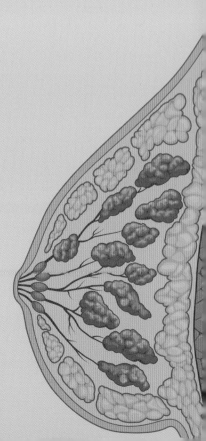

4
SECTION

종양성형술을 위한 소소한 팁

Chapter 1   견이의 처리

Chapter 2   절개선 맞추기

Chapter 3   종양성형술을 위한 도구의 활용

Chapter 4   피부이식

Chapter 5   양쪽 유방 균형 맞추기

Chapter 6   유두-유륜 복합체의 재건술

Chapter 7   종양성형술에서의 봉합사 선택

CHAPTER

1

견이의 처리

견이(dog ear)는 성형수술에서 흔히 발생하는 피부피판 부정교합 상태로 한쪽 피부가 조금 더 남음으로서 볼록하게 남은 피부의 형태가 마치 개의 귀처럼 보인다 하여 명칭하게 되었다. 남은 피부를 절제하거나 양쪽을 맞추어주는 형태로 교정할 수 있는데, 종양성형술에 있어 매우 유용하게 쓰이는 술기이기 때문에 여기서 기술하고자 한다.

1. 견이의 종류

1) 한쪽 피부가 많이 남은 경우와 처리 방법

견이란 양쪽 피부의 길이가 달라서 발생하는 것으로 마치 개의 귀처럼 생겼다고 해서 견이(dog ear)라고 불린다. 한쪽만 볼록하게 튀어나오기 때문에 볼록한 부위를 잘라내는 방법과 전체적으로 반씩 맞추어오면서 절제없이 처리하는 방법이 있다.

① 피부를 절제하는 방법

남은 쪽 피부를 반대편 피부의 길이와 동일하게 모서리에 붙여주면, 한쪽으로만 견이가 발생한다(그림 1-1A). 이때 남는 피부를 절제하고 하나의 절개선으로 만들어주면 된다. 피부가 편평해지고, 앞쪽에 봉합했던 피부를 손댈 필

159

요가 없어 손쉽기는 하지만, 절개선이 다소 길어지는 경향이 있어 최소침습수술에서는 적합하지 않다. 주로 절개선이 잘 보이지 않는 액와부에 적용하면 좋다.

● 그림 1-1. **피부를 절제하여 견이를 처리하는 방법.** 절개선이 길어지기 때문에 가급적 절개선이 잘 보이지 않는 액와부나 측면에 적용하는 것이 좋다.

② 피부를 절제하지 않고 길이를 맞추는 방법

절개선이 길어지는 것을 원하지 않거나 견이가 액와부나 가측이 아닌 전방에서 도드라지게 보이는 부위에 발생한다면, 전체적인 피부의 길이를 대략 조금씩 맞추는 방법이 있다.

견이가 발생하였고 절개선을 더이상 연장하지 않기를 원한다면, 봉합했던 부위의 실을 모두 절개선의 1/2 지점씩을 맞추어가다보면 추가적인 절개선 없이 잘 봉합할 수 있다. 실제로 절개선이 모두 치유된 후에는 비교적 괜찮은 반흔의 형태를 관찰할 수 있으며, 피부절제를 하지 않았으므로 피부의 당김현상이 덜하다는 장점도 있다(그림 1-2).

견이가 크지 않다면, 한쪽 피부를 두번 연속 봉합하는 2:1 봉합법도 가능하다.

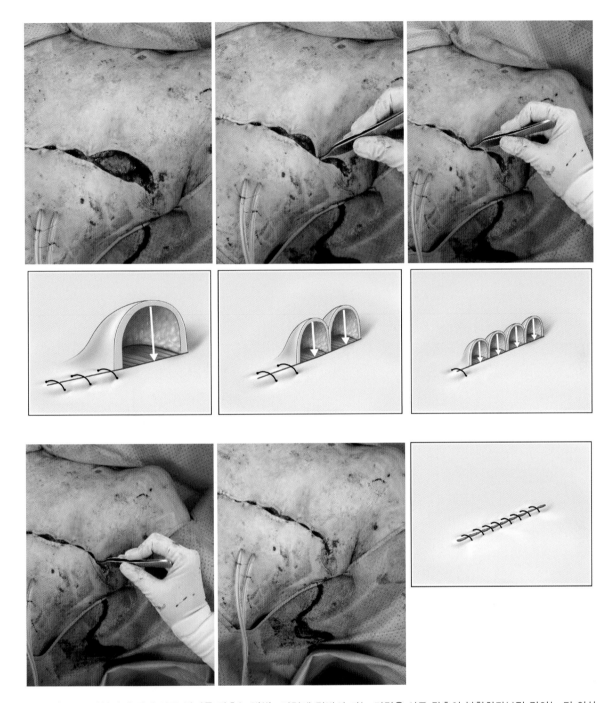

● 그림 1-2. **피부절제 없이 양쪽 길이를 맞추는 방법.** 이렇게 절반이 되는 지점을 서로 맞추어 봉합하다보면 견이는 더 이상 발생하지 않는다.

2) 양쪽 피부가 모두 많이 남은 경우

한쪽 피부의 절개선이 반대편 절개선보다 길어서 발생하는 견이도 있지만, 양쪽 피부의 길이가 동일함에도 불구하고 볼록하게 견이가 발생하는 경우도 있다. 이런 경우 두 가지 처리 방법이 있다.

① 연장된 직선의 절개선을 형성하는 방법

견이를 피하로 넣은 후 스테이플로 가봉합한다. 겉으로 보이는 가봉합선에 수술용 마킹펜(surgical marking pen)을 이용하여 선을 긋고, 다시 스테이플러를 제거한다. 견이를 원래 위치로 끄집어 내어보면 절제해야할 부위의 선이 그려진 것을 확인할 수 있다. 견이를 수술용 칼(blade)를 이용하여 제거하고 봉합하면 된다(그림 1-3).

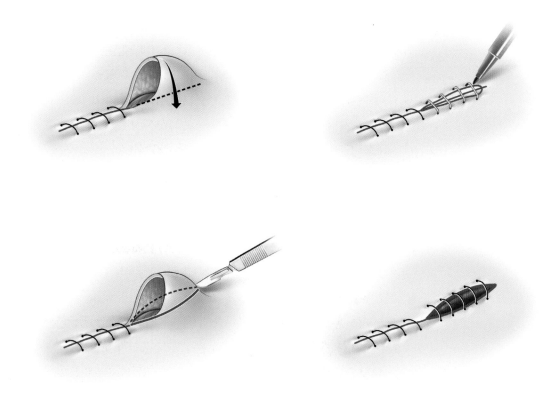

● 그림 1-3. **일직선 상의 연장된 절개선을 남기는 견이 처리방법.** 견이를 피하로 넣어버린 후 스테이플러로 가봉합하고 마커펜으로 남길 절개선을 그린다. 이후 견이를 다시 끄집어내어 그려진 대로 절개선을 넣고 견이를 제거한다. 일직선으로 남는 연장된 절개선을 봉합하면 된다.

② 양쪽으로 절개선을 만드는 방법

액와부는 연장된 절개선을 만들다보면 신체의 후방부로 절개선이 넘어가게 되는 경우가 있다. 그러나, 베타딘이 도포된 범위 안에서만 수술이 가능하므로 부득이하게 더 이상 절개선을 연장하지 않고 견이를 처리해야 하는 경우가 발생한다. 이 때는 절개선을 일직선으로 연장하지 않고, 양쪽으로 나누어 처리하면 된다(그림 1-4).

● 그림 1-4. **양쪽 피부를 절제하여 견이를 처리하는 방법.** 양쪽 피부를 절제하는 방법이기 때문에 봉합하고 나서 피부가 많이 당기는 현상이 생길 수 있다. 따라서 우선 가봉합을 해보고, 팔을 붙인 자세에서 피부의 당김현상이 심하지 않은지 확인 후 피부 절제를 시행하는 것이 좋다.

✑ 참고 문헌

1. Grassetti L, et al. Aesthetic refinement of the dog ear correction: the 90° incision technique and review of the literature. Arch Plast Surg 2013;40:268-9.

2. Jaber O, et al. The Three-Bite Technique: A Novel Method of Dog Ear Correction. Arch Plast Surg 2015;42:223-5.

3. Kang as, et al. A Systematic Review of Cutaneous Dog Ear Deformity: A Management Algorithm. Plast Reconstr Surg Glob Open 2020;8:e3102.

4. Toomey JM. Management of the dog ear deformity. Laryngoscope 1977;87:1585-7.

CHAPTER

2

절개선 맞추기

1. 스테이플러 가봉합(basting)을 이용한 유방모양 잡기

종양성형술에 있어 종양에 대한 안전성이 제일 우선이겠지만, 유방의 형태나 대칭성 또한 성공적으로 확보되어야 할 중요한 요소이다. 수술 부위의 형태가 수술계획과 달리 많이 변형되었거나 양측의 대칭성이 부족하다면 환자는 수술결과에 대해 불만족스러울 수 있다. 그래서 수술 중 유방의 형태를 잘 잡아서 재건술을 해주는 것이 중요한데, 이 때 스테이플러를 이용하여 가봉합해보면 양측의 형태를 비교하며 유방의 모양을 잘 잡아줄 수 있다. 유방의 형태를 잡기 위해 스테이플러를 이용할 경우 스테이플러에 의한 흉터는 여러번 봉합했다 풀어도 크게 남지 않으며 봉합사등을 이용하는 것보다 간편하게 모양을 잡아 줄 수 있다.

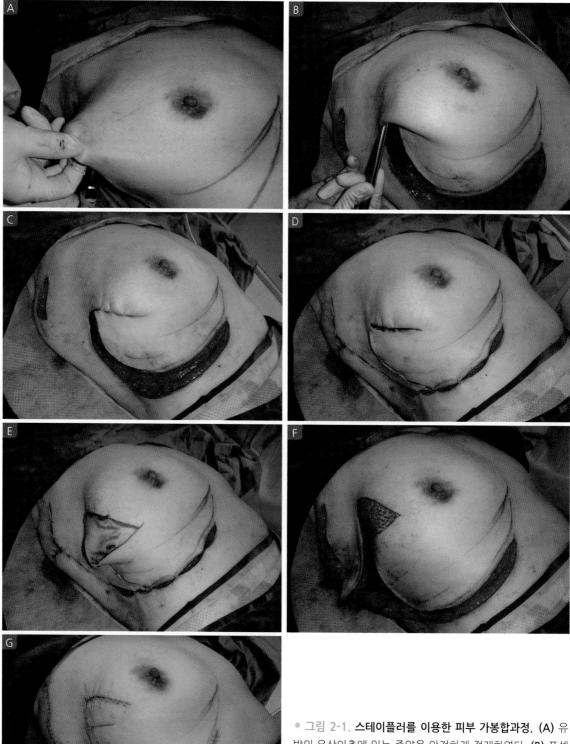

● 그림 2-1. **스테이플러를 이용한 피부 가봉합과정. (A)** 유방의 우상외측에 있는 종양을 안전하게 절제하였다. **(B)** 포셉을 이용하여 유방의 모양을 잡고 있다. **(C)** 스테이플러로 유방의 모양을 유지한다. **(D)** 스테이플러로 유방의 모양을 잡아서 가봉합한다. **(E)** 피부가 접히는 부분은 마커로 표시한다. **(F)** 마커로 표시한 부위의 표피를 박리한다. **(G)** 피부를 봉합한다.

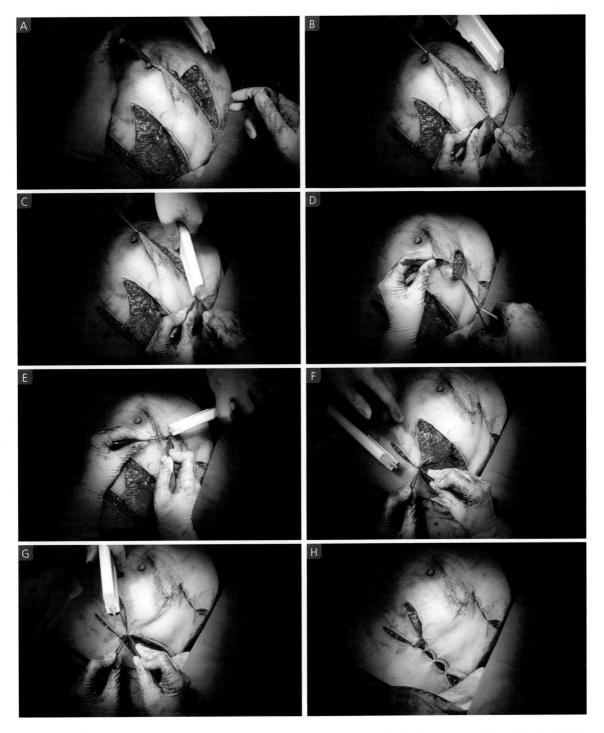

● 그림 2-2. **병합 국소피판술(combine local flap)에서 스테이플러를 이용한 피부 가봉합과정. (A)** 유방암 절제 후 액와부의
끝에서부터 절개선을 맞추어 온다. **(B)** 포셉을 이용하여 유방의 모양을 잡고 스테이플러로 가봉합한다. **(C)** 스테이플러로 유방
의 모양을 유지힌디. **(D, E)** 유방에 난은 견이는 앞서 기술뒨 방법으로 처리하고, 스테이플러로 가봉합한다. **(F)** 유방의 상부 모
양이 잡혔으면, 아래쪽 피판을 유방의 결손부위를 채울 수 있도록 모양을 잡은 후 절개선은 가봉합한다. **(G)** 나머지 피부설개선
도 가봉합한다. **(H)** 국소피판술이 가봉합 형태로 완성된 모습. 이렇게 완성된 절개선은 마커펜을 이용하여 선을 그어두고 봉합
해 나가면서 하나씩 스테이플침을 제거한다.

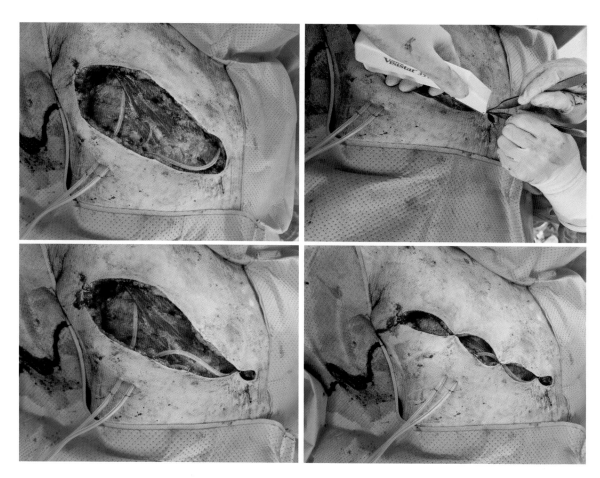

● 그림 2-3. **유방전절제술 후 봉합과정.** 흉부의 내측에서부터 양쪽 대칭을 맞추어 스테이플러로 가봉합하는 모습. 스테이플침의 사이사이를 먼저 봉합하고 스테이플침을 하나씩 제거해 나가면 된다.

2. 가로금(transverse lines)을 이용한 피부의 봉합

인체의 장기 중에서 가장 표면적이 넓은 장기는 피부이다. 피부는 머리에서부터 발끝까지 시작점도 끝지점도 없으면서 하나로 연결된 특징을 가진다. 또한 탄력성이 매우 높아 넓은 결손부위도 피부를 잘 조합하면 충분히 덮을 수 있을 만큼 잘 늘어나지만, 절개선이 가해진 직후에는 쉽게 수축하는 특징도 가진다.

유선을 회전하거나 피판을 보완하여 피부를 봉합하는 경우는 처음의 절개선과 다른 부위와 맞닿아 봉합될 가능성이 높지만, 일반적인 유방보존술은 대개 피부절제 없이 유선과 피하지방만을 절제하므로 원래 절개선 그대로 봉합될 수 있다. 그러나, 절개선이 가해진 직후에는 피부가 수축하기 때문에 처음의 피부의 양측을 동일하게 맞추는 것은 쉽지 않다.

종양성형술에서 기존의 절개선을 어떠한 다른 조치없이 그대로 봉합하고자 한다면, 미리 가로금을 넣어두는 것이 도움이 될 수 있다. 디자인된 절개선에 수직으로 약 2-3 mm길이의 작은 선을 표피에만 살짝 표시날 만큼 그어주고 절개선을 넣어 수술을 진행하면, 수술이 종결된 후에도 쉽게 양쪽 피부를 정확하게 맞출 수 있다.

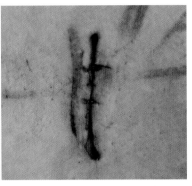

● 그림 2-4. **가로금을 이용한 피부의 봉합.** 미리 가로절개선을 2개정도 넣어두면 양쪽 피부를 맞추는 것이 한결 용이하다.

CHAPTER

3

종양성형술을 위한 도구의 활용

1. 피하박리술(subcutaneous dissection)

유방의 부분절제술이나 전절제술에 있어 유선을 덮고 있는 피부를 남기고 유선만 절제하는 경우는 피하박리술 (subcutaneous dissection)이 필요한데, 일반적인 수술용 가위를 이용할 수도 있고 수력분리술(hydrodissection) 또는 전기소작술(electrocauterization)을 이용할 수 있다.

1) 일반적인 수술용 가위를 이용하는 방법

피부를 기구나 손을 이용하여 편평하게 펴고 가위로 피하를 긁듯이 밀어내면 되는데, 팽창액의 이용없이 피하를 박리하는 경우는 출혈의 빈도가 높다. 환자 컨디션의 문제로 수술을 빨리 종결해야 하는 경우는 피하를 박리하고 거즈로 압박하면서 압박 후에도 남은 출혈만 전기소작기를 이용하여 처리하면 된다. 그러나, 심장이나 신장에 문제가 있는 경우 출혈을 줄이는 것이 안전하므로 가급적 전기소작기를 이용하거나 팽창액을 이용한 전처리 후 시행하는 것이 좋다.

수술용 가위는 주로 멧젠바움 가위(metzenbaum scissors), 곡형 메이요가위(curved Mayo scissors) 또는 얼굴 리프팅가위(face lifting scissors)를 활용하면 쉽게 박리 가능하다. 끝이 일자형인 경우는 피부의 곡선을 따라 박리하기가 어려우므로 가급적 곡형(curved) 가위를 선택하면 된다. 멧젠바움 또는 메이요 가위는 가위의 날이 일자형이지만, 얼굴 리프팅용 가위는 날이 톱니처럼 생겨 피하박리시 힘이 덜 드는 장점이 있다(그림 3-1).

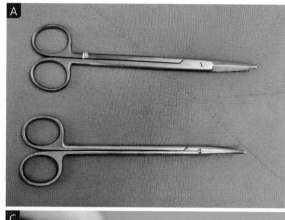
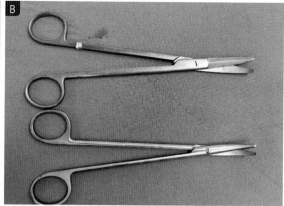
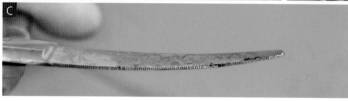

• 그림 3-1. **수술용 가위. (A,B)** 위쪽의 폭이 넓은 것이 얼굴 리프팅용 가위(face lifting scissors)이고, 아래쪽의 폭이 좁은 것이 멧젠바움 가위(metzenbaum scissors)이다. **(C)** 얼굴 리프팅용 가위의 날. 톱니처럼 울퉁불퉁하게 만들어져 피하박리시 더욱 강한 힘을 만들어내므로 조직을 밀어낼 때 비교적 힘이 덜 들게 된다.

2) 수력박리술(hydrodissection)

피하에 발생하는 혈종은 재건된 유방의 형태를 변형시키거나 감염을 초래할 수 있어 수술 중 출혈의 최소화는 좋은 미용학적 결과를 얻기 위한 필수적인 요소이다. 피하 표재근막에 팽창액(tumescent solution)을 주입하면 피부피판의 분리도 용이하고, 출혈도 최소화할 수 있는 장점이 있다. 또한 팽창용액에는 리도카인이 섞여 있어 수술 후 환자의 피부통증도 줄일 수 있어 효과적이다. 그러나 반감기가 1-2시간 정도이기 때문에 피하박리술 후 추가적인 피판 구득술 등을 시행하게 되면, 약물의 농도가 감소하여 재출혈의 가능성이 있다. 따라서 유방을 완전히 봉합하기 전에 반드시 한 번 더 지혈하는 과정이 필요하다.

3) 전기소작술

피하박리시 피하의 두께가 너무 얇지 않다면, 전기소작기만으로 박리하는 것도 가능하다. 무엇보다 출혈이 적은 것이 가장 큰 장점이지만 피부가 얇은 경우는 직접적 또는 열전도에 따른 간접적 열손상(burn injury)이 발생할 수 있음을 기억해야 한다.

팽창액을 주입한 경우는 수분으로 인하여 전기소작기의 이용이 어려우므로 가위를 이용하는 것이 좋고, 전기소작기를 사용할 계획이라면 팽창액 없이도 큰 출혈없이 피하박리가 가능할 것이다.

2. 피부의 절제

종양성형술 시 여분의 피부를 절제하는 경우는 메스를 이용하거나 수술용 가위를 이용하면 쉽게 진행할 수 있다. 진피를 남기고 표피만 박리해야 혈류가 원활히 공급되면서, 장력을 유지할 수 있어 얇게 박리하는 것이 중요하다(그림 3-2, 3-3).

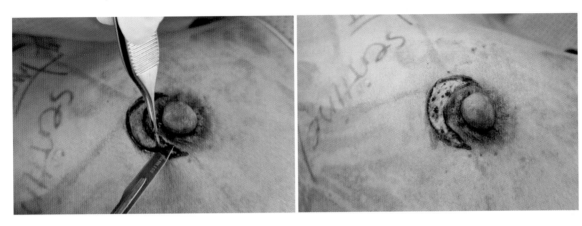

• 그림 3-2. **수술용 칼을 이용한 표피박리술(de-epithelialization).** 먼저 박리할 표피의 범위를 절개선을 그어 표시한 후 표피만 조심스럽게 박리한다. 진피에서 피가 나는 것은 혈류 공급이 잘 된다는 의미이므로 전기소작기로 너무 많이 지혈하지 않도록 한다.

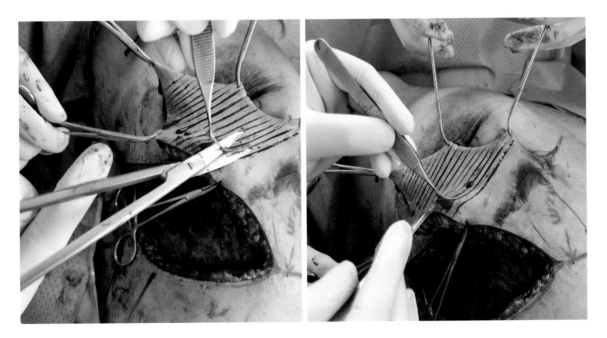

• 그림 3-3. **넓은 범위의 표피박리술(de-epithelialization).** 수술용 칼이나 수술용 가위 어느 것을 이용해도 되는데, 칼을 이용하는 경우는 전체 피부를 가쪽부터 천천히 박리하고 가위를 이용하는 경우는 2-3mm 간격으로 칼집을 넣어 가위를 잘라내면 효율적이고 빠르게 종결할 수 있다.

또는 일반적인 절개선에서 화상손상이 발생한 경우는 가급적 손상된 피부를 절제하고 봉합해야 빨리 상처가 아물고, 환자가 샤워나 목욕이 가능해질 수 있다. 술자는 직전 피부의 상태를 한 번 더 확인하고 귀찮더라도 반드시 피부를 정리한 후 봉합할 수 있도록 하여야 한다(그림 3-4).

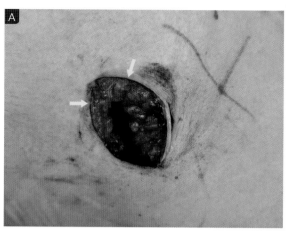 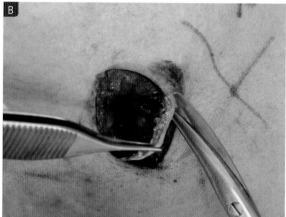

● 그림 3-4. **열손상을 입은 절개선의 처리. (A)** 절개선의 일부가 열손상으로 인하여 우글거리는 형태를 보인다(노란 선). **(B)** 멧젠바움 가위(metzenbaum scissors)를 이용하여 절개선을 정리하는 모습.

3. 팽창액의 주입

주로 팽창용액은 칵테일요법으로 만들어서 사용하는데, 크게 두 가지 종류가 있다. 간단하게는 하트만 용액 또는 생리식염수에 리도카인(lidocaine), 에피네프린(epinephrine)을 섞어서 사용하기도 하고, 술자에 따라 통증을 더 완화시키기 위하여 진통제나 탄산수소나트륨(sodium bicarbonate, NaHCO3)을 추가하기도 한다(표 3-1).

과도한 팽창액의 이용은 피부와 유선을 통하여 흡수되면서 부작용이 발생할 수 있어 전체 투여량은 300-400 mL를 넘지 않도록 한다. 특히 에피네프린의 과도한 흡수는 혈관수축을 야기하여 피부나 피판의 괴사를 발생시킬 수 있어 적정량의 투여가 무엇보다 중요하다.

표 3-1. 팽창용액의 칵테일 요법

Klein's solution	Hunstadt's solution
1000 mL normal saline	1000 mL Ringer's lactate (hartmann's solution)
50 mL, 1% lidocaine	50 mL, 1% lidocaine
1 mL, 1:1000 epinephrine	1 mL, 1:1000 epinephrine
12.5 mL, 8.4% sodium bicarbonate	

팽창액을 주입할 때는 지방흡입 캐뉼라를 이용하면 용이한데, 길이는 술자가 원하는대로 선택하여 구비하면 된다. 일반적으로 팽창액은 50 mL 주사기에 나누어 담아 사용하는데, 캐뉼라의 끝에 주사기를 연결할 때 자주 미끄러

지면서 빠지기 때문에 주사기의 끝을 돌려서 고정할 수 있게 생긴 루어락 주사기(Luer-Lock syringe)를 사용하면 좋다. 루어락 주사기 50 mL 2개 정도를 준비해서 번갈아가며 사용하면 팽창액 주입속도를 높일 수 있다.

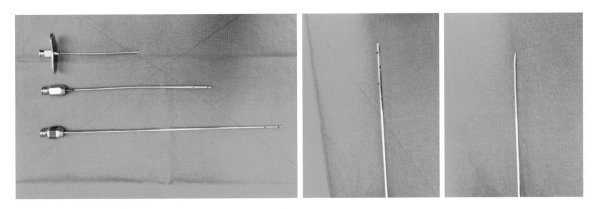

● 그림 3-5. **다양한 길이의 지방흡입 캐눌라.** 캐눌라의 끝은 날카롭지 않게 약간 휘어있거나 동그렇게 생겼고, 끝에 구멍이 있거나 중간중간 뚫려있어 팽창액이 쉽게 주입될 수 있게 만들어져 있다.

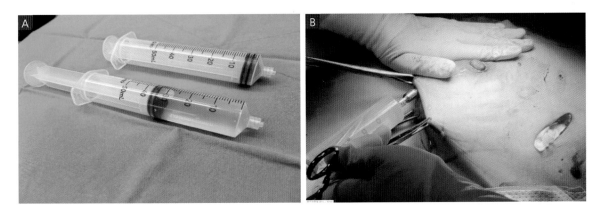

● 그림 3-6. **루어락 주사기(Luer-Lock syringe)와 수력박리술 사진.** **(A)** 루어락 주사기는 끝이 주사침을 돌려서 고정할 수 있게 만들어져 있어 잘 빠지지 않는다. **(B)** 지방흡입 캐눌라와 루어락 주사기를 연결하여 수력박리술을 시행하는 모습.

CHAPTER

4

피부이식

유두-유륜 복합체의 재건 시 반대편 유륜의 이식이나 흉벽의 재건시 피부의 당김현상이 심해서 괴사가 예상되는 경우 다른 장기의 피부를 떼어내어 이식할 수 있다. 이처럼 종양성형술을 하는 경우 피부이식이 필요한 경우가 종종 있는데, 이식편이 성공적으로 생착하지 못하게 되면 상처 회복에 상당한 기간이 소요될 수 있다.

이식될 피부가 성공적으로 생착하기 위해서는 이식편과 이식상 사이에 사강(dead space)이 존재하지 않도록 밀착해서 고정해야 한다. 구득한 피부는 피하지방을 최대한 많이 제거하고 얇은 표피만 남기고 사이사이 작은 틈(slit)을 뚫어 혈종이나 장액종이 자연스럽게 배출될 수 있게 해야 한다. 이렇게 구멍이 생기면 피부가 잘 늘어나 실제 면적보다 넓은 면적을 커버할 수 있는 장점도 있다.

1. 수술과정

1) 이식편은 최대한 얇게 만들어 이식하지만, 준비과정에서 시간이 소요되므로 그 때까지는 혈류가 공급될 수 있도록 피하지방의 일부를 붙여서 구득한 후 나중에 처리과정에서 피하지방을 제거하는 것이 낫다.

2) 구득된 이식편은 최대한 빠른 시간 안에 아주 차가운 물이나 얼음물에 담궈 변성(degeneration)이 진행되지 않도록 한다. 실내의 온도 때문에 물이 미지근해지면 다시 차가운 물로 교체하여 지속적으로 변성을 방지해주어야 한다.

3) 피부이식이 필요한 수혜부는 이식편에 혈류를 잘 공급하기 위해서 혈류가 원활한 부위여야 하는데, 주로 근

육 위나 표피박리를 시행한 진피조직 위에 피부이식을 시행할 수 있다. 특히 진피조직은 피가 잘 나오는 것이 확인되어야 하며, 절대 전기소작기 등을 이용하여 지혈하지 않도록 한다. 수혜부가 준비되면 이식편을 다듬는 과정으로 들어간다.

4) 얼음물에서 이식편을 꺼내어 손에 뒤집어 올려놓고 수술용 가위를 이용하여 피하지방을 완전히 제거한다.

5) 이식편이 잘 생착하기 위해서는 이식편 아래의 혈종이나 장액종이 발생하지 않고 잘 빠져나와야 하므로 2-3 mm 크기의 작은 구멍들을 만들어 주어야 한다. 표피가 최대한 편평해져야 작은 구멍들을 쉽게 낼 수 있는데, 표피를 당기거나 늘리면 손상이 가해질 수 있으므로 스펀지나 메디폼과 같이 푹신한 드레싱 제제 위에 놓고 깊게 찌르는 형식으로 구멍을 낸다.

6) 준비된 이식편은 이번에는 따뜻한 물에 담궈 혈류의 공급이 재개될 수 있도록 준비한다.

7) 이식편이 충분히 따뜻해졌으면 수혜부에 얹어놓고, 5-0 또는 6-0 비흡수성 봉합사(주로 Nylon이나 Prolene)를 이용하여 사강이 없이 밀착할 수 있도록 봉합한다. 이 때 이식편을 포셉으로 잡는 횟수는 최소화하여야 하며 너무 과도하게 당기지 않도록 잘 위치시킨다.

8) 봉합을 이식편의 경계부에만 하게 되면 이식편이 넓을 경우 가운데 부분이 고정이 되지 않고 이식상과 밀착이 되지 않을 가능성이 있으므로 이식편의 중간중간에도 이식상과 밀착이 되도록 봉합을 해주는 것이 좋다.

9) 충분히 밀착되도록 고정이 되었다면 이식편과 거즈가 말라서 들러붙지 않도록 바세린 거즈를 덮거나 바세린 연고를 충분히 바른 후 이식편에 균일한 압박을 가해 드레싱을 한다. 너무 과도한 압박은 혈류의 흐름을 방해할 수 있어 피해야 한다.

10) 봉합사는 수술 7-14일째 제거한다.

● 그림 4-1. **피부이식편의 준비과정. (A)** 피하지방을 붙여서 이식할 피부피판을 구득한다. **(B)** 뒷면에 피하지방이 붙어있는 모습. 피부이식을 하기 직전까지 혈류가 공급될 수 있도록 피하지방을 붙여놓은채로 둔다. **(C)** 이식편이 구득되었으면 조직의 변성을 방지하기 위하여 얼음물이나 매우 차가운 생리식염수에 이식편을 보관한다. 물이 미지근해지면 지속적으로 차가운 물로 갈아준다. **(D)** 이식할 부위가 준비되었으면, 이식편을 꺼내어 피하의 지방을 제거한다. **(E)** 피하지방이 완전히 제거된 이식편의 모습. **(F)** 피부이식 후 발생하는 장액종이나 혈종이 빠져나올 수 있도록 11번 블레이드로 작은 홈집(slits)들을 내어준다. 바닥에 도톰한 거즈나 스펀지를 대고 구멍을 내면 수월하다. **(G)** 작은 홈집들을 낸 후 준비된 피부이식편. **(H)** 피부를 이식하기 직전에는 다시 혈류가 관류될 수 있도록 따뜻한 생리식염수에 담궈 이식편의 혈관을 확장시킨다. 이 때 너무 뜨거운 생리식염수는 이식편에 화상손상을 일으킬 수 있어 너무 뜨겁지 않게 한다.

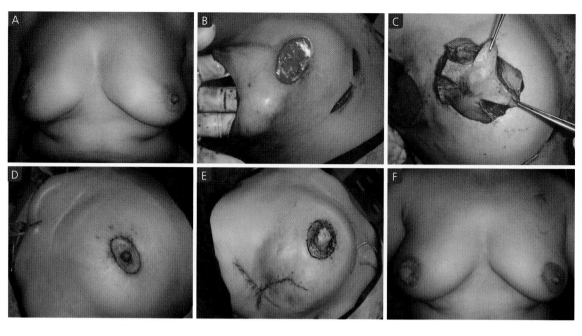

● 그림 4-2. **유듀재건 및 반대편 유륜의 이식술.** **(A)** 수술 전 사진. **(B)** 유두-유륜 복합체를 포함하여 유방의 부분절제술을 시행한 모습. **(C)** 광배근 피판술을 이용하여 유방을 재건하고, 광배근 피판의 피부를 이용하여 유두재건술을 시행하는 모습. **(D)** 반대편 유방의 유륜을 동심원 형태로 구득하고 남은 유륜과 피부를 봉합한 모습. **(E)** 동측의 재건된 유두 주변으로 구득된 유륜을 이식한 모습. **(F)** 수술 후 1개월째 사진. 유륜도 잘 생착되었고, 유두도 형태가 잘 유지되었다.

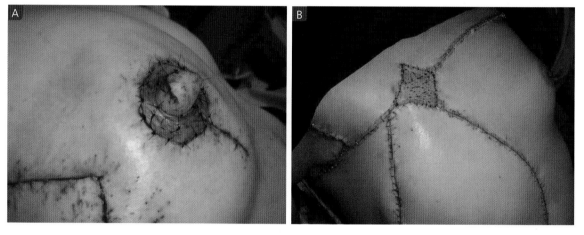

● 그림 4-3. **피부이식 사진.** **(A)** 반대편 유륜을 구득하여 동측에 이식한 모습. **(B)** 흉복부 피판술 후 피부의 부족분을 견이처리 과정에서 제거된 조직의 표피를 구득하여 이식한 모습.

2. 증례

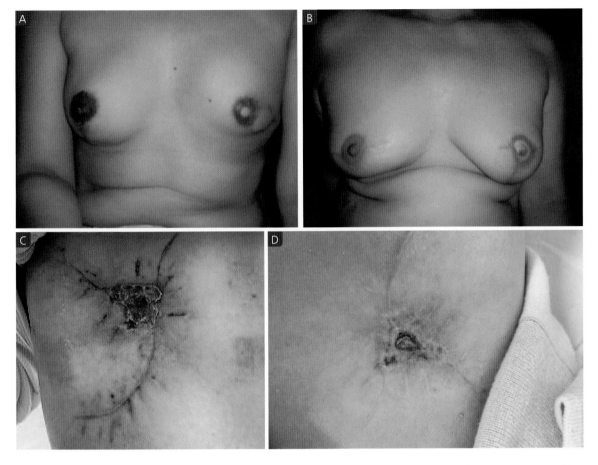

● 그림 4-4. **피부이식 후 증례사진. (A, B)** 반대편 유륜의 이식 후 잘 생착된 모습. **(C)** 흉복부 피판술 후 피부의 부족분을 피부이식하였으나, 과도한 당김으로 인하여 결국 이식편의 생착에 실패하여 이식편을 제거한 모습. **(D)** 동일 환자의 6개월 후 모습. 보존적 치료만으로 결손부위가 많이 호전된 것을 볼 수 있다.

✎ 참고 문헌

1. Heo JW, et al. A Nipple–Areolar Complex Reconstruction in Implant-Based Breast Reconstruction Using a Local Flap and Full-Thickness Skin Graft. Aesthetic Plastic Surgery 2018;42:1478–84.

2. Hudson DA, et al. Autologous dermal graft in breast reconstruction. Ann Plast Surg 2012;68:253-6.

3. Jung Y, et al. Immediate nipple reconstruction with a C-V flap and areolar reconstruction with an autograft of the ipsilateral are\-ola. ANZ J Surg 2017;87:E300-E304.

4. Stergios E, et al. Free Nipple Graft. In Kimberg VS, et al. Oncoplastic Breast Surgery Techniques for the General Surgeon. USA: Springer; 2020. p447-59.

CHAPTER

5

양쪽 유방 균형 맞추기

종양성형술은 재건 후의 양측의 유방이 대칭이 되도록 크기와 모양의 균형을 잘 맞추는 것이 중요하다. 세부적으로는 유륜의 위치, 유방의 융기(projection), 유방하주름의 위치와 윤곽의 균형까지 고려를 해야한다. 그러기 위해서는 수술 방법이 결정된 후 수술전 디자인을 통해서 유방의 대칭성을 확보하기 위한 계획을 미리 세워놓아야 한다.

1. 유방의 부피

눈으로 보면 대칭성은 거의 확보가 가능하다. 실제로 뛰어난 미용학적 결과는 눈으로 보았을 때 가장 자연스러운 유방의 모양이 대칭을 이루는 것을 의미하므로 컴퓨터나 다른 조작으로 위치를 잡거나 무게를 재는 것보다 눈으로 보았을 때 자연스러운 것이 가장 좋은 결과라 할 수 있다. 그러나 의사가 생각하는 최선의 미용학적 결과와 환자가 기대하는 결과가 다소 다를 수 있으므로 반드시 수술 전에 예상되는 유방의 크기와 모양을 설명하고, 환자의 논의한 후 수술에 임하는 것이 필요하다.

대부분의 여성이 유방의 크기와 모양에 맞는 브래지어를 착용하기 때문에 브래지어의 치수를 알면 유방의 부피를 가늠힐 수 있다. 유방의 융기정도에 따리시 브래지어의 컵 시이즈를 측정하고, 가슴둘레에 따라서 크기를 결정하게 된다.

밑가슴둘레

80 A

브래지어 컵(cup) 크기

1) 밑가슴둘레

 가슴둘레를 측정할 때는 편안하고 바른자세로 서서 수평으로 정확하게 재야한다. 몸을 움츠리거나 가슴을 앞으로 내밀면 정확한 사이즈 측정이 어려워 수술 후 자연스러운 유방을 재현하기 어렵다. 둘레의 측정은 반드시 수평으로 줄자를 둘러서 재고, 유방하수(ptosis)가 심한 경우는 가슴을 받쳐서 수평으로 만들어 측정하면 된다.

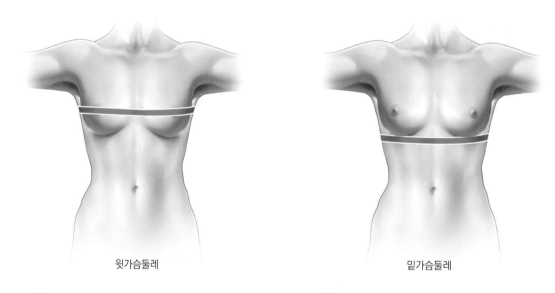

윗가슴둘레   밑가슴둘레

● 그림 5-1. 윗가슴둘레와 밑가슴둘레를 측정하는 방법. 브래지어 사이즈는 밑가슴둘레를 기준으로 한다.

표 5-1. 밑가슴둘레 사이즈표

밑가슴둘레 (cm)	허용범위 (cm)
70	68–73
75	73–78
80	78–83
85	83–88
90	88–93
95	93–98

2) 브래지어 컵(cup) 크기

브래지어의 컵 크기는 윗가슴둘레와 밑가슴둘레의 차이를 말한다. 즉, 가슴이 얼마만큼 앞으로 돌출되었는지를 측정하는 치수인 것이다.

브래지어 컵크기 = 윗가슴둘레 – 밑가슴둘레 (cm)

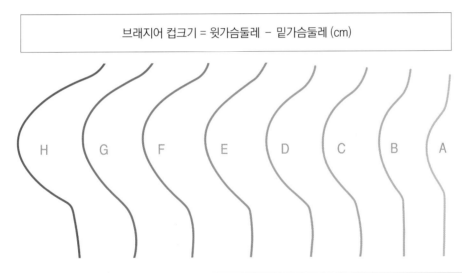

컵 사이즈	윗가슴둘레 – 밑가슴둘레 (cm)
AA	7.5 내외
A	10 내외
B	12.5 내외
C	15 내외
D	17.5 내외
E	20 내외
F	22.5 내외
G	25 내외
H	27.5 내외

• 그림 5-2. 브래지어 컵의 종류와 사이즈표

3) 절제된 유선의 무게와 부피

특정 물건의 무게(weight)와 부피(volume)는 분명히 다른 측정값이다. 무게는 얼마만큼 무거운지를 재는 것이고, 부피는 가로x세로x높이로 측정하는 전체의 3차원적 크기이다. 따라서 유선의 결손부위와 유선의 무게는 동일하지 않다.

피판술을 이용하여 유방을 재건하는 경우 어느 정도의 피판을 구득해야 할지는 결손부위의 부피에 따라 다른데, 유선의 부피를 측정하는 방법으로는 손쉽게 양동이에 물을 가득 붓고 들어간 물의 양을 계산한 후 절제된 유방조직을 넣고 넘쳐나오고 나서 남은 물의 부피를 빼는"아르키메데스의 원리"를 이용하면 된다(그림 5-3).

밀도(density)는 물질의 질량을 부피로 나눈 값으로 정의되므로 무게와 부피의 상관관계는 밀도에 의해 결정된다. 유방은 지방과 유선으로 구성되어 있고, 지방은 물보다 가벼워 주로 뜨고 유선은 물보다 무거워 주로 가라앉기 때문에 유방의 밀도는 거의 1에 가깝다. 한국사람의 유방을 절제하여 실제 무게를 재고 부피를 재어보면 사람에 따라 다소 차이가 나지만, 유방의 밀도는 1에 가까운 것을 확인할 수 있다. 따라서 검체의 무게와 부피는 거의 비슷한 정도로 예측하면 된다.

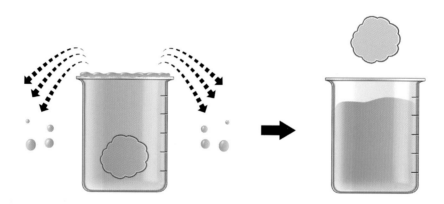

• 그림 5-3. **검체의 부피를 재는 방법.** 아르키메데스의 원리를 이용한 방법으로 넘치는 물의 부피가 검체의 부피와 동일하다. 따라서 검체의 부피는 "처음의 물의 부피 - 남은 물의 부피"이다.

2. 유방하수(breast ptosis) 정도

유방하주름을 기준으로 유두-유륜 복합체가 유방하주름보다 상방에 있으면 정상, 같은 높이에 있으면 1도 유방하수, 1-2 cm 아래에 있으면 2도 유방하수, 3 cm 이상 아래에 있으면 3도 유방하수로 정의한다. 반대편 유방의 하수 정도에 따라서 대칭을 맞추거나, 축소성형술을 하는 경우는 양쪽 유방의 하수정도를 동일하게 유지해주어야 한다.

정상

1도 유방하수
유두가 가슴 밑 주름 수준이나
이보다 1 cm 이내로 내려간 경우

2도 유방하수
유두가 가슴 밑 주름 수준이나
이보다 1~2 cm 정도 내려가 있지만
가슴조직의 가장 아래보다는
위헤 있는 경우

3도 유방하수
유두가 가슴 밑 주름보다 3 cm 이상
내려가 있어 유두가 아래로 향하고
있는 경우

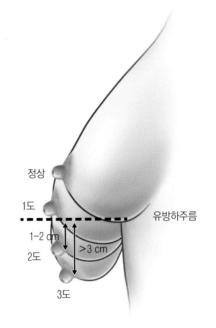

정상
1도
2도
3도
유방하주름
1~2 cm
>3 cm

● 그림 5-4. **유방하수(breast ptosis)의 정도**

3. 수술 전 디자인

　수술 전 디자인은 수술 후 재건될 유방의 형태와 부피를 예상해서 반대편과의 대칭을 맞추고자 함이다. 수술 중에도 이러한 디자인이 잘 유지되고 있으면 보다 쉽게 유방의 모양을 맞출 수 있다.

　기준점은 세로로는 흉골절흔(sternal notch)에서부터 수직선을, 가로로는 유방하주름(inframammary line)을 그어 몸의 중심선을 그린다. 세로중심선에서부터 유두-유륜 복합체까지의 길이가 대칭이 되는지 확인하고 흉골연과 유두까지 선을 그린다. 유두를 중심으로 세로중심선과 수평이 되는 수직선을 양쪽에 그려주고, 유륜을 그려주면 기본디자인은 완성이 된다. 여기서 유방암의 위치를 추가로 표시하고 시행한 수술방법에 따라서 절개선을 그리면 수술 전 디자인이 완성되는 것이다.

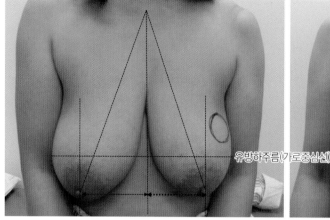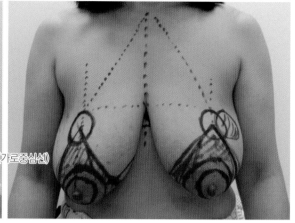

흉골연 (세로중심선)

유방하주름(가로중심선)

● 그림 5-4. **수술 전 디자인.** 세로중심선은 흉골연에서 수직으로, 가로중심선은 양쪽 유방하주름의 가장 아래쪽점을 이어준다. 유두-유륜 복합체는 시행하고자 하는 술식에 따라서 그대로 유지하거나 새로 이동할 위치를 그려주면 된다.

4. 수술 및 치료 후 유방의 변화 예측

유방의 종양성형술에 있어 즉시재건술 한번만으로 양쪽 유방의 균형이 딱 맞아떨어지고 유지되면 좋겠지만, 수술 후 어느 정도 시간이 지나면서 나타나는 자연스러운 변화가 있을 수 있고 방사선치료 등으로 인한 피판의 위축들이 발생할 수 있다. 치료종결 후 또는 유방모양의 변형이 발생한 경우 이차수술을 통하여 모양이나 대칭을 다시 바로잡을 수 있으며, 지연재건술에서 전체적으로 이차 보완수술을 할 수도 있다. 종양학적 안정성이 명백히 입증된 것은 아니지만 조심스럽게 지방주입(fat graft)도 시행해 볼 수 있다.

| 수술 전 | 수술 후 1개월 째 | 방사선 치료 후 | 수술 후 1년 째 |

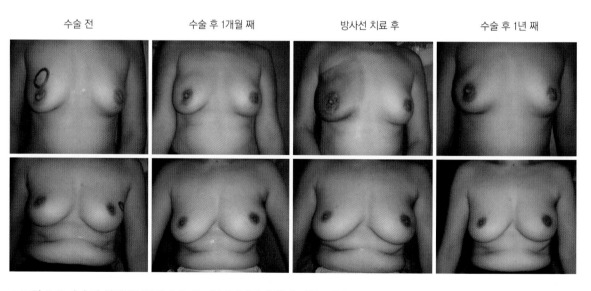

● 그림 5-5. **수술전 상태에서부터 수술 후 1년째까지의 유방의 변화.** 방사선치료 때는 색소침착 및 유방의 부종이 다소 동반되지만 시간이 지나면서 색소침착도 사라지고 유방의 부종도 다소 완화된다. 방사선치료 후에는 재건된 유방의 10-20% 정도의 부피가 줄어들 수 있으므로 방사선치료가 예정되어 있다면 처음 재건시 10-20% 정도 크게 만드는 것이 필요하다.

유방암 절제 후 유방 내의 조직을 이용하여 유방을 재건하는 부피이동술(volume displacement techniques)은 양쪽의 균형을 맞추기 위하여 반대편 유방의 수술이 필요할 수도 있다. 반면, 유방암 절제 후 유방이 아닌 다른 부위의 피판을 이용하여 유방을 재건하는 부피치환술(volume replacement technique)은 반대편과의 균형을 맞추기 위한 술식인 경우가 많으므로 반대편의 유방수술은 필요하지 않다. 하지만, 반대편 유방의 하수정도가 심한 경우는 미용학적 결과를 향상시키기 위하여 위로 당겨서 고정하는 유방고정술(mastopexy)을 원하기도 하고, 너무 큰 반대편 유방은 적당한 크기로 재건된 유방 크기에 맞춰서 유방축소술을 할 수도 있다. 반대로 작은 유방은 적당하게 유방확대술을 할 수도 있다. 유두와 유륜 역시 환자의 요구에 따라 너무 큰 경우에도 축소를 할 수 있고, 유두가 함몰된 경우는 함몰유두 교정술을 함께 할 수 있다. 물론 모든 술식은 수술 전에 환자와의 충분한 면담을 통하여 결정하여야 한다. 아무리 술자의 눈에 좋을 것처럼 보여도 환자에게 미리 설명되거나 고지되지 않은 술식은 시행하지 않는 것이 좋다.

부피이동술에서는 유방의 결손 부위를 제외하고 남아있는 유방조직을 이용하여 다시 유방모양을 재건하기 때문에 유방의 크기가 다소 줄어드는 경향이 있다. 그렇기 때문에 양측 유방이 중간정도의 크기(B-C컵) 이상의 부피를 가지는 정도라면 유방암이 발생한 쪽만 볼륨치환술을 이용한 재건술을 통해 균형을 맞추는 것을 우선 고려할 수 있을 것이다. 균형을 맞추기 위한 반대편의 유방성형술이 필요한 경우는 반대편 유방의 철저하고 충분한 평가가 필요하다. 그리고 수술 후에도 반대편 유방의 유방암 발생 위험도와 그로 인한 정기적인 검사가 필요함을 환자에게 충분히 설명한 후 환자의 요구에 맞는 수술을 서로 논의해야 한다. 특히 거대유방, 중등도의 유방하수 또는 저성장유방을 가진 환자에게는 양측 유방의 균형을 위하여 반대편의 수술이 필요할 수 있음을 충분히 설명하고 설득하는 과정이 필요하며, 수술 전, 후 사진을 보여주면서 설명하는 것도 많은 도움이 된다.

부피이동술(volume displacement technique)을 이용한 재건술 이후에 균형을 맞추기 위한 반대편 유방의 수술 방식으로는 기본적으로 유방축소술이나 유방고정술을 이용할 수 있다. 반대편의 유방의 크기가 커서 비대칭인 경우는 반대편 유방축소술을 할 수 있고, 반대편의 유방의 모양이 비대칭인 경우는 유방고정술을 통하여 양측의 균형을 맞출 수 있을 것이다. 유방축소술은 주로 유륜절개법(periareolar technique), 수직반흔 축소술(vertical scar technique)이나 역T자 수술법(inverted-T scar technique)을 이용할 수 있다. 양쪽 유방의 균형을 위하여 병변측의 제거된 유방조직의 절제량만큼 반대편의 유선도 절제하는 것이 도움이 된다.

모양의 균형을 위해서 양측 유두-유륜 복합체가 동일 수평면상에 놓일 수 있도록 위치를 잘 잡도록 한다. 유방고정술은 주로 크기는 비슷하지만 모양의 차이가 있는 경우, 특히 유두-유륜 복합체의 비대칭일 때 시행할 수 있는데, 주로 병변이 유방의 상방에 위치하여 수술 후 유두-유륜 복합체가 위쪽으로 끌려 올라간 경우 반대편에 유방고정술을 시행할 수 있다.

재건된 유방에서 비대칭이 발생할 수 있는 부분은 유방하주름의 위치와 윤곽이다. 최근 유방재건술에서는 유두보존(nipple-sparing) 또는 피부보존 유방전절제술(skin-sparing mastectomy)의 빈도가 높아지고 있는데, 유방이 절제되고나면 유방하주름이 사라지게 되어 유방을 재건하는 것이 어려울 수 있다. 따라서 수술 전 디자인을 할 때 양측의 유방을 비교하고 유방하주름을 미리 표시해 두면 유방하주름을 재현하는 데 도움이 될 수 있다. 만약 유방하주름이 보존되지 못한 경우라면 피하지방층을 흉벽의 근육에 봉합하여 유방밑주름을 재건하도록 한다.

유방조직이 제거되고 난 뒤, 양측 유방의 균형을 맞추기 위해서 침대를 세워 환자를 앉은 상태로 만든 다음 반대편 유방과 비교하여 진행하기를 추천한다. 유방의 결손부위가 작은 경우는 누운 자세에서 진행할 수도 있지만, 결손부위가 커서 부피가 많이 필요하여 피판이 크거나 보형물이 들어가는 경우는 결손 부위를 채워놓고 난 뒤에 앉은 상태에서 모양을 만드는 것이 유리하다. 이러한 자세의 변화가 예상된다면 미리 마취과의사와 상의하여 환자의 머리과 양측 팔이 잘 고정될 수 있도록 수술 전에 준비해야 한다. 침대는 약 70-80도 정도 일으켰을 때 거의 환자의 앉은 자세와 비슷하게 구현될 수 있으며, 유방의 모양을 비교하고 맞춘 후에는 가급적 다시 침대를 눕혀 환자의 안면부에 큰 부담이 되지 않도록 수술을 진행하는 것이 좋다(그림 5-6).

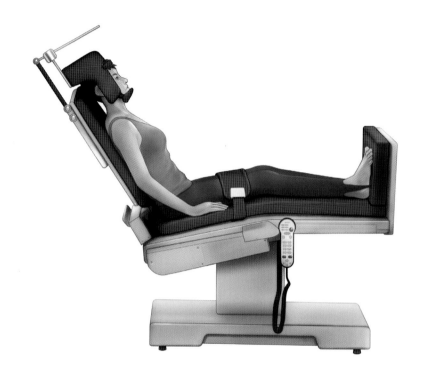

● 그림 5-6. **수술 중 환자의 유방대칭을 확인하기 위한 자세변화.** 약 70-80도 정도로 앉힌 자세에서 유방의 모양을 비교하면 좋은데, 이 때 반드시 머리와 팔이 잘 고정되어 있어야한다. 가급적 빠른 시간 내에 유방의 형태와 대칭을 확인하고 다시 누운 자세에서 수술을 진행하는 것이 안전하다.

유방의 균형을 맞추는 과정에서 유방의 융기(projection)정도와 유방하수의 정도를 조절하고, 가능한 유방 하내측에 많은 양의 피판이 위치하도록 하는 것이 수술 후 유방의 외측으로 유방이 벌어지는 것을 방지할 수 있고 내측의 부피가 꺼지는 것을 방지하는 데 도움이 된다(그림 5-7). 유방의 외측 경계가 될 부위를 표시하여 그 부위에 피판을 잘 고정시켜 주는 것이 대칭적인 유방을 만드는 데 중요한 역할을 한다.

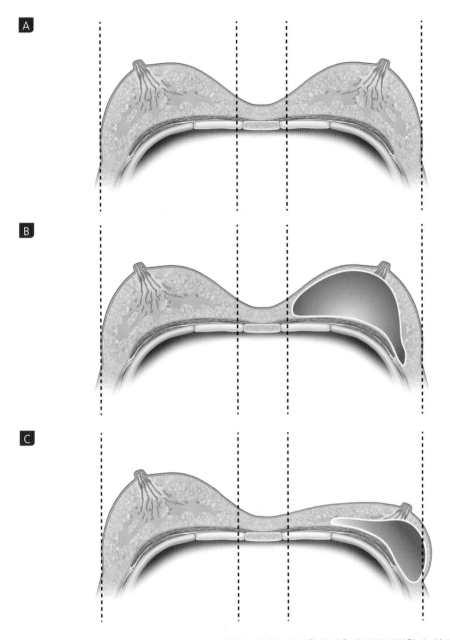

• 그림 5-7. **유방의 피판의 고정위치. (A)** 정상 유방. **(B)** 피판을 하내측에 많이 위치할 수 있도록 고정하면
유방의 융기(projection)과 하수(ptosis)를 자연스럽게 맞출 수 있다. **(C)** 피판이 상측 또는 외측으로 고정되
면 반대편의 정상유방과는 달리 한쪽으로 쏠림현상이 발생하여 미용학적 결과가 좋지 않다.

피판의 부피가 충분할 경우는 균형을 맞추는 데 큰 어려움이 없으나, 부피가 작은 경우는 반대편과의 대칭을 고
려하여 피판의 고정 순서를 유방포켓 내측으로부터 외측으로 하는 것을 추천한다. 수술이 마무리된 후에는 반창고
를 이용하여 유방하주름을 고정하고, 피판이나 보형물의 외측으로의 탈출을 방지하기 위하여 외측으로 바깥쪽 경계
를 모양을 내면서 반창고를 여려 겹으로 고정한다. 이후 상방과 내측에도 탄력 반창고를 이용하여 압박 고정할 수 있
다(그림 5-8).

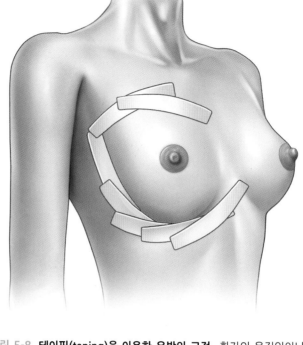

● 그림 5-8. **테이핑(taping)을 이용한 유방의 고정.** 환자의 움직임이나 압박 드레싱 등에 의하여 피판의 이동이 발생할 수 있으므로 테이프를 여러겹 고정 하여 모양을 유지하는 것이 도움이 된다.

✐ 참고 문헌

1. Chatterjee A, et al. Oncoplastic Surgery: Keeping It Simple With 5 Essential Volume Displacement Techniques for Breast Con\-servation in a Patient With Moderate- to Large-Sized Breasts. Cancer Control 2017;24:1073274817729043.

2. Deigni OA, et al. Immediate Contralateral Mastopexy/Breast Reduction for Symmetry Can Be Performed Safely in Oncoplastic Breast-Conserving Surgery. Plast Reconstr Surg 2020;145:1134-42.

3. Vella Baldacchino R, et al. Assessment of breast symmetry in breast cancer patients undergoing therapeutic mammaplasty using the Breast Cancer Conservation Therapy cosmetic results software (BCCT.core). Gland Surg 2019;8:218-25.

4. Vieira RADC, et al. New criteria for breast symmetry evaluation after breast conserving surgery for cancer Rev Col Bras Cir 2021;48:e20202698.

5. Yi HS, et al. Factors affecting mastectomy specimen density in direct-to-implant breast reconstruction. Arch Aesthetic Plast Surg 2019;25:137-41.

CHAPTER

6

유두-유륜 복합체의 재건술

유두-유륜 복합체의 재건술은 즉각재건술에서 시행하는 것보다는 치료 종결 후 대략 6개월-1년 후 지연재건술로 시행하는 것이 더 결과가 좋은 것으로 알려져 있다. 유방암의 추가적인 치료(주로 항암이나 방사선 치료) 종결 후 어느 정도 재건 부위가 안정화된 이후에 시행하는 것이 보다 좋은 결과를 만들 수 있기 때문이다.

유두는 재건 후에 대개 약 30-40%정도 융기(projection)가 가라앉기 때문에 이를 고려하여 처음에 약 1.5-2배 가량 크게 만들고, 피판을 충분히 두껍게 구득하여 혈류 공급을 잘 유지하면 괴사나 2차 수술을 피할 수 있다.

1) 유두의 위치 잡기

유두재건에서 가장 먼저 고려해야 할 사항은 유두의 위치인데, 반대편 유두와의 대칭이 가장 중요하다. 그러나 재건을 한 유방은 비교적 둥글고, 시간이 지남에 따라 발생할 하수의 정도를 가늠하기 힘들기 때문에 유두-유륜 복합체를 재건할 위치 결정이 쉽지 않다. 따라서, 유두의 위치를 결정할 때는 수술 전에 앉은 자세에서 미리 확인하거나 수술 중 환자를 앉힌 자세로 바꾸어 확인하고 결정해야 한다. 디자인을 하는 방법은 5장의 수술 전 디자인을 참고하면 된다.

2) 유두-유륜 복합체(nipple-areolar complex) 재건술

유두-유륜 복합체 재건술의 방법에는 주변 조직을 이용하는 국소피판술과 반대편 정상 유두의 일부를 이식하는 복합 이식 방법이 있다.

1. 유두재건술

국소피판술은 가장 많이 활용되는 유두재건 수술로서 시행하는 방법은 다양하기 때문에 술자의 선호도에 따라 결정하면 된다.

1) 스케이트 피판술(skate flap)

1987년 Little에 의해 처음 소개된 방법으로 국소피판으로는 유두만 재건하고, 유륜은 색소침착이 있는 서혜부 내측의 피부를 이식하여 만드는 방법이다. 수직 피판을 거상하여 충분한 유두 높이를 만들고 양쪽 날개 피판으로 수직 피판을 감싸면서 유두를 만든다.

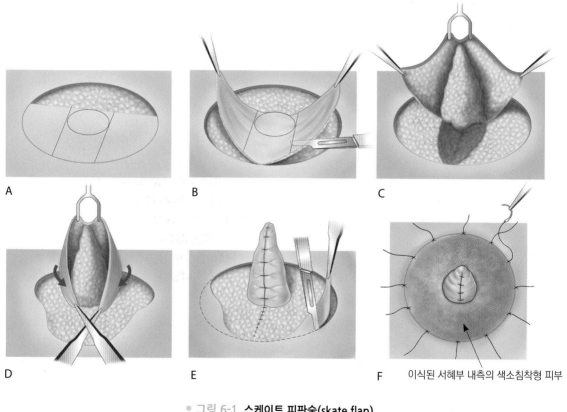

이식된 서혜부 내측의 색소침착형 피부

● 그림 6-1. **스케이트 피판술(skate flap)**

2) 별모양 피판술(star flap)

별모양 피판술은 1991년 Anton 등에 의해 최초로 보고된 유두재건술로서 별모양으로 디자인을하고 피판을 구득한 후 남은 피부를 일차 봉합하는 방법이다. 양쪽 날개 피판의 폭이 유두의 높이가 되기 때문에 반대편 정상 유두의 크기를 참고하여 가급적 1.5배 정도의 폭으로 디자인한다. 가능한 피하 지방을 많이 붙여서 피판을 구득하는 것이 혈류 유지에 유리하다.

3개의 피판을 거상한 후 양측 날개 피판을 말아서 유두의 옆면을 만들고, 가운데 피판으로 유두의 뚜껑을 만든다.

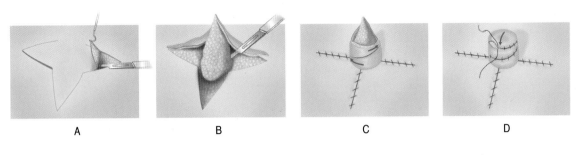

A B C D

• 그림 6-2. **별모양 피판술(star flap)**

3) C-V 피판술(C-V flap)

C-V 피판술은 별모양 피판술과 비슷한 디자인을 가지는데, 가운데 피판이 C자 모양으로 만들어지고 양쪽 날개 피판은 그대로 V자 모양으로 만들어져서 명명되었다. C자 모양의 피판 기저부을 가장 두껍게 거상해야 유두의 높이를 유지시킬 수가 있고, 혈류 저하로 인한 괴사를 예방할 수 있다. 피판의 두께는 피하지방을 포함하여 최소한 1 cm 이 되어야 한다.

별모양 피판술과 마찬가지로 C 피판의 끝이 유두의 뚜껑이 되고 V 피판을 말아서 유두의 옆면을 만든다.

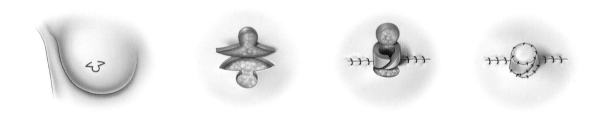

• 그림 6-3. **C-V 피판술(C-V flap)의 모식도**

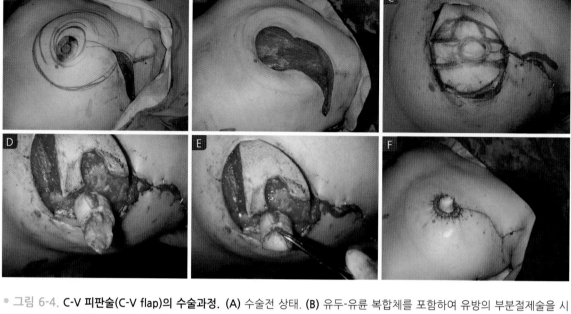

● 그림 6-4. **C-V 피판술(C-V flap)의 수술과정. (A)** 수술전 상태. **(B)** 유두-유륜 복합체를 포함하여 유방의 부분절제술을 시행한 모습. **(C)** 광배근 피판의 피부를 이용한 C-V 피판의 디자인. **(D)** 유두의 뚜껑이 될 C자 피판은 열린 상태이며, 양쪽 V자 모양의 날개를 봉합한 모습. 피판의 두께는 피하지방을 포함하여 최소한 1 cm가 되어야 하며, 특히 양쪽 V피판이 너무 얇아지지 않도록 조심해야 한다. **(E)** C자 피판을 덮어 유두를 완성한 모습. **(F)** 수술 후 재건된 유두.

4) 기타 피판술

종양성형술 후 반흔 위에 사용할 수 있는 나선형 피판술(spiral flap), 종형 피판술(bell flap), 양면 탭 피판술(double-opposing tab flap), 시가 롤 피판술(cigar roll flap) 등 여러 가지 방법들이 있다.

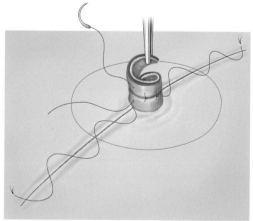

● 그림 6-5. **나선형 피판술(spiral flap)**

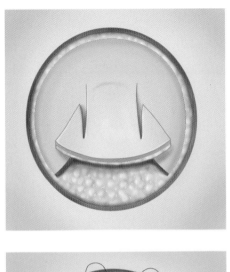
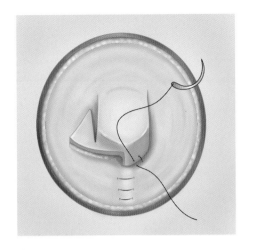
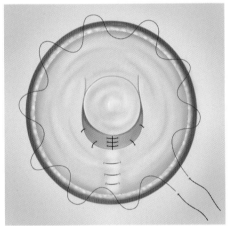
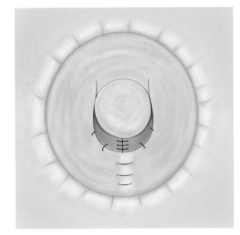

● 그림 6-6. **종형 피판술(bell flap)**

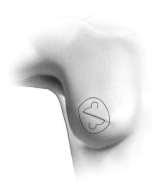

● 그림 6-7. **양면 탭 피판술(double-opposing tab flap)**

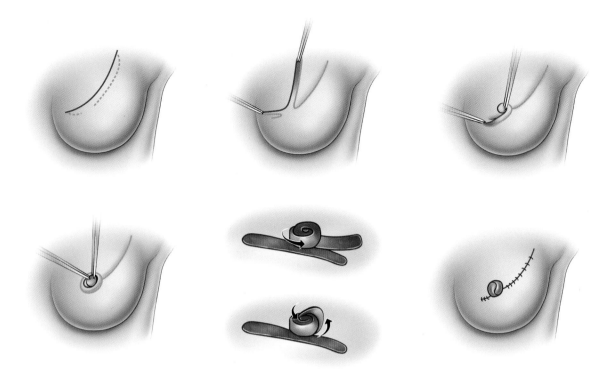

• 그림 6-8. **시가 롤 피판술(cigar roll flap)**

2. 반대편 유두이식술(composite nipple graft)

반대편 유두 이식술이란 반대편 정상 유두의 일부를 이식하는 방법으로 정상 유두와 색상, 질감이 유사한 유두-유륜 복합체를 만들수 있다는 장점이 있는 반면, 기존 유두의 크기가 작은 경우는 구득이 어렵고 괴사가 발생할 수 있다는 단점을 가진다.

1) 수술 방법

반대편의 정상 유두를 절반가량 절제하여 동측의 유두재건이 이루어질 위치에 이식한다. 재건할 위치는 그 아래 진피하 혈관 얼기를 손상시키지 않으면서 표피박리(de-epithelialization)를 시켜야 이식편이 잘 생착된다.

정상 유두의 형태에 따라 절개 방법을 다르게 하면 보다 나을 결과를 얻을 수 있다. 보통 유두가 가늘고 긴 경우에는 수평 절단하고, 보다 둥근 형태일 경우에는 V 자 형태로 절개하거나 수직 절단하기도 한다.

2) 합병증

반대편 유두이식의 가장 큰 합병증은 이식한 유두편의 괴사이다. 또한, 이식할 유두를 채취할 때는 양쪽 유두가 비대칭이 되지 않도록 채취편의 크기에 신경을 써야 한다.

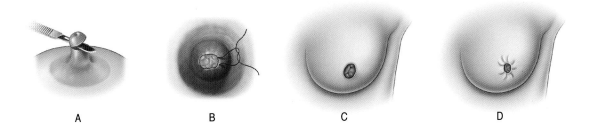

• 그림 6-9. 반대편 유두이식술(composite nipple graft)

3. 유륜재건술(areolar reconstruction)

유륜에는 주로 반대쪽 유륜과 비슷한 색깔의 문신을 하거나, 반대쪽 유륜이 충분한 경우 유륜 피부 이식을 한다. 유륜의 이식방법은 피부이식 편을 참고한다.

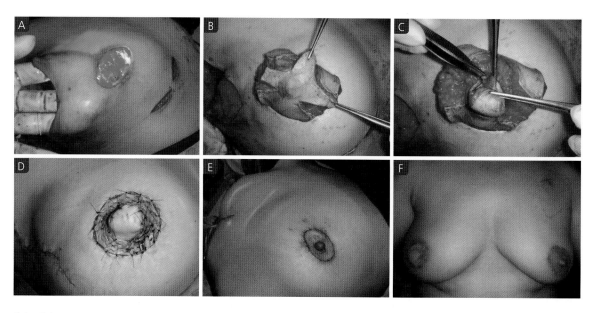

4. 수술증례

증례 1   우측 피부보존 유방전절제술 및 광배근 피판술, 보형물 삽입술, 유두-유륜 복합체 재건술

(Rt skin-sparing mastectomy with LD flap, implant insertion and nipple-areolar complex reconstruction)

49세 여자 환자. 우측 상피내암으로 피부보존 유방전절제술을 시행하고 광배근, 보형물을 이용한 즉시재건술 시행하였다. 광배근의 피부 조직을 이용하여 유두를 C-V 피판으로 재건하고, 반대편 유륜을 구득하여 피부이식의 형태로 유륜을 재건하였다.

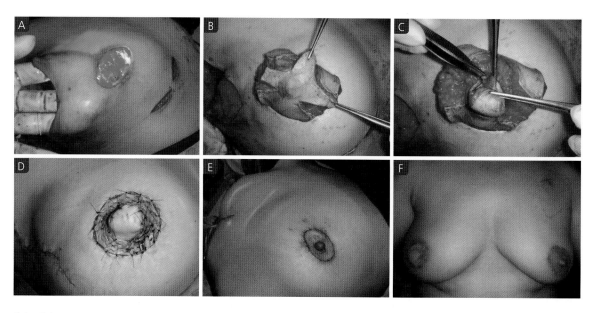

(A) 피부 보존 유방절제술 시행 (B, C) 광배근 피판 재건술 후 광배근의 피부를 이용한 유두 재건 (C-V flap) (D) 유두 재건 및 유륜 피부이식 (E) 유륜 조직을 공여한 반대측 유륜의 봉합된 모습 (F) 수술 후

증례 2 좌측 중심부 사분절제술 및 회전피판술, 유두-유륜 복합체 재건술

(Lt central quadrantectomy /c rotation flap, nipple-areolar complex reconstruction)

65세 여자 환자. 좌측 유방암으로 유두-유륜 복합체를 포함한 유방의 부분절제술을 시행하고, 회전피판술 시행하였다. 이후 유방의 피부를 이용하여 유두를 C-V 피판으로 재건하고, 반대편 유륜을 구득하여 유륜이식술을 시행하였다.

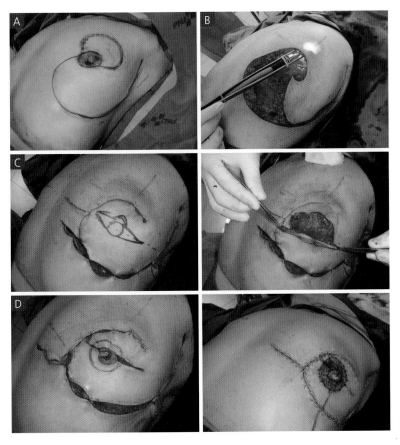

(A) 유방 중앙부의 암으로 유두 유륜 포함하여 부분절제술 시행 **(B)** 유방 부분 절제술 후 국소피판술 시행 **(C)** 유방의 피부를 이용하여 C-V flap **(D)** 유두재건 및 유륜 피부이식

증례 3   좌측 중심부 사분절제술 및 광배근 피판술, 유두-유륜 복합체 재건술
(Lt central quadrantectomy /c LD flap, nipple-areolar complex reconstruction)

39세 여자 환자. 좌측 유방암으로 유두-유륜 복합체를 포함한 유방의 부분절제술 시행하고 광배근 피판술로 즉시 유방재건술을 시행하였다. 광배근의 피부를 이용하여 유두-유륜 복합체 재건술을 시행하였으며, 유륜 부분은 반대편 유륜에서 이식하였다.

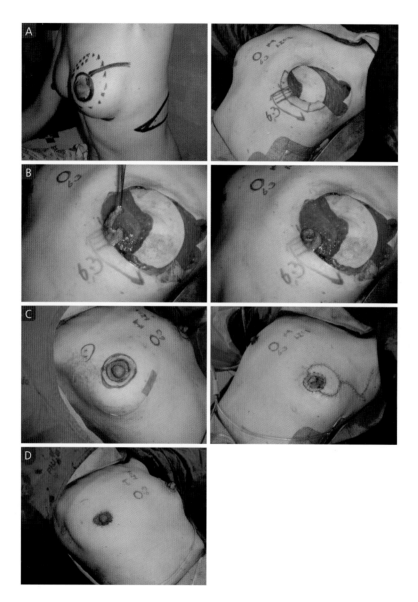

(A) 좌측 유방 중앙 부분 절제술 및 광배근 피판술 시행 **(B)** 유방 아래쪽 피부를 이용하여 시가 롤 피판술을 이용한 유두 재건술 시행 **(C)** 반대편 유륜 이식 **(D)** 수술 후

증례 4 양측 유방축소술 및 유두-유륜 복합체 재건술

(both reduction mammoplasty with nipple-areolar complex reconstruction)

57세 여자 환자. 좌측 유방암으로 유방 부분절제술 및 양측 유방축소술 시행하였다. 좌측 유두 근처에 발생한 유방암으로 유두-유륜 복합체를 제거하고, 즉시 재건술을 시행하였다.

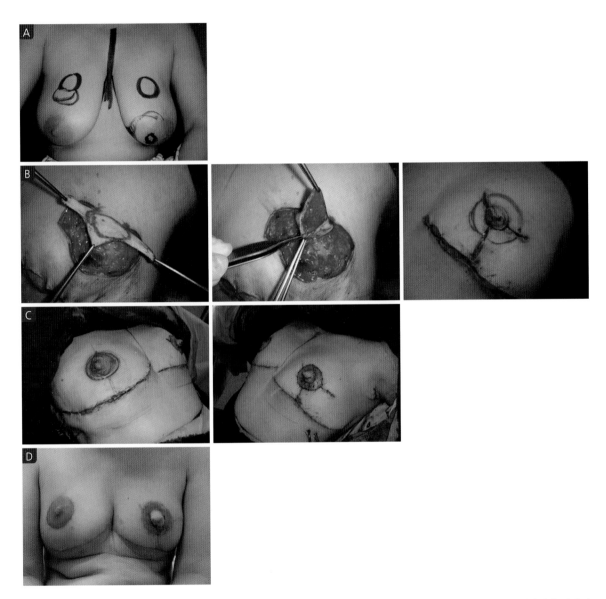

(A) 유방축소술을 위한 유두의 대략적인 위치 설정 (B) 유방축소술 후 유방 피부를 이용한 C-V 피판형 유두 재건술 (C) 반대편 유륜 이식 (D) 수술 후

203

✎ 참고 문헌

1. Adams WM. Free transplantation of the nipples and areola. Surgery 1944;15:186-9.

2. Anton MA, et al. Nipple reconstruction with local flaps: star and wrap flaps. Perspect Plast Surg 1991;5:67-78.

3. Benedetto GD, et al. A simple and reliable method of nipple reconstruction using a spiral flap mede of residual scar tissue. Plast Reconstr Surg 2004;114:158-61.

4. Eng JS. Bell flap nipple reconstruction — a new wrinkle. Ann Plast Surg 1996;36:485-8.

5. Kroll SS, et al. C Comparison of nipple projection with the modified double-opposing tab and star flaps. Plast Reconstr Surg 1997;99:1602-5.

6. Lee S, et al. Immediate Nipple Reconstruction as Oncoplastic Breast Surgery: the Cigar Roll Flap with Inner Dermal Core Tech\-nique. Aesth Plast Surg 2015;39:706-12.

7. Little JW 3rd. Nipple-areolar reconstruction. Clin Plast Surg 1984;11:351-64.

CHAPTER

7

종양성형술에서의 봉합사 선택

봉합사(suture material)는 일반적으로 흡수성(absorbable)과 비흡수성(non-absorbable)로 나눌 수 있다. 유방암의 치료를 위한 종양성형술의 경우 장력은 크지 않아도 되지만, 수술 후 추가적으로 적용되는 항암화학요법(chemo-therapy)이나 방사선치료 등으로 인하여 염증이나 감염 발생의 위험도가 다소 있는 편이다. 따라서 3-6개월 이내 흡수되는 흡수성 봉합사를 주로 이용한다.

종양성형의에 따라서 단일섬유(monofilament)로 이루어진 봉합사를 이용하기도 하고 꼬인 다섬유(braided mul-tifilament)의 봉합사를 선호하기도 한다. 다섬유의 경우 여러 섬유가 꼬인 형태를 가지기 때문에 비교적 장력이 강하지만, 섬유들 사이의 공간에 박테리아나 염증세포가 쉽게 증식할 수 있는 단점이 있다. 특히, 매듭(tie)이 발생하는 위치에는 염증이 흔히 발생하기 때문에 수술 후 매듭이 잘 녹지 않고 있다면 제거해주는 것이 좋다. 단일섬유 봉합사의 경우 염증의 위험도는 다섬유에 비하여 적지만, 매끄러운 표면으로 인하여 매듭이 쉽게 풀리는 경향이 있어 장력매듭법(tension tie technique)을 이용하는 경우가 많다. 어떠한 봉합사든 최소 3회 이상의 매듭이 적용되어야 잘 풀리지 않으며, 5회 이상의 매듭을 만드는 경우는 피부 밖에서 단단하게 만져지거나 이물질에 의한 감염의 위험도를 올리는 것으로 보고되고 있다. 따라서 풀리지 않을 정도의 3-4회의 매듭이면 충분하다.

유선은 힘을 받는 장기가 아니기 때문에 대부분의 경우 장력이 필요하지 않아 유선의 근접고정(approximation)만 되면 충분하다. 유선에 과도한 장력을 주거나 피부를 너무 촘촘하게 봉합하면 오히려 혈류의 흐름을 방해하여 허혈이나 괴사 등의 증상이 발생할 수 있고, 이는 환자에게 통증을 야기할 수 있다. 적절한 봉합의 간격은 5-7 mm 정도로 피부의 벌어짐 증상이 보이지 않을 정도면 충분하다.

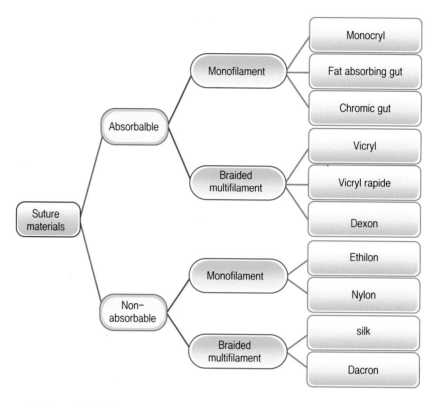

● 그림 7-1. **봉합사의 종류.** 술자의 선호도에 따라서 봉합사는 다양하게 선택될 수 있다.

결론

　　많은 유방암 환자들이 종양성형술을 받으면 작은 절개선으로 유방의 형태는 그대로 보존될 수 있다고 기대하는 경우가 많지만, 실제로는 유방의 종양을 충분히 절제하고 나면 크기가 작은 종양이라 하더라도 유방형태의 변형을 일으킬 수 있을 정도의 유방의 결손부위가 발생할 수 있고 이를 채우기 위해 추가적인 수술이 더해지면 예상보다 큰 절개선이 필요할 수 있다. 종양성형의 입장에서 "이 정도면 꽤 잘 되었다"라고 판단하고 수술을 종결하였더라도 수술 반흔을 예상하지 않았던 환자에게는 큰 충격으로 남을 수 있는 것이다. 심지어 수술 후 방사선치료를 시행하였을 때 반흔구축으로 인하여 유방형태의 변형까지 발생할 수도 있다. 따라서 종양성형의는 반드시 수술 전, 후의 정면과 측면 사진을 촬영하여 확인하고, 예측되는 결과를 환자에게 미리 설명하고 동의를 구함으로써 이러한 상황을 예방할 수 있다. 뿐만 아니라 종양의 크기, 위치, 원래 유방의 크기와 형태, 유륜-유두의 모양이나 방사선치료 여부에 따라 변형의 정도가 다를 수 있음을 알고 있어야 한다. 수술 전에 환자와 충분한 상의를 거친 후 수술이 종결되었을 때는 환자 스스로도 보다 쉽게 받아들일 수 있으며, 이것은 환자의 삶의 질과 정신건강상태를 긍정적인 상태로 유지하게 함으로써 추가적인 치료 기간에도 잘 적응할 수 있어 장기적으로는 질병의 예후를 향상시킬 수 있을 것이다.

Index

국문 찾아보기

ㄱ

가동성 ·· 46, 67
가로금 ··· 168
가봉합 ·· 165
감각신경 ·· 13
감시림프절 생검술 ···································· 14, 27
감염 ·· 28, 76, 92
강 ··· 146
거대유방증 ··· 103
거울형 피판 ·· 49
건막 ·· 115
건획 ·· 114, 124
검상돌기 ································· 115, 119
검체촬영술 ····································· 23, 55
겔 ··· 145
견이 ································· 52, 56, 159
경부신경총 ·· 13
고정봉합 ··· 89
곡형 메이요가위 ··· 171
공여부 ·· 76
과신전 ··· 130
광배근 ·································· 7, 9, 77
광배근 피판술 ······························· 30, 75
괴사 ··· 11
교감신경 ·· 13
구득 ································· 81, 117
궁상선 ································ 115, 122, 127

근적외선 카메라 ·· 11
근접고정 ··· 205
긴장유발손상 ··· 122

ㄴ

나선형 피판술 ··· 196
낚시바늘형 회전피판술 ······························· 60
내시경수술 ·· 25
내유동맥 ·· 10
내유림프절 ·· 14
내전 ·· 77
내측사분면 ··· 55
내회전 ··· 77
내흉 늑간신경 ··· 102
내흉동맥 ························ 11, 101, 115
누빔봉합술 ··· 85, 92
늑간상완신경 ··· 13
늑골 ·· 77

ㄷ

다섬유 ··· 205
단순 유방절제술 ··· 17
단일내강 ··· 146
단일섬유 ··· 205
단일 혈관경 ·· 117
대원근 ··· 77
대흉근 ·· 8, 9
대흉근보존 보형물삽입술 ······························· 31

도넛형 유방고정술 ·· 39

ㄹ

레벨 I 부분절제술 ··· 19
레벨 II 부분절제술 ·· 19
로봇수술 ··· 25
루어락 주사기 ··· 175
리도카인 ··· 26
림프부종 ··· 14

ㅁ

마이크로텍스처 ·· 146
매쉬 ··· 46
멧젠바움 가위 ··· 171
모라토리움 ··· 146
모스키토 ··· 142
무균드랩 ··· 84
무세포 진피조직 ·· 46, 151
물방울 ··· 146
미만성 미세석회화 ·· 94, 97
미세혈관 문합술 ··· 113
밀도 ·· 186

ㅂ

바늘흡인술 ··· 92
반대측 유방축소술 ··· 120
방사선치료 ·· 22, 80
방사형 절개선 ·· 25
배가로근막 ··· 121
배액관 ·· 67
배트윙 수술법 ··· 19, 41
변성 ··· 177
변위 ·· 65
별모양 피판술 ··· 194
병합피판술 ·· 90, 97
보조개 ··· 8
보조치료 ··· 68
보존적 치료 ·· 68, 142
보형물 ··· 5, 90
보형물 전위 ··· 93
복막 ··· 115
복막전방 지방조직 ··· 115
복벽탈장 ··· 114

복부성형술 ··· 114
복부탈장 ··· 127
복직근초 ··· 114
봉합사 ··· 205
부풀어 오르는 것 ·· 87
부피이동술 ····································· 29, 37, 189
부피치환술 ····································· 29, 38, 189
불연속봉합 ·· 40
비정형 관상피증식증 ·· 37
비흡수성 ·· 205
비흡수성 메쉬 ··· 114
빈백 ··· 82

ㅅ

사강 ··· 85, 177
사분절제술 ·· 37
산화재생 셀룰로오즈 ·· 46
상방피부 ··· 44
상복벽동맥 ··· 114, 115
상복벽혈관 ·· 49
상복부동맥 ·· 50
상완골 ·· 84
상완신경총 ·· 78
상피내암 ··· 37
상행성 감염 ··· 92
선행항암화학요법 ··· 23, 27
성근 결합조직 ·· 83
소작모드 ··· 22
소흉근 ··· 9
쇄골상신경 ··· 102
쇄골하동맥 ·· 50
쇄골하부위 ·· 7
수기견인 ··· 86
수력분리술 ······································· 150, 171
수술용 마킹펜 ··· 162
수술용 칼 ·· 124
수술용 클립 고정 ·· 22
수술용 펜 ··· 19
수술 중 동결절편검사 ··· 21, 37, 55
수지고정법 ·· 42
수직반흔 축소술 ··· 189
수직절제법 ·· 42
스케이트 피판술 ··· 194
스테이플러 ··· 162, 165
승모근 ··· 77, 83

시가 롤 피판술 ································ 196
신전 ·· 77
심근막 ·· 8
심부 하복벽관통지 피판술 ··················· 113
심부 하복벽동맥 ······························ 115
심하복벽 천공지동맥 피판술 ·················· 79
쌈지봉합술 ····································· 39

ㅇ

아르키메데스의 원리 ·························· 186
악성림프종 ····································· 76
앙와위 자세 ································· 63, 81
액와부 ·· 7
액와부 동맥 ···································· 78
액와부림프절 ··································· 14
액와부림프절 절제술 ······················ 14, 27
액와부 전진피판 ································ 62
액와부 전진피판술 ······························ 60
액와부 중앙선 ·································· 77
양면 탭 피판술 ································ 196
얼굴 리프팅가위 ······························ 171
에너지 기구 ···································· 82
여성형 유방 ···································· 39
역T자 ·· 106
역T자 수술법 ··································· 189
열손상 ··· 172
염증성 유방암 ·································· 80
외복사근 ······································· 77
외복사근 피판술 ···························· 50, 137
외장골동맥 ································· 50, 115
외전 ··· 63
외측 슬와신경 ·································· 82
외측흉동맥 ····································· 11
외측 흉배근 피판술 ····························· 29
외흉 늑간신경 ································· 102
외흉동맥 ···································· 10, 101
외흉부정맥 ····································· 50
요추 ··· 77
울혈 ··· 124
원형절제술 ································· 20, 39
위치변동 ······································· 44
유경피판 ···································· 49, 113
유두 ··· 7
유두괴사 ······································· 28
유두보존 유방전절제술 ···················· 24, 126

유두 보존 유방절제술 ·························· 17
유두-유륜 복합체 ···························· 9, 193
유두이식술 ···································· 199
유륜재건술 ···································· 199
유륜절개법 ···································· 189
유륜주위 절개선 ································ 19
유방고정술 ···································· 189
유방 근치적절제술 ······························ 37
유방보존술 ································· 3, 17
유방보형물 ····································· 29
유방보형물 관련 역형성 대세포 림프종 ········· 156
유방 실질 ······································ 7
유방암 ··· 3
유방의 높이 ···································· 52
유방재건술 ································· 3, 18
유방전절제술 ··································· 3
유방촬영술 ····································· 30
유방축소술 ································· 29, 101
유방하수 ······························· 7, 30, 101, 186
유방하주름 ······························ 7, 52, 187
유선분리술 ································· 38, 44
유선 재형성술 ·································· 38
유선피판술 ····································· 38
유전자 돌연변이 ································ 25
유착방지제 ····································· 46
육아종성 ······································· 46
융기 ···································· 148, 183, 193
음성절제연 ································ 5, 30, 55
이중내강 ······································ 146
이중피막 ······································ 146
이중 혈관경 피판 ·························· 114, 117
인도사이아닌 그린 ······························ 11
일차봉합술 ····································· 19

ㅈ

자가조직 ···································· 5, 29
자기공명영상 ··································· 30
자유피판 ······································· 49
잔틴 바이올렛 용액 ····························· 19
장골능선 ···································· 77, 83
장력 ·· 120
장력매듭법 ···································· 205
장액종 ································· 28, 85, 92, 154
전기소작기 ································· 8, 38
전기소작술 ································ 150, 171

전늑간동맥 ·· 11
전방거근 ································· 9, 50, 77, 153
전방 복직근초 ······································· 127
전진피판 ·· 45
전진피판술 ··· 52
절개선 ·· 25
절제모드 ··· 22
정맥 카테터 ··· 155
정맥 환류 ··· 118
조직확장기 ··· 24, 27
종양 대 유방 부피의 비율 ··························· 55
종양성형술 ······································ 4, 18, 37
종형 피판술 ·· 196
주영양혈관 ··· 84
중격 ·· 145
즉각 유방재건술 ······································· 24
지방괴사 ·· 117
지연 유방재건술 ······································· 24
지연재건술 ·· 126
진피층 ·· 9

ㅊ

척추천자바늘 ·· 155
천골 ··· 77
천공지 ··· 78
천공지 혈관 ··· 8
체질량지수 ·· 9
초음파 ··· 30
초음파 유도하 위치결정술 ·························· 19
출혈 ··· 28
충수돌기 절제술 ····································· 118
충전 ··· 46
측면지지대 ··· 82
측복부 ·· 138
측와위 ··· 81
치골결합 ·· 114
치밀유방 ·· 9
침윤성 유방암 ··· 69

ㅋ

칵테일요법 ·· 26, 174
코헤시브 겔 ·· 147
쿠퍼씨인대 ·· 8

ㅌ

타원형 절개선 ···································· 19, 80
탄력도 ·· 9
탄산수소 나트륨 ······································· 26
테니스 라켓 술식 ······································ 43
텍스처 ·· 146
틈 ·· 177

ㅍ

파넨슈틸 절개 ·· 118
파젯씨병 ··· 72
팽창액 ······································ 26, 150, 172
평행사변형 유방고정술 ······························ 44
폐쇄성 흡인배액관 ··································· 126
표재 관통지 ·· 52
표재근막 ·· 8
표재부 근막면 ··· 82
표재성 복벽정맥 ······································· 50
표재 하복벽동맥 피판술 ····························· 113
표피박리 ···································· 56, 126, 198
표피박리술 ·· 20, 39
플라스틱 피막 ·· 155
피막 ·· 146
피막구축 ··· 76, 93
피부괴사 ·· 28
피부보조개 ··· 39, 85
피부보존 유방전절제술 ··························· 24, 126
피부보존 유방절제술 ··································· 17
피부 생존도 ·· 27
피부섬 ·· 76, 89
피부유선 회전피판술 ·································· 60
피부이식 ·· 177
피부이식편 ·· 179
피부축소 유방절제술 ································· 120
피부피판 ··· 73
피판괴사 ··· 92
피판의 괴사 ·· 76
피하박리 ·· 150
피하박리술 ·· 171
피하분리술 ·· 20, 44
피하혈관총 ·· 116

ㅎ

하복벽혈관···122
항암화학요법··· 80
해부학적 겔 ···148
허혈 ···11
혈관경 ··· 75
혈관조영술 ·· 80
혈종 ··28, 92
호기 ··114
활꼴선 ··115
회전피판술 ·· 56
횡복직근 ··· 9
횡복직근 피부피판술 ·· 30
횡복직근 피판술 ··· 75, 113
횡절단 ·······································83, 121, 140
후유선공간 ·· 8
흉건봉동맥 ·· 10
흉골 ···7, 120
흉골절흔 ··103, 106, 187
흉배동맥 ··· 78
흉배 동정맥신경다발 ·······································84, 87
흉배신경 ··· 78
흉벽 ··7, 83
흉복벽정맥 ·· 50
흉복벽 피판술 ···································· 29, 49, 137
흉복부 피판술 ······································· 49, 137
흉추 ··· 77
흡수성 ··205
흡수성 다섬유 봉합사 ···152
흡수성 지혈제 ··· 46
힘줄 ··· 83

번호

2대1 쌈지봉합술 ··· 40

영문 찾아보기

A

abdominal hernia ·······································114, 127
abduction ·· 63
absorbable ···205
absorbable hemostat ································ 46
absorbable multifilament suture ················152
acellular dermal matrix ······················46, 151
adduction ·· 77
adhesion barrier ······································ 46
adjuvant treatment ·································· 68
ADM ···46, 151
advancement flap ······························45, 52
anatomical gel···148
anchoring suture ····································· 89
angiography·· 80
anterior intercostal artery ····················· 11
anterior rectus sheath ·····························127
aponeurosis ···115
appendectomy ··118
approximation ··205
arcuate line ·······························115, 122, 127
areolar reconstruction ······························199
ascending infection ·································· 92
aseptic drape ·· 84
atypical ductal hyperplasia ······················ 37
autologous flap ······································· 29
axillary area·· 7
axillary artery ··· 78
axillary lymph nodes ······························· 14
axillary lymph nodes dissection ···········14, 27

B

basting ···165
batwing technique··································19, 41
bean bag ·· 82
bell flap ··196
BIA-ALCL ·······································76, 156
bleeding ·· 28
BMI ··· 9
body mass index ····································· 9
brachial plexus ······································· 78
braided multifilament ·······························205

breast cancer ·· 3
breast conserving surgery ················· 17
breast implant ··· 29
breast implant-associated anaplastic large cell lymphoma ································· 76, 156
breast ptosis ······························· 7, 30, 186
breast reconstruction ····················· 18
bulging ··· 87
burn injury ··· 172

C

capsular contracture ····················· 76, 93
carinoma in situ ···························· 37
cavity ··· 146
cervical plexus ································· 13
chemotherapy ··································· 80
chest wall ····································· 7, 83
cigar roll flap ································· 196
closed suction drain ······················· 126
coagulation mode ··························· 22
cocktail method ····························· 26
cohesive gel ····································· 147
combined pedicle flap ················· 90, 97
congestion ····································· 124
conservative treatment ··············· 68, 142
contralateral reduction mammoplasty ······· 120
cooper's ligament ··························· 8
cosmetic abdominoplasty ··············· 114
curved Mayo scissors ····················· 171
cut mode ··· 22
C-V flap ··· 195
C-V 피판술 ······································· 195

D

dead space ································· 85, 177
deep fascia ····································· 8
de-epidermization ····················· 39
deep inferior epigastric artery ········· 115
deep Inferior epigastric perforator ····· 113
deep inferior epigastric perforator flap ······· 79
de-epithelialization ········· 20, 56, 126, 198
degeneration ································· 177
delayed reconstruction ··············· 126
dense breast ····························· 9

density ··· 186
dermal falp ······································· 73
dermal layer ····································· 9
dermoglandular rotation flap with subaxillary advancement flap ························· 60
DIEP flap ··································· 79, 113
diffuse microcalcification ··············· 94, 97
dimpling ··· 8
dislocation ································· 44, 65
dog ear ································· 52, 56, 159
donor site ······································· 76
donut mastopexy ··························· 39
double capsule ······························· 146
double lumen ································· 146
double-opposing tab flap ··············· 196
double pedicled flap ················· 114, 117
drainage tube ································· 67

E

elasticity ··· 9
electrocauterization ················· 150, 171
electrocautery ····························· 8, 38
elliptical incision ····················· 19, 80
endoscopic surgery ····················· 25
energy device ································· 82
EOMCF ······························· 50, 137
epigastric artery ····························· 50
epigastric vessel ····························· 49
expiration ······································· 114
extension ······································· 77
external iliac artery ··················· 50, 115
external oblique muscle ··············· 77
external oblique myocutaneous flap ········· 50, 137
external thoracic artery ··············· 101

F

face lifting scissors ······················· 171
fat necrosis ····································· 117
feeding vesse ································· 84
filling ··· 46
finger holding method ··················· 42
fish-hook incision rotation flap ········· 60
flank ··· 138
flap necrosis ······························· 76, 92

free flap ·· 49

G

gel ·· 145
gene mutation ··· 25
gentian violet ··· 19
gigantomastia ·· 103
glandular flap ··· 38
glandular reshaping ·· 38
glandular undermining ··· 44
glandular undermining technique ·························· 38
granulation ··· 46
gynecomastia ·· 39

H

harvesting ·································· 81, 117
hematoma ································· 28, 92
humerus ································· 84
hydrodissection ····················· 150, 171
hyperextension ····················· 130

I

ICG ·· 11
iliac crest ································· 77, 83
immediate breast reconstruction ························· 24
implant ····································· 90
incision ····································· 25
indocyanine green ················· 11
infection ···························· 28, 76, 92
inferior epigastric vessel ········ 122
inflammatory breast cancer ····· 80
infraclavicular area ················ 7
inframammary fold ·········· 7, 52
inframammary line ·············· 187
inner quadrant ····················· 55
intercostobrachial nerve ········ 13
internal mammary artery ········ 10
internal mammary nodes ········ 14
internal rotation ···················· 77
internal thoracic artery ······ 11, 101, 115
interrupted suture ················· 40
intraoperative frozen section ···· 21, 37, 55
invasive ductal carcinoma ······ 69

inverted-T scar technique ································ 189
ischemia ································ 11
IV catheter ·························· 155

L

laparocele ···························· 127
lateral decubitus position ········ 81
lateral popliteal nerve ············ 82
lateral thoracic artery ·········· 10, 11
lateral thoracic intercostal nerves ·················· 102
lateral thoracic vein ·············· 50
lateral thoracodorsal flap ······ 29
latissimus dorsi flap ·············· 30
latissimus dorsi muscle ······ 7, 9, 77
latissimus dorsi myocutaneous flap ················· 75
LD flap ································ 30
LDMCF ······························ 75
level I partial mastectomy ········ 19
level II partial mastectomy ······· 19
lidocaine ······························ 26
loose connective tissue ············ 83
LTD flap ····························· 29
Luer-Lock syringe ··············· 175
lumbar spine ························ 77
lymphedema ························· 14

M

magnetic resonance imaging ····· 30
mammography ······················ 30
manual retraction ·················· 86
marking pen ························· 19
mastopexy ·························· 189
mech ·································· 46
medial thoracic intercostal nerves ················· 102
metzenbaum scissors ············ 171
microtextured ····················· 146
microvascular anastomosis ······ 113
mid-axillary line ··················· 77
mirror flap ·························· 49
mobility ······························ 46
monofilament ····················· 205
moratorium ························· 146
mosquito ···························· 142
MRI ···································· 30

N

NaHCO3 ·· 26
near-infrared camera ····························· 11
necrosis ··· 11
needle aspiration ·································· 92
negative margin ·································· 5
negative surgical margin ············· 30, 55
neoadjuvant chemotherapy ·········· 23, 27
nipple ··· 7
nipple-areolar complex ················· 9, 193
nipple graft ······································· 199
nipple necrosis ·································· 28
nipple sparing mastectomy ········· 17, 126
non-absorbable ································· 205
non-absorbable mesh ·················· 114

O

oncoplastic breast surgery ········· 4, 18, 37
ORC ··· 46
overlying skin ··································· 44
oxidized regenerated cellulose ········· 46

P

padded side supports ······················ 82
paget's disease ································· 72
parallelogram mastopexy ················· 44
parenchyma ······································· 7
pectoralis major muscle ················· 8, 9
pectoralis minor muscle ················· 9
pedicle flap ····································· 49, 113
perforator ·· 78
perforator vessels ··························· 8
periareolar incision ························ 19
periareolar technique ···················· 189
peritoneum ····································· 115
pfannenstiel incision ······················ 118
plastic sheath ································· 155
prepectoral implant insertion ········· 31
preperitoneal fat tissue ·················· 115
primary closure ······························ 19
projection ······················ 52, 148, 183, 193
ptosis ·· 101
purse-string suture ························· 39

Q

quadrantectomy ································ 37
quilting suture ······························· 85, 92

R

radial incision ································· 25
radiation therapy ···························· 80
radical mastectomy ························ 37
radiotherapy ···································· 22
rectus sheath ·································· 114
reduction mammoplasty ··············· 29, 101
redundancy ···································· 67
retromammary space ···················· 8
reverse T shape ····························· 106
rib ··· 77
robot surgery ································· 25
rotation flap ···································· 56
round block technique ················· 20, 39

S

sacrum ··· 77
scalpel ··· 124
sensory nerve ································· 13
sentinel lymph nodes biopsy ········· 14, 27
septum ··· 145
seroma ·································· 28, 85, 92, 154
serratus anterior muscle ········· 9, 50, 77, 153
shell ·· 146
SIEA flap ······································· 113
simple mastectomy ······················· 17
single lumen ··································· 146
single pedicled flap ······················ 117
skate flap ······································ 194
skin dimpling ······························· 39, 85
skin island ···································· 76, 89
skin necrosis ································· 28
skin reducing mastectomy ············· 120
skin sparing mastectomy ·············· 17, 126
skin undermining ·························· 20, 44
skin viability ································· 27
slit ··· 177
sodium bicarbonate ······················· 26
specimen mammography ··············· 23, 55

spinal needle ································· 155
spiral flap ··································· 196
star flap ···································· 194
sternal notch ·····················103, 106, 187
sternum··································· 7, 120
subaxillary advancement flap ·········· 62
subclavian artery ························ 50
subcutaneous dissection ··········150, 171
subdermal plexus ······················ 116
superficial epigastric vein ··············· 50
superficial fascia···························· 8
superficial fascial plane ·············· 82
superficial inferior epigastric artery ······· 113
superficial perforators ················· 52
superior epigastric artery ·········114, 115
supine position ····················· 63, 81
supraclavicular nerve ················· 102
surgical clipping····················· 22
surgical marking pen ················· 162
suture material ····················· 205
sympathetic nerve ···················· 13
symphysis pubis ····················· 114

T

TAF ···································· 49, 137
teardrop ································ 146
TEF ···································· 137
TE flap ································· 29, 49
tendinous intersection ···········114, 124
tendon ································· 83
tennis racket technique ·············· 43
tension ································· 120
tension-induced damage··············· 122
tension tie technique ················ 205
teres major muscle ···················· 77
textured··································· 146
thoracic spine ·························· 77
thoraco-abdominal flap ············ 49, 137
thoracoacromial artery ··············· 10
thoracodorsal artery ··················· 78
thoracodorsal bundle ·············· 84, 87
thoracodorsal nerve ··················· 78
thoraco-epigastric ···················· 49
thoraco-epigastric flap ············ 29, 137
thoraco-epigastric vein ················· 50

tissue expander ·····················24, 27
TRAM flap ························30, 75, 113
transection ·····················83, 121, 140
transposition ······················ 93
transversalis fascia ················· 121
transverse lines ····················· 168
transverse rectus abdominis myocutaneous flap··· 30, 113
transverse rectus myocutaneous flap ··········· 75
transversus rectus abdominis muscle ·········· 9
trapezius muscle ·················77, 83
tumescent solution ·········26, 150, 172
tumor-to-breast volume ratio ········· 55
two-by-one purse-string suture ········· 40

U

ultrasound ···························· 30
ultrasound-guided needle localization ·········· 19

V

vascular pedicle ······················ 75
venous return ························ 118
vertical scar technique················ 189
volume displacement technique ·······29, 37, 189
volume replacement technique ···········29, 38, 189

W

Wise 패턴형 절개선 ···················· 106

X

xiphoid process ····················115, 119